Vingt-huit ans
de gaullisme

Éditions J'ai Lu

JACQUES SOUSTELLE | *ŒUVRES*

J'ai Lu

En vente dans les meilleures librairies

JACQUES SOUSTELLE

Vingt-huit ans de gaullisme

Postface de 1971

AVANT-PROPOS

Terminé en 1968 en même temps qu'un exil de sept années, ce livre s'attachait à décrire la trajectoire du « météore » gaulliste pendant vingt-huit ans, à partir de l'effondrement des armées françaises en 1940. Témoin et acteur, je me suis efforcé de dépeindre le gaullisme, phénomène historique, sans flatterie comme sans parti pris d'hostilité. Chacun jugera, selon ses convictions ou son humeur, si j'ai tenu ou non la promesse que je m'étais faite alors, et que j'avais faite à mes lecteurs. Je demande en tout cas que l'on veuille bien prendre connaissance des documents et des faits, des déclarations et des actes, et évaluer l'interprétation que j'en présente. Rien n'est plus éloigné de ma pensée qu'une dogmatique; je tiens au contraire la liberté d'examen pour une des plus précieuses que l'homme ait conquises au cours des siècles. Encore faut-il que cet examen porte sur des données authentiques: c'est ce que je me suis proposé de fournir aux lecteurs du présent ouvrage.

De ces données, on déplorera peut-être que soit presque absente l'anecdote, plus ou moins piquante — plus ou moins imaginée ou « stylisée » — qui agrémente si souvent, à notre époque, les récits de ce genre. On ne trouvera ici entre guillemets que des propos réellement prononcés, des textes réellement écrits. Quant au cours des événements, je le retrace comme je l'ai vu, sans fioritures. Bref, j'ai voulu écrire de l'histoire et non des histoires. Que si l'on objecte qu'il est trop tôt, je répondrai qu'ensuite, et très vite, il est trop tard. Il faut se hâter de fixer les souvenirs, de soustraire à l'oubli ou à la destruction les notes, les lettres, les comptes rendus de conversations qui s'entassent, s'empoussièrent, se dispersent, se perdent. Et puis les années passent, la mort frappe: les Mémoires d'Espoir, inachevés, apportent une nouvelle preuve de ce qu'il y a de précaire dans la condition humaine.

Sans doute le nom de Charles de Gaulle a-t-il soulevé et soulève-t-il encore trop de passions pour que l'écrivain d'aujourd'hui puisse se flatter d'avoir atteint à une objectivité parfaite. Cela sera peut-être le privilège des historiens du siècle prochain. En attendant, on peut se fixer pour but d'apporter un témoignage honnête dont l'avenir tirera son profit. Celui qui a pris une part, même modeste, aux événements qu'il relate, se sent dépositaire et comptable d'une parcelle de vérité: son devoir est de la transmettre en s'abstenant de l'altérer sciemment. D'autres, plus tard, quand les fureurs et les regrets se seront évanouis avec la génération qui en a été tourmentée, s'empareront de cette parcelle, la juxtaposeront ou la compareront avec d'autres, agenceront ce qui est connu aujourd'hui et ce qui ne l'est pas encore, jetteront sans doute une lumière nouvelle sur tel épisode obscur. A cette construction future de l'histoire, ce livre prétend contribuer en y apportant sa pierre.

Quand, à Lausanne, je mis le point final à cet ouvrage, en m'apprêtant à regagner la France grâce à un non-lieu trop longtemps différé — l'inculpation d'atteinte à l'autorité de l'Etat lancée contre moi, avec mandat d'arrêt, ne reposant que sur un dossier à peu

6

près vide, meublé seulement de quelques coupures de presse aussi dénuées de sérieux que d'esprit —, j'étais loin de me douter que Charles de Gaulle abandonnerait le pouvoir quelques mois plus tard. A l'heure de son départ de l'Elysée, le gaullisme n'avait même pas vingt-neuf ans. Puis le destin a tranché le fil d'une vie qui avait tant pesé, en bien ou en mal, sur l'existence des Français. Aussi la tentation est-elle forte de prolonger mon récit jusqu'à la conclusion qu'impose une disparition irrévocable. C'est à cette tentation que je cède en complétant la nouvelle édition de Vingt-huit ans de gaullisme *par une postface retraçant la fin du gaullisme jusqu'à la mort de celui qui l'inspira. Ainsi ce tableau du gaullisme reflétera-t-il son évolution capricieuse et contradictoire depuis le 18 juin 1940 jusqu'au 9 novembre 1970.

J'étais, ce 9 novembre, à quelques centaines de mètres de Carlton Gardens, ancien quartier général des F.F.L., et je parlais à un auditoire britannique réuni au Royal Institute of International Affairs, à St. James's Square. Le sujet: « La France après de Gaulle. » Quelques heures plus tard j'apprenais la nouvelle que répandaient les ondes. C'est ainsi que s'acheva pour moi, à Londres, l'aventure commencée à Londres trente ans auparavant: durée dérisoire si on la compare à celle des nations, des civilisations, de notre espèce, mais combien chargée de sens, d'émotions, de luttes et de méditations, de brèves joies et de pesantes désillusions, pour l'homme dont elle a dominé si longtemps l'existence!

A certaines des questions ou des hypothèses qui marquaient le dernier chapitre de ce livre, la réalité a déjà répondu. Les Français ont été « assez sages pour éviter le chaos ». Il leur reste à « rebâtir la République », à parcourir la voie étroite de la démocratie, périlleux sentier que bordent de part et d'autre les abîmes du pouvoir absolu et de l'impuissance rhétorique. L'héritage, dans tous les domaines, est lourd. Rien ne sera fait qui vaille sans un effort sincère de clarté: puisse ce livre, sous cette nouvelle forme, apporter à cet effort un appui efficace.

PREMIÈRE PARTIE

1

LE GAULLISME DE GUERRE

Quel que puisse être son avenir, le gaullisme appartient à l'histoire de notre pays et par là à celle du monde. Voilà 28 ans que ce météore est apparu dans le ciel désolé d'une grande bataille perdue. En un peu plus d'un quart de siècle, sa trajectoire déconcertante l'a conduit à l'apogée de 1944, aux alternances d'éclat et d'obscurité des luttes électorales et parlementaires, à l'éclipse qui a suivi l'échec du Rassemblement. Resurgissant en 1958 des brumes de l'oubli, sur l'horizon ensoleillé et tempétueux de l'Algérie, il s'est engagé dans une nouvelle carrière qui dure encore au moment où j'écris.

De tous les sentiments qu'un homme public peut provoquer chez ses contemporains, il n'en est point que de Gaulle n'ait suscité, depuis l'adoration dévote jusqu'aux extrémités de la haine. Je crois le connaître assez pour dire que, s'il oppose à la seconde des ressources infinies de ruse et de violence, il utilise la première avec un mépris secret.

Un phénomène d'une telle durée et d'une telle ampleur, mêlé pendant plus d'une génération à notre vie nationale et à nombre d'événements mondiaux, mérite

9

d'être étudié avec objectivité, loin de la flatterie des thuriféraires comme du dénigrement systématique. Il est peu de Français qui jamais, à aucun moment, ne se soient reconnus dans le miroir du gaullisme. L'auteur du présent livre, quant à lui, n'entend rien renier de ce qu'il a cru ni de ce qu'il a fait. Les pages qui suivent devraient, dans son esprit, apporter une contribution à l'effort de lucidité et de sincérité qui demeurera nécessaire quand il s'agira de comprendre et de juger un ensemble d'actions, de paroles et d'idées autour desquelles les passions se sont heurtées en ouragan pendant tant d'années. Qu'on le veuille ou non et quoi qu'il arrive, le gaullisme et ses suites pèseront encore longtemps et lourdement sur la conscience française: et cela d'autant plus que Charles de Gaulle, attachant le plus grand prix à l'unité nationale mais la concevant exclusivement comme un ralliement à sa personne, a en fin de compte beaucoup moins rassemblé la France qu'il n'a divisé les Français.

Le gaullisme naissant, en 1940, n'avait pas le temps ni le goût d'élaborer une doctrine. Ni système ni parti, c'était un état d'esprit. Sur le sol de la France envahie, dans les territoires d'outre-mer, à l'étranger, des Français d'abord accablés par le désespoir face à l'effondrement des armées réagirent d'instinct en disant: Non! Un refus, voilà le gaullisme d'alors, et rien de plus. Nous étions animés par cet « esprit qui dit non », aujourd'hui dénoncé avec colère et sarcasme par le Guide à qui tout bon Français doit le « oui » perpétuel. Certains, comme ceux du corps expéditionnaire de Norvège repliés en Angleterre après Narvik, ou les quelques-uns qui entendirent, le 18 juin, un général inconnu de presque tous lancer son appel, furent les premiers gaullistes. Bien d'autres, gaullistes sans le savoir, le devinrent consciemment dans la suite, pour la seule raison que, repoussés par le pôle Pétain, ils se trouvèrent attirés *ipso facto* par le pôle opposé, dont ils ignoraient tout sinon son existence et sa détermination. Tel fut le cas, dans les débuts, de nombreux Français des colonies et de l'étranger, de prisonniers évadés dans la confusion générale de la défaite, de « résistants » (le mot n'était pas encore employé, ni galvaudé) qui n'acceptaient pas la déchéance de la France. Qui était de Gaulle? Personne ne le savait ni, à vrai dire, ne s'en souciait. Qu'un gouverneur général ou un haut-commissaire, qu'un homme d'État en renom, ait brandi à ce moment-là l'étendard, et les mêmes hommes se seraient ralliés à lui.

On a peine à se rappeler aujourd'hui à quel état de pulvérisation le choc de la débâcle militaire avait réduit le corps politique. Les notions traditionnelles de droite et de gauche perdaient toute signification dès lors qu'auprès du Maréchal, à Bordeaux puis à Vichy, l'on trouvait des socialistes comme Marquet ou Spinasse, des radicaux comme Chichery, Pierre Laval, homme du centre venu de la gauche, et des représentants de la droite classique ou royaliste. Quelles pouvaient être les positions politiques du général de Gaulle? Et même en avait-il? Je ne crois pas que cette question se soit sérieusement posée à un sur mille des premiers gaullistes. Ils auraient aussi bien suivi Weygand ou Noguès s'ils avaient décidé de poursuivre la lutte en Afrique, Paul Reynaud, Georges Mandel ou n'importe quel gouvernement dans l'Empire ou en exil. Les vieilles catégories politiques avaient volé en éclats. Il ne faisait de doute pour personne, y compris pour les républicains les plus sincères, que la IIIe République était bien morte, et le Parlement qui venait d'abdiquer entre les mains du Maréchal se trouvait frappé d'un profond discrédit.

Il y avait de tout un peu dans le petit monde — oh! bien petit — qui gravitait autour du général de Gaulle à Carlton Gardens dans les débuts: des officiers sans tendance bien déterminée comme Kœnig, Dewavrin

(Passy) ou Leclerc, deux ou trois anciens cagoulards, des socialistes comme Georges Boris et Henry Hauck, des « hommes de gauche » tels que René Cassin, André Labarthe et moi-même, René Pleven déjà « centriste » comme on dirait aujourd'hui. L'Action Française et les mouvements antifascistes, les catholiques traditionnels, les juifs et les protestants se coudoyaient dans ce microcosme, abrégé de France qui ne différait de la cour de Vichy que par un choix initial plus souvent instinctif que calculé. Rares étaient ceux qui, dès ce moment, s'essayaient à donner un contenu au gaullisme. Parmi eux me fut particulièrement cher mon collègue l'archéologue Hackin, géant taciturne aux yeux de porcelaine, qui dès la fin de 1940, si j'ai bonne mémoire, rédigea une note, plus morale que politique, sur l'orientation qu'il conviendrait de prévoir pour la France au lendemain de la victoire. Ce document reflétait l'image d'une République pure et dure, soustraite aux intrigues politiciennes et à la corruption de l'argent, image qui hantait alors les esprits d'une poignée d'exilés tandis que les bombes pleuvaient sur leur terre d'asile et que les incendies allumés par la Luftwaffe dévoraient la Cité de Londres.

Hackin et moi partis en mission au printemps de 1941, nos convois furent attaqués par les sous-marins et les avions allemands: j'ai seul survécu. Je pense souvent avec nostalgie à la contribution que cet esprit vigoureux et droit, d'une honnêteté sans fissure, aurait pu apporter à la reconstruction de la France. Combien d'autres parmi les meilleurs — Brossolette, Bingen, Médéric, Jean Moulin pour ne citer que ceux-là — ont disparu avant l'aube! Quelle serait leur attitude face au néo-gaullisme d'aujourd'hui?

Mais j'en reviens aux premiers « gaullistes ». Le terme lui-même n'était guère en usage. De Gaulle fronçait le sourcil quand d'aventure on l'employait devant lui. C'est Vichy qui en fit la fortune. La radio et la presse du régime maréchaliste s'acharnaient en effet à qualifier de « gaulliste » quiconque essayait, d'une façon ou d'une autre, de poursuivre le combat ou ne se ralliait pas à l'idéologie officielle. On voit par exemple dans les souvenirs de Guillain de Bénouville (1) que, jeté en prison dès février 1941 par les autorités vichystes, il s'entendit reprocher d'être gaulliste. Or, il ne l'était pas encore, et ne le devint que plus tard: une fois libéré, il prit une part prépondérante à l'action de l'organisation *Carte*, résistante mais plus que réservée à l'égard du général de Gaulle, avant de devenir un des chefs de *Combat*.

De Gaulle lui-même était-il gaulliste dans les premiers temps? On confond trop souvent l'appel du 18 juin 1940 avec ceux qui l'ont suivi, notamment avec celui du 22 juin (2). Le premier appel énumérait, certes, les raisons fondamentales de ne pas croire à une défaite définitive: « Rien n'est perdu pour la France. Les mêmes moyens qui nous ont vaincus peuvent faire venir un jour la victoire... La France a un vaste Empire derrière elle. Elle peut faire bloc avec l'Empire britannique... (et) utiliser sans limite l'immense industrie des Etats-Unis. » Il lançait, assurément, le mot clé: « La flamme de la *résistance* française ne doit pas s'éteindre. » Mais il ne contenait rien qui annonçât la naissance d'un mouvement autonome, encore moins d'un comité à vocation gouvernementale. De Gaulle se bornait à inviter les officiers et les soldats français, ainsi que les ingénieurs et les ouvriers spécialistes de l'armement, « qui se trouvent en territoire britannique ou qui viendraient à s'y trouver », à se mettre en rapport avec

(1) *Le Sacrifice du matin*, dans la même collection, A 162***, p. 82.
(2) On le confond aussi avec le texte de l'affiche bordée de tricolore placardée à Londres après les accords Churchill-de Gaulle, texte où se trouve la phrase fameuse: « La France a perdu une bataille, mais la France n'a pas perdu la guerre. »

lui. Il s'agit là, on le voit, d'une mesure conservatoire: pour peu qu'une autorité française décide de poursuivre la lutte dans l'Empire, elle pourra disposer des soldats et des spécialistes qui se seront dérobés au pouvoir de l'ennemi; si rien de tel n'a lieu, de Gaulle lui-même aura sous la main, espère-t-il, l'embryon d'une force française.

Il est évident que, dans son esprit, la deuxième hypothèse n'était destinée à se matérialiser qu'en cas d'échec de la première. Sinon, comment expliquer les messages pressants qu'il adressa sans délai: dès le 19 juin et encore le 24 au résident général Noguès, le 25 juin à M. Gabriel Puaux, haut commissaire à Beyrouth ainsi qu'au général Mittelhauser, commandant en chef au Levant? « Je me tiens à votre disposition pour combattre sous vos ordres. » « Je suis moi-même à vos ordres. » Telles sont les expressions qu'il emploie dans ces télégrammes.

Cela ne signifie pas que l'idée ne lui fût point venue de prendre lui-même la tête de la résistance armée. Tout l'y poussait: son scepticisme quant à la clairvoyance et aux capacités de décision des grands chefs civils et militaires, l'amertume recuite que lui avaient laissée l'incompréhension et l'hostilité suscitées dans les hautes sphères militaires par ses idées sur l'arme blindée et aussi par ses manières abruptes et cassantes, sa brouille en 1938 avec le maréchal Pétain dont il avait été le protégé (1), enfin sa nature même d'« ambitieux de premier rang », volontiers porté à identifier sa personne à la France. Les années avaient traîné pour lui dans l'ennui des garnisons rhénanes, dans les petites intrigues d'état-major, dans les tentatives à moitié réussies pour pénétrer les milieux politiques sous l'égide de Paul Reynaud. De grands et terri-

(1) De Gaulle avait dit alors: « Rien ni personne n'arrêtera plus le Maréchal sur le chemin de l'ambition sénile. » J.-R. Tournoux, *Pétain et de Gaulle*, p. 176.

bles événements, « orages désirés », venaient enfin gonfler ses voiles du souffle de la tempête.

Pourtant, pendant ces journées fatidiques de juin 1940, il eût suffi qu'un des proconsuls ou des généraux chargés d'étoiles qui occupaient les résidences d'outre-mer se prononçât pour la poursuite de la lutte, et il n'y aurait pas eu de gaullisme. Mais l'Empire et la flotte neutralisés, la perspective d'un gouvernement de guerre outre-mer ou en Grande-Bretagne s'effaçant, il ne restait plus d'autre issue à de Gaulle que de continuer sur un chemin pour longtemps solitaire.

Certes, on pouvait concevoir que la France, dans son malheur, disposât d'une épée et d'un bouclier: une force de résistance à l'extérieur, un gouvernement à l'intérieur, de Gaulle et Pétain adversaires en apparence, complémentaires en fait. Une telle idée vint naturellement à l'esprit de beaucoup de Français, tant dans la métropole qu'à l'étranger et outre-mer. Le mythe d'une entente secrète entre les deux chefs, entre le général de brigade à titre temporaire de cinquante ans et le Maréchal chargé d'années, se répandit très vite. Les gens bien renseignés ou qui se disaient tels apportaient à l'appui de leurs hypothèses des faits mal compris ou dépassés: le patronage que le Maréchal avait longtemps accordé à son cadet, le prénom de Philippe donné au fils du général de Gaulle, la dédicace chaleureuse au Maréchal du livre *La France et son armée*. Le mythe ne fut jamais qu'un mythe. Pour qu'il devînt réalité, il aurait fallu que de Gaulle se bornât à organiser une simple « Légion » française dans l'armée britannique et que le Maréchal, s'enfermant dans un attentisme têtu, s'en tînt strictement à la lettre des conventions d'armistice. Or, le premier ne consentait point à ce que l'effort français, s'il devait se poursuivre, se réduisît aux dimensions d'une force auxiliaire sans autonomie, dont les actions ne seraient pas portées au crédit de la France et ne lui conféreraient aucun droit lors de la victoire commune. Le second, loin de limiter son rôle à celui de gardien de la neutralité établie par l'armistice, ne sut ou ne voulut pas éviter d'infléchir le nouveau régime dans un sens trop évidemment conforme à l'orientation de l'ennemi — notamment en promulguant les lois raciales — ni refuser sa caution morale à la « collaboration ».

L'armistice étant acquis (et il n'est pas douteux que si Pétain l'avait soumis à un référendum, il aurait obtenu une écrasante majorité), la logique même de la situation aurait dû conduire un gouvernement attentiste, demeuré à la tête d'un pays neutralisé, à se conformer aux lois existantes non sans mettre en veilleuse l'activité politique. Dès que des territoires tels que l'Afrique équatoriale et le Cameroun rallièrent la France Libre, celle-ci s'empressa d'y maintenir les principes de la législation républicaine. Si Vichy avait adopté une attitude parallèle, en renvoyant à la fin de la guerre toute décision sur la nature et les institutions d'un nouveau régime, on aurait vu coexister deux gérants provisoires, veillant l'un sur la partie neutralisée du patrimoine français, l'autre contrôlant les colonies et les forces combattantes, engagés tous les deux à rendre compte au pays et à lui redonner la parole à la fin des hostilités.

Il n'en fut pas ainsi. De Gaulle d'une part, égaré peut-être par de faux renseignements, accabla d'emblée le Maréchal de reproches non justifiés, l'accusant notamment de vouloir remettre la flotte aux Allemands; d'autre part, la précipitation de mauvais augure avec laquelle on se hâta d'effacer jusqu'au nom de la République et d'imiter ce qu'il y avait de moins acceptable dans les régimes de l'Axe, creusa aussitôt un fossé infranchissable entre Vichy et les gaullistes, qu'ils fussent de droite, de gauche ou purement et simplement des patriotes sans position politique.

Ils ne pouvaient en effet admettre une « révolution

16

nationale » — quel que fût son contenu réel et quoi que chacun pût en penser — imposée en présence de l'occupant à la faveur du désastre. Rebutés par la niaiserie des slogans et des cantates, par le bric-à-brac folklorique, les francisques « galliques » et l'iconolâtrie maréchaliste, ils l'étaient davantage encore par l'atmosphère de masochisme que le nouveau régime entretenait chez les Français, semblant se complaire à leur forger une mentalité de vaincus.

A partir de là, une constante escalade dans l'invective puis dans les coups, aggravée par l'intransigeance du Général et l'obstination du Maréchal, fit dériver de plus en plus loin l'une de l'autre les deux fractions de la France: ce furent les lourdes condamnations, les Français Libres frappés de déchéance, le traitement ignominieux infligé aux premiers résistants dans les prisons de Vichy; le canon tonna à Dakar en 1940, en Syrie l'année suivante.

Il fut dès lors tenu pour établi, d'un côté, que de Gaulle et les Français Libres, « dissidents » stipendiés par l'Angleterre, n'étaient qu'un ramassis de Juifs, de francs-maçons, de politiciens et de mercenaires; de l'autre, que depuis le Maréchal jusqu'au dernier fonctionnaire vichyste, on ne trouvait que turpitude et trahison.

De Gaulle est naturellement manichéen. A ses yeux, quiconque n'est pas avec lui est contre lui; être contre lui, c'est être contre la France. L'anti-gaullisme, sous quelque forme que ce soit, n'est pas autre chose que de la haute trahison. Vichy adopta une attitude symétrique. Ainsi se cristallisèrent des tendances qui, exacerbées par le drame de la France et du monde, se dressèrent l'une contre l'autre et se déchirèrent avec passion.

Autant il serait injuste d'imputer au seul général de Gaulle la profondeur et la virulence d'une division créée avant tout par les événements, autant doit-on reconnaître qu'il était peu apte, par tempérament, à la limiter ou à y porter remède.

Aujourd'hui que l'on connaît mieux le patriotisme anti-allemand qui animait une grande partie des cadres de l'armée d'armistice, en particulier dans les services de renseignement et de contre-espionnage, ceux des Chantiers de Jeunesse et des Compagnons de France, et nombre de fonctionnaires de tout ordre jusque dans l'entourage du Maréchal (1), on déplore encore davantage que, sauf dans des cas exceptionnels (tels que la protection accordée au commandant Foucault, des F.F.L., par les services spéciaux de Vichy), les patriotes des deux bords soient demeurés séparés par des cloisons étanches. Le prix à payer dans la suite a été très lourd. On l'a bien vu en 1942-1943 en Algérie. Je le sais d'autant mieux, quant à moi, que j'ai eu pour tâche de faire tomber ces cloisons, en 1943, entre des hommes que j'estime comme Passy et Paillole, pour réaliser l'unité nécessaire de notre action en France occupée au profit de la Résistance.

L'opposition entre Vichy et le gaullisme se durcit d'autant plus, et devint d'autant plus irréconciliable, que chacun des deux protagonistes souleva d'emblée une question de principe, celle de la légitimité. Le Maréchal s'entêtait à se targuer de la légitimité formelle que lui avait conférée le Parlement élu par le Front Populaire de 1936 en s'effaçant devant lui quatre ans plus tard. Cette Assemblée lui avait abandonné, dans des conditions irrégulières et suspectes, le pouvoir constituant dont elle ne pouvait, en droit, disposer. Aussi le chef de l'Etat, fort de cette investiture, fulminait-il anathème sur anathème contre les « dissidents ». A sa suite, presse et radio, police et tribunaux, s'achar-

(1) Cf. Gabriel Jeantet. *Pétain contre Hitler*, La Table Ronde, 1966. Jacques Laurent. *Année 40*, La Table Ronde, 1965. Michel Garder. *La Guerre secrète des services spéciaux français*, Plon, 1967.

naient contre les gaullistes. De Gaulle, de son côté, sûr de détenir une légitimité mystique sinon constitutionnelle, condamné à mort et traité à journée faite de valet des Anglais, ne pouvait que se raidir dans une négation passionnée.

De surcroît, les politiques de la Grande-Bretagne et celle de l'Amérique, bien que différentes pendant les deux premières années, contribuèrent à envenimer les choses.

Les Britanniques, soucieux de ne pas placer toute leur mise sur une seule case de l'échiquier, ne manquèrent pas d'accueillir les ouvertures d'officiers ou de civils anti-allemands comme le professeur Rougier ou le colonel Groussard, de maintenir certains contacts à Vichy par l'intermédiaire de l'ambassadeur canadien Dupuy, de conserver des liaisons avec les services de renseignement de l'armée d'armistice. Mais ils prirent soin d'éviter autant que possible d'en informer de Gaulle et les Français Libres. De précieuses occasions furent ainsi perdues.

L'Amérique de Roosevelt, de son côté, encore neutre avant Pearl Harbor, entretenait à Vichy une ambassade confiée à l'amiral Leahy, homme de confiance du Président. Esprit conservateur, peu perspicace mais très sûr de lui (1), l'amiral ne comprit à peu près rien à ce qui se passait en France. Il maintint Roosevelt dans l'illusion que les Etats-Unis pourraient reculer indéfiniment le moment de choisir entre Vichy et la France combattante, non sans conclure au gré de leurs intérêts des accords particuliers avec telle ou telle autorité locale comme l'amiral Robert aux Antilles. Cette politique fut la source de malentendus multiples, d'incidents à la fois ridicules et blessants, tel celui de Saint-Pierre-et-Mique-

(1) Peu avant Hiroshima, il dit au président Truman: « La bombe (atomique) n'explosera jamais: je vous l'affirme en tant qu'expert en explosifs. » (Harry S. Truman, *Memoirs*, Garden City, New York, 1955, t. I, p. 11.)

lon, et d'une mésentente qui a profondément troublé les relations franco-américaines. Elle ne pouvait qu'exaspérer de Gaulle et les siens, dont le ressentiment se tournait tout naturellement à la fois contre Washington et contre Vichy.

Ainsi allaient s'aigrissant l'une contre l'autre la France Libre et le régime du Maréchal, tandis qu'étaient semés les germes d'une anglophobie et d'un anti-américanisme dont nous éprouvons encore les effets à un quart de siècle de distance.

★

Si vive que fût l'aversion des gaullistes de 1940 à l'égard de Vichy, il va sans dire que le premier moteur de leur action, la justification de leur choix, ne résidaient pas dans cette opposition à un régime d'ailleurs encore mal défini. Il fallait, à leurs yeux, poursuivre la lutte contre l'Allemagne, avec l'Angleterre puisque l'Angleterre seule se battait, et obtenir que tout acte de résistance, tout combat, tout sacrifice, fût inscrit au crédit de la France en vue du règlement de comptes final. C'est dans cet esprit que se constitua à St-Stephen's House, au bord de la Tamise, avant de passer à Carlton Gardens, le premier noyau des F.F.L.: officiers venus de Norvège tels que Pierre Tissier, Magrin-Vernerey (Monclar), André Dewavrin (Passy), Duclos (Saint-Jacques); Elisabeth de Miribel, Hettier de Boislambert, le vice-amiral Muselier, le commandant Thierry d'Argenlieu. C'est Muselier qui, parti de Marseille le 23 juin sur un vieux charbonnier britannique, et ayant pris à Gibraltar le commandement de quelques bateaux et avions français, fit arborer le premier la croix de Lorraine, symbole du gaullisme (1). Contrairement à ce qu'on pourrait imaginer, les Anglais

(1) Il choisit ce symbole, pour l'opposer à la croix gammée hitlérienne, en souvenir de son père lorrain.

ne mirent aucun empressement à favoriser le recrutement des F.F.L.; bien au contraire, la plupart des officiers et soldats se trouvant en Grande-Bretagne furent encouragés par leurs soins à quitter l'île.

Cependant le statut des Forces Françaises Libres fut précisé dès le 28 juin par les accords de Gaulle-Churchill. Constituées par des volontaires, régies selon les lois et règlements français (notamment en matière de discipline, avancement, affectations), les F.F.L. devaient recevoir du gouvernement britannique le matériel dont elles auraient besoin, et les crédits indispensables à leur fonctionnement. Les sommes ainsi versées seraient comptabilisées à part et considérées comme des avances: il n'est pas superflu de rappeler que ces avances furent intégralement remboursées par le Gouvernement provisoire de la France.

Le 7 août, un échange de lettres entre Churchill et de Gaulle vient établir que le gouvernement anglais reconnaîtra à ce dernier la qualité de « chef de tous les Français Libres, où qu'ils soient, qui se rallient à lui pour défendre la cause alliée ». Le Premier Ministre ajoute: « Je saisis cette occasion pour déclarer que le gouvernement de Sa Majesté est résolu, lorsque les armes alliées auront remporté la victoire, à assurer la restauration intégrale de l'indépendance et de la grandeur de la France », assurance dont de Gaulle, dans sa réponse, s'empressa de prendre acte. C'est qu'en effet la création des F.F.L. et leur participation à la guerre n'avaient de sens que dans la mesure où la France, provisoirement mise hors jeu, voire entraînée dans le jeu ennemi, en recueillerait le bénéfice et serait, à la victoire, traitée en alliée.

Il suffit de comparer la situation du mouvement gaulliste à cette époque à celle des gouvernements européens en exil pour comprendre combien l'exigence à laquelle répondait l'engagement de Churchill était fondée. Les Norvégiens, les Hollandais, avaient de nombreux bateaux, les Belges conservaient le riche Congo, les Polonais apportaient à la lutte des troupes et de remarquables réseaux de renseignement; mais, quand bien même ils n'auraient disposé de rien ou de presque rien, comme c'était le cas des Tchèques et des Luxembourgeois, tous ces gouvernements, représentants légitimes de leurs peuples, soutenus par leurs monarques en ce qui concerne la Norvège et les Pays-Bas, garantissaient à leurs pays par leur seule présence à Londres le statut d'alliés et d'associés. Au contraire, la France officielle, celle de Vichy, demeurait neutre dans le meilleur des cas. Il fallait donc bien qu'une force autonome, formant un bloc français et non point une poussière de volontaires disséminés dans les armées britanniques, maintînt une présence de la France, même presque symbolique, parmi les alliés. Tel fut le sens de ce qu'on pourrait appeler le gaullisme de guerre.

Tout au moins à l'origine: car à mesure que des territoires se ralliaient, en Afrique et en Océanie, que des organisations de résistance se créaient en France occupée et appelaient à l'aide, des problèmes administratifs, économiques, constitutionnels et politiques se posaient. L'organe directeur de la France combattante ne pouvait se limiter à un simple état-major militaire, dès lors qu'il y avait des populations à administrer, des activités économiques à diriger, des choix politiques à faire, des relations internationales à établir. Qu'on le voulût ou non, il fallait créer, fût-ce à l'état embryonnaire, des services civils, administratifs, diplomatiques. Pour ce qui me concerne, la mission qui me conduisit en 1941 dans divers pays d'Amérique latine depuis le Mexique jusqu'à la Colombie afin d'obtenir notre reconnaissance de fait, sinon de droit, par leurs gouvernements, fut une des premières de ce genre, avant même que fût créé le Commissariat national aux Affaires étrangères. Tout cela devait aboutir à la formation d'un organe gouvernemental provisoire, le Comité

National Français, où j'entrai en juillet 1942 avec le « portefeuille » de l'Information. J'étais chargé, à ce titre, de nos émissions à la B.B.C., du contrôle des radios de Brazzaville et de Beyrouth, de nos publications, et surtout des rapports et négociations souvent difficiles avec le ministère homologue chez les Britanniques (1).

Il ne faut pourtant pas s'imaginer que cette organisation fût comparable à un véritable gouvernement, même en exil. Certes, de Gaulle veillait à ce que les séances du Comité National fussent plus ou moins semblables à celles d'un Conseil des Ministres. Mais l'atmosphère qui y régnait n'avait rien de commun avec l'ambiance funéraire que j'ai connue plus tard dans les Conseils de la Ve République. De Gaulle présidait, dans une pièce aux murs revêtus de boiseries, sous une grande horloge encastrée dans la cloison; sur la table, devant lui, étaient répandues des cigarettes qu'il allumait l'une à l'autre, fumant en chaîne pendant toute la réunion. Les débats ne manquaient pas d'animation. Chacun soutenait avec force son point de vue, le Président ne dédaignait pas de discuter. Pas plus d'ailleurs qu'il ne dédaignait, rentré dans son bureau, d'accueillir les mille requêtes, plaintes et sollicitations des Français Libres (y compris, je m'en souviens, celles d'épouses qu'affligeait la conduite de maris volages), de passer en revue la situation militaire ou politique avec ses visiteurs ou collaborateurs, même de montrer une hésitation ou de suivre un conseil, quelquefois ironique, coléreux parfois, mais humain jadis comme on ne l'a plus connu naguère.

Mais chaque « ministère » se contentait de quelques

---

(1) Contrairement à ce qui a été affirmé et écrit maintes fois, je n'avais aucune autorité sur le B.C.R.A. de Londres et n'ai commencé à m'occuper des services de renseignement qu'à Alger en novembre 1943.

pièces, voire d'anciennes chambres de domestiques sous les combles de Carlton Gardens. Un modeste parc de petites voitures devait suffire à tout le monde. On vivait sans luxe, se soumettant de bon gré au rationnement britannique et se contentant de maigres soldes. De Gaulle lui-même, lorsqu'il devait recevoir, utilisait un hôtel correct mais fort peu fastueux; après le médiocre déjeuner servi par des Anglaises d'âge canonique (que le Général feignait rituellement de tenir pour les yeux et les oreilles de l'*Intelligence Service*), de Gaulle regagnait à pied le Quartier Général des F.F.L. en fumant un cigare, sans gardes et sans « gorilles ». Chacun des *Free French* connaissait tous les autres et tous, bien que respectant les attributions et les responsabilités, se sentaient liés par une solidarité de camarades beaucoup plus que par des règlements formels.

Le déclin de la puissance allemande, l'entrée des communistes dans la Résistance et corrélativement l'importance croissante des anciens partis, l'occupation de l'Afrique du Nord par les alliés anglo-américains, la chute de Vichy, après novembre 1942, au rang de simple satellite, enfin les troubles profonds et prolongés suscités dans les consciences par l'intronisation à Alger de Darlan à qui succéda le général Giraud, aboutirent à une mutation complète: le Comité Français de la Libération Nationale, bientôt proclamé Gouvernement provisoire de la République et assisté d'une Assemblée consultative, assuma de plus en plus la conduite de la guerre au-dehors et de la Résistance au-dedans. Tandis que l'armée d'Italie commandée par Juin accomplissait des faits d'armes décisifs dans la conquête de la péninsule, les organisations intérieures, bien que constamment décimées par la Gestapo et la Milice, se transformaient en une véritable armée secrète. Présidé d'abord par Jean Moulin, puis par Georges Bidault, le Conseil National de la Résistance regroupait en son sein toutes les tendances. Le Gouvernement et ses administrations se dotèrent alors des moyens nécessaires pour mener à bien leurs missions, et du même coup, dans l'atmosphère algéroise surchauffée par de longs mois d'intrigues et de rivalités, on vit reparaître avec la complexité et la lourdeur des services les luttes sourdes des clans, les questions de personnes et les tiraillements provoqués par les tendances diverses. De Gaulle, hissé toujours plus haut, s'éloignait de ses anciens compagnons. Des conflits s'élevaient, entre « Français Libres de la première heure » et récents ralliés, tels que certains diplomates qui avaient attendu trois ans pour priver Vichy de leurs talents; ennuyé, de Gaulle tranchait, le plus souvent en faveur des seconds (1).

Créer, soutenir, financer les réseaux de renseignement et les groupes d'action armée; préparer pour le jour J, selon des plans établis avec les Alliés, leur intervention contre la Wehrmacht; acheminer dans les deux sens télégrammes, courrier, agents, par les radios clandestines, les avions, les vedettes et les sous-marins; ravitailler en armes, en munitions et en argent les combattants de l'ombre; tenir informés le Gouvernement provisoire et les militaires alliés de tout ce qui parvenait, de France occupée, à Londres et à Alger; déjouer, enfin, les tentatives ennemies qui tendaient à pénétrer et à démanteler nos organisations: telles étaient alors les tâches principales des services, constitués grâce à la fusion de l'ex-B.C.R.A. et de l'ex-S.R., dont la direction m'avait été confiée en novembre 1943.

(1) En octobre 1943, les cadres traditionnels du Quai d'Orsay, représentés par René Massigli et Maurice Couve de Murville, obtinrent de lui, malgré mes avis, un arbitrage favorable à leurs collègues fraîchement ralliés contre les Comités Français libres qui, notamment en Argentine sous la présidence d'Albert Guérin, avaient fidèlement défendu la cause de la France combattante depuis 1940.

De ce poste d'observation et de responsabilité (1), je pouvais voir se dessiner les traits de la proche libération. Les derniers mois, en 1944, furent marqués par l'entreprise audacieuse et opiniâtre que menèrent les communistes pour s'emparer des leviers du pouvoir à la faveur de la retraite des Allemands et de la débâcle de Vichy. Infiltration méthodique, sous les masques les plus divers, dans tous les rouages de la Résistance; intrigues auxquelles succombaient des responsables non-communistes, bientôt remplacés par des agents de la secte; campagnes de diffamation contre quiconque les gênait, tout leur était bon. Personne, à les en croire, n'était plus pur, plus ardent, plus patriote qu'eux; de Gaulle lui-même, insinuaient-ils, cédait parfois aux tentations de l'« attentisme ». Quant aux officiers, agents, saboteurs, opérateurs radio que nous parachutions en nombre croissant sur le territoire occupé, le Parti les soupçonnait volontiers de tendances « fascistes ». Contrôlant le C.O.M.A.C., qui s'efforçait de jouer le rôle d'un état-major à la tête des Forces de l'Intérieur (2), représenté en nombre et souvent prépondé-

(1) J'assumais en même temps le secrétariat général du Comité d'Action en France, conseil interministériel restreint qui avait à connaître et à décider de toute l'action clandestine en territoire occupé. Présidé par de Gaulle, il comprenait le général Giraud, les commissaires à l'Intérieur (d'Astier), à la Guerre (Le Troquer), aux Finances (Mendès-France) et le colonel Billotte représentant l'Etat-Major de la Défense nationale.

(2) Au C.O.M.A.C., deux membres sur trois, Ginsburger dit « Villon » et Kriegel, dit « Valrimont » étaient communistes. Après l'arrestation du général de Jussieu (« Pontcarral ») par les Allemands au printemps de 1944, c'est le communiste Malleret (« général Joinville ») qui le remplaça comme chef d'état-major de la résistance armée. D'autre part, en raison des difficultés et des dangers qu'entraînait la réunion plénière du C.N.R., c'est le plus souvent son bureau qui siégeait et prenait les décisions. Or, ce bureau, présidé par Georges Bidault,

rant dans les Comités de Libération, conservant jalousement l'autonomie de ses Francs-Tireurs et Partisans malgré cent décisions et mille promesses toujours violées, le P.C. se préparait à prendre la France en main.

Il était aidé dans cette entreprise par le commissaire (ministre) de l'Intérieur d'alors, Emmanuel d'Astier de la Vigerie. Par l'intermédiaire de son homme de confiance, Pascal Copeau (« Salard »), d'Astier secondait de son mieux l'action des communistes, contrecarrait autant qu'il le pouvait celle des réseaux; il se répandait en dénonciations et en calomnies auprès du général de Gaulle. Celui-ci, bien qu'instruit en détail et au jour le jour de ce qui se passait, se garda jusqu'au dernier moment d'arbitrer entre d'Astier et moi, soit qu'il voulût maintenir l'équilibre et le dosage politiques de son gouvernement, soit qu'il prît plaisir à opposer l'un à l'autre deux hommes qui, contrôlant chacun en tout ou en partie les ressorts les plus secrets, auraient pu lui porter ombrage s'ils ne s'étaient réciproquement neutralisés.

Ce calcul, si de Gaulle le fit comme tout me porte à le croire, laissait de côté un aspect important de la situation, à savoir la loyauté sans faille d'un de ces deux hommes à son égard, alors que celle de l'autre était plus que douteuse.

Quoi qu'il en soit, le débarquement des Alliés en Normandie — la plus gigantesque entreprise militaire de l'Histoire — réussit le 6 juin 1944. La Résistance équipée et armée par nos soins, exécutant les plans établis, joua dans cette victoire un rôle décisif, comme le généralissime Dwight Eisenhower le proclama lui-

comportait en outre quatre membres: Blocq-Mascart, représentant l'O.C.M.; Antoine Avinin ou Pascal Copeau au titre du M.L.N.; Saillant, délégué par la C.G.T.; Villon, du Front National. Il y avait donc tantôt deux, tantôt trois communistes, avoués ou camouflés (Villon, Saillant, Pascal Copeau) sur cinq membres du bureau.

même. Les renforts allemands acheminés en hâte vers la tête de pont encore mal assurée pour bousculer et rejeter à la mer les premiers contingents débarqués, se heurtèrent partout à tant de destructions de ponts, de ruptures de voies ferrées, de coupures des télécommunications, d'embuscades et d'escarmouches, que les forces alliées y gagnèrent le répit vital dont elles avaient besoin pour se consolider avant de se lancer vers l'intérieur du continent.

Lorsqu'on en fut arrivé cahin-caha au mois d'août, de Gaulle, réagissant enfin devant le danger communiste, donna par mon entremise les instructions les plus fermes à Chaban-Delmas, alors délégué militaire à Paris, et surtout à Alexandre Parodi (« Quartus »), délégué du Gouvernement provisoire. Lui-même, dès son arrivée à Paris, s'efforça de refréner l'ambition des communistes, de limiter leurs empiétements en province, notamment à Toulouse et à Limoges, et enfin, comme il me le dit, de « les noyer dans la démocratie ».

Ce ne fut pas sans mal, et il est peu équitable de faire grief, comme certains, à de Gaulle et à son gouvernement, des exactions dont se rendirent alors coupables non seulement les communistes mais de purs et simples malfaiteurs camouflés en résistants à la faveur du désordre. La première et la plus importante des raisons qui expliquent que les communistes n'aient pas pris le pouvoir en 1944 ou 1945 fut assurément la présence en France d'armées alliées qui n'auraient pas toléré de coups d'Etat ni la guerre civile. La seconde, qu'il ne faut pas sous-estimer, doit être trouvée dans l'autorité que le général de Gaulle exerçait alors sur les troupes régulières, sur l'immense majorité des résistants et sur la population dans son ensemble.

Pour ceux qui n'ont pas vécu cette époque troublée, il faut rappeler que durant l'automne de 1944 et l'hiver qui suivit — hiver exceptionnellement rigoureux — la France à peine libérée offrait le spectacle d'un pays exsangue et ruiné, sans pain et sans communications, encore privé de ses prisonniers et de ses déportés retenus en Allemagne, agité par les rancunes et les vengeances nées inévitablement de quatre années d'oppression, dépourvu en outre de pouvoirs publics reposant sur la base incontestable du suffrage. Le Gouvernement ne parvenait à connaître qu'avec retard et d'une façon fragmentaire ce qui se passait dans les provinces. C'est ainsi par exemple que Bénouville, hospitalisé à Montpellier, et disposant encore de son émetteur de radio réglé pour communiquer avec Alger, fut le premier à nous dépeindre par ses messages, captés à Alger et retransmis à Paris, les abus auxquels se livraient dans le Midi les F.T.P. et les maquis communistes. A Paris même, c'est par bribes et souvent par hasard que le Gouvernement apprenait l'existence de « prisons » où les communistes détenaient des otages; l'une se trouvait à Montparnasse, l'autre non loin de l'Etoile. Chargé par de Gaulle de dissoudre un prétendu « 2e Bureau F.F.I. » que dirigeait Pierre Villon, je m'aperçus qu'il s'agissait là en fait d'une police secrète du Parti communiste: je m'attirai en le liquidant la haine durable du Parti. Au total, de Gaulle et le ministre de l'Intérieur Adrien Tixier, homme intègre, socialiste sincère doué du sens de l'Etat, parvinrent dans des conditions extraordinairement difficiles à contenir d'abord, puis à refouler l'entreprise communiste.

L'épuration, elle, fut ratée. Poussée trop loin vers les « petits » de la collaboration et du vichysme, laissant passer entre les mailles du filet trop de coupables riches ou influents, viciée par les passions nées des circonstances et trop souvent par les querelles particulières, peut-être ne pouvait-elle pas être mieux réussie. La sagesse eût été de frapper quelques têtes pour l'exemple, puis de jeter sur le reste le manteau de l'oubli. L'institution de tribunaux d'exception est toujours exécrable. De Gaulle devait montrer à plusieurs reprises dans sa carrière un goût singulier pour cette caricature de justice, comme on a pu le constater au cours de ces dernières années. Trop peu attentif aux réactions élémentaires de la nature humaine, trop porté à invoquer une raison d'Etat qui se confond avec son impulsion du moment, il n'a ni alors ni plus tard suffisamment mesuré le péril que représente, dans un pays comme le nôtre, l'ouverture d'un cycle infernal de répressions, d'épurations et de revanches dont la victime est en fin de compte la nation tout entière.

2

DE GAULLE S'EN VA

Avec l'effondrement de l'Allemagne en mai 1945, le référendum constitutionnel et les élections en octobre, prenait fin le gaullisme de guerre. Ses objectifs avaient été atteints, le territoire libéré, la souveraineté de la France restaurée, la parole rendue au pays. Dans sa première phase, ce gaullisme n'avait été qu'un sursaut national; puis, s'unissant à la Résistance et composant avec les partis politiques, il avait été conduit à formuler et à prendre lui-même des positions politiques. Le début de cette évolution est marqué par le manifeste de juin 1942 qui devint comme la charte commune des mouvements de résistance. A mesure que la libération et la victoire paraissaient plus proches, les allocutions du général de Gaulle, les communiqués et les ordonnances du Gouvernement provisoire, les débats de l'Assemblée consultative, indiquaient des orientations et fixaient des choix, tant dans le domaine de la politique intérieure que dans celui des relations internationales. Ces orientations et ces choix auraient pu, la paix revenue, constituer la doctrine d'un parti gaulliste dont le Général eût été le leader. A l'inverse, ayant rendu aux Français la faculté de décider de leurs propres affaires, de Gaulle aurait pu, Cincinnatus de la Haute-Marne, se retirer dans son village, entouré du respect de la nation.

Demeurant en porte à faux, il ne se résolut ni à entrer de plain-pied dans la lutte politique ni à s'en détourner définitivement. Alors qu'il considérait déjà avec une méfiance croissante les divers partis et leur lançait des flèches acérées annonçant les futures diatribes dont il devait les accabler, il encourageait les gaullistes à entrer dans ces mêmes partis, anciens ou nouveaux: Maurice Schumann par exemple au M.R.P., Debré et Chaban-Delmas au parti radical, moi-même à l'U.D.S.R. Il aurait voulu maintenir autour de sa personne l'unanimité au moins apparente des heures de la libération; mais la vie politique, en temps normal, ne connaît que des majorités. Attachant la plus grande importance à la forme et aux structures des institutions, il était parvenu par le référendum d'octobre 1945 à empêcher en même temps la restauration pure et simple de la IIIe République, et l'avènement d'une Constituante aux pouvoirs illimités: mais la logique même du système qu'il avait ainsi mis en place lui interdisait, en tant que chef du Gouvernement et de l'Etat, de prendre part personnellement à l'élaboration de la Constitution. Allergique aux Assemblées, il n'avait eu avec la Consultative que des rapports distants et souvent orageux; avec la Constituante, forte de sa récente élection, ce fut pire. Le choc violent qui l'opposa à l'Assemblée dans la nuit du 31 décembre 1945 au 1er janvier 1946, à propos des crédits militaires mais en fait sur la conception même du pouvoir, le décida à partir.

J'étais de ceux, peu nombreux, à qui il avait fait connaître son intention quelques jours à l'avance. Chargé alors du ministère des Colonies, je devais me rendre à Dakar puis en Afrique équatoriale: il me demanda de ne rien changer à mes projets. S'il avait espéré dès ce moment-là qu'il pourrait revenir très vite au pouvoir, il ne m'en fit point la confidence. C'est donc à Dakar (pendant une réception à la mairie que dirigeait Lamine Gueye) que j'appris sa démission. Etant rentré en France, ayant refusé le portefeuille de l'Education nationale que m'offrait Félix Gouin, je revis de Gaulle à Marly. Il y séjournait, dans un pavillon au milieu des bois enneigés, en attendant que fût prête sa maison de Colombey. Il ne fit aucune allusion à son retour éventuel aux affaires.

A vrai dire, il comptait sur le M.R.P., alors « parti de la fidélité », pour rompre le front commun dans lequel il coexistait avec les partis communiste et socialiste, et pour provoquer le rejet du projet constitutionnel élaboré par l'Assemblée. C'est en effet ce qui arriva. Le projet de Constitution rédigé, dans l'optique communiste, sous la direction habile du brillant progressiste Pierre Cot, passa le cap du vote à l'Assemblée (1). Mais, quand il fut soumis au pays par référendum le 5 mai 1946, le M.R.P., les radicaux, certains U.D.S.R. dont j'étais et les modérés ayant fait campagne contre le texte qui aurait créé une Assemblée unique, dotée de tous les pouvoirs, organe tout désigné d'une dictature, la majorité des électeurs le repoussa par 10 584 000 non (soit 53 % des suffrages exprimés) contre 9 454 000 oui.

Ce vote est important à plus d'un titre. D'abord parce qu'il a été *le seul* dans toute l'histoire de nos plébiscites et de nos référendums depuis Bonaparte jusqu'à nos jours qui ait donné une majorité négative. Ensuite parce qu'il illustre à merveille la différence qui sépare un véritable référendum d'un plébiscite plus ou moins déguisé. De Gaulle, en effet, enfermé à Colombey dans le silence, n'était pas intervenu. Aucune personne, ni la sienne, ni celle d'aucun leader, n'était en cause. Il

(1) Il fut adopté par 309 voix (communistes et socialistes) contre 249, dont les voix M.R.P.

s'agissait uniquement d'adopter ou de rejeter un texte dont les mérites et les dangers avaient été largement discutés à l'Assemblée et devant le pays, et d'apprécier les raisons fournies par les divers partis ou tendances qui se prononçaient pour ou contre lui. Parmi ces partis, le M.R.P. avait frappé le coup décisif en refusant d'appuyer le projet et en alertant l'opinion. Il en fut d'ailleurs récompensé aux élections qui suivirent, le 2 juin, remportant 5 589 000 voix, soit 809 000 de plus que l'année précédente. Avec 28 % du corps électoral et 169 sièges, il devenait le premier parti de France, suivi par le Parti communiste (5 200 000 voix, 153 sièges, en légère hausse), les socialistes (4 188 000 voix, 127 sièges, en légère baisse) et une centaine de centristes, radicaux et modérés.

Par M.R.P. interposé, de Gaulle avait gagné une bataille, mais il n'avait pas gagné la guerre. Le pays, certes, avait rejeté le projet constitutionnel; mais il avait, quelques jours plus tard, élu une deuxième Constituante au sein de laquelle on ne voyait qu'une seule majorité possible: celle du tripartisme M.R.P.-Communistes-Socialistes. Sans doute, dans cette majorité, était-ce le M.R.P. et non le P.C. qui groupait les plus forts effectifs. Mais il ne pouvait gouverner seul. Georges Bidault forma donc le ministère, qui ressembla comme un frère à celui de Félix Gouin (1). Quant au débat sur le deuxième projet de Constitution, il s'orienta par la force des choses vers un compromis en vertu duquel le M.R.P., en raison de sa position prépondérante, obtiendrait certaines concessions, mais devrait lui-même en consentir aux deux autres grands partis. Outre la structure même du corps électoral reflétée par l'As-

(1) Le cabinet Gouin comptait 9 socialistes, 8 M.R.P., 8 communistes; le cabinet Bidault 9 M.R.P., 5 socialistes, 7 communistes, 1 radical (Alexandre Varenne) et 1 « technicien » sans parti (Yves Farge).

semblée, jouaient en faveur du compromis la lassitude du pays, le désir général de « sortir du provisoire », enfin l'inquiétude suscitée par la dégradation de la situation économique et les événements d'Extrême-Orient (1).

De Gaulle, cette fois, intervint: à Bayeux, le 16 juin, il exposa les grandes lignes de la Constitution qu'il estimait la meilleure pour la France; à Epinal, le 22 septembre, il condamna catégoriquement le projet élaboré par les trois partis associés. Tiraillé entre le Général et ses partenaires du Gouvernement et de l'Assemblée, le M.R.P. finit par se décider en faveur des seconds au risque de rompre avec le premier: rupture qui fut consommée quand le deuxième référendum, le 13 octobre, approuva le texte constitutionnel par 9 263 000 oui contre 8 144 000 non et 8 148 000 abstentions. Plus de 2 millions d'abstentions supplémentaires, par rapport au scrutin de mai, mesuraient la force du coup de frein que de Gaulle avait donné, mais le M.R.P., en refusant cette fois de briser le front du tripartisme, avait rendu possible cette victoire précaire, acquise par une faible marge face à 16 millions d'électeurs hostiles ou indifférents. De Gaulle ne devait jamais le lui pardonner.

La IVe République venait de naître, un an presque jour pour jour après le référendum d'octobre 1945 qui avait prononcé ou plutôt enregistré la mort de la IIIe. Or, ce nouveau régime, par les conditions mêmes de sa création, excluait le gaullisme de la vie politique du pays. Aux élections qui suivirent, le 10 novembre, l'Union gaulliste hâtivement formée et maladroitement dirigée par René Capitant ne recueillit même pas 2 %

(1) Ho Chi-Minh arrive en France en juin, la conférence de Fontainebleau s'achève en septembre, la guerre éclatera le 19 décembre à Hanoï. Dans le domaine économique, la course des salaires et des prix s'accélère après la conférence du Palais-Royal (4-22 juillet).

des suffrages. De Gaulle était écarté pour longtemps du pouvoir: douze années d'attente, d'efforts et d'échecs, d'espoirs et de déceptions, un grand drame national, un enchaînement exceptionnel d'événements, allaient être nécessaires pour qu'il y revînt. Pour les gaullistes commençait la « traversée du désert ».

LA NAISSANCE DU R.P.F.

Après cinq mois de réflexions et de consultations, de Gaulle décida d'entreprendre une action politique et, à cette fin, de créer l'instrument indispensable, une organisation. Entre-temps s'étaient mises en place, après l'Assemblée élue en novembre, les autres pièces principales du système constitutionnel: le Conseil de la République, corps purement consultatif, où les trois grands partis détenaient la majorité, et la Présidence de la République, à laquelle accéda Vincent Auriol le 16 janvier 1947 dès le premier tour de scrutin, grâce aux suffrages des communistes. J'entends encore la voix rocailleuse de Jacques Duclos proclamer avec des accents de triomphe le succès d'Auriol: les communistes croyaient en effet qu'ayant contribué massivement à son élection, ils auraient barre sur lui, en quoi ils se trompaient grandement. Toujours est-il qu'après main tes congratulations et embrassades, le nouveau Président et Léon Blum, alors chef du Gouvernement, passèrent en revue une compagnie d'honneur. Blum, frileux, endossait un pardessus, et d'une de ses poches pendait jusqu'à terre un cache-nez. Vincent Auriol partit pour l'Elysée, salué par de maigres acclamations.

Le cœur, comme on dit, n'y était pas. La machine n'en était pas moins montée et commençait à tourner tant bien que mal. Ramadier, honnête homme, laborieux, aimant dévorer les dossiers, forma un gouvernement avec 8 socialistes, 5 communistes et 5 M.R.P.; en outre, 3 radicaux, 2 U.D.S.R., dont François Mitterrand, et 2 indépendants, dont Louis Jacquinot, représentaient dans le cabinet les autres partis.

Il suffit de rappeler quelques-uns des événements de cette année 1947: on verra sur quelles eaux houleuses naviguait à grand-peine la nef gouvernementale. Dans le domaine intérieur, la course des salaires et des prix, un moment ralentie par la baisse autoritaire de 5 % décrétée par Léon Blum en décembre 1946, reprend de plus belle; le dirigisme suscite des protestations de plus en plus vives; le rationnement des denrées alimentaires aboutit à un échec évident, la ration de pain tombe à 200 et même 150 grammes; les grèves se succèdent sans interruption, chez les métallurgistes, dans l'électricité et le gaz, dans les banques, les mines, les boulangeries, les grands magasins, les transports.

Dans l'Union française, la guerre d'Indochine s'aggrave en dépit de l'action menée par Emile Bollaert, nouveau haut-commissaire, et de son accord avec l'ex-empereur Bao-Daï; l'insurrection éclate à Madagascar; à Tanger, le sultan Mohamed ben Youssef prononce un discours, soumis précédemment comme de coutume au résident général Labonne, mais il en omet le passage relatif à la France et il y ajoute une phrase favorable à la Ligue arabe.

A l'extérieur, la conférence de Moscou sur l'Allemagne se termine par un échec. La Russie soviétique, qui avait déjà écarté la France de la conférence de Yalta, deux mois après le pacte conclu à Moscou par Staline et de Gaulle, oppose son veto aux revendications françaises sur la Ruhr. L'Amérique, inquiète de voir l'Europe incapable de relever seule ses ruines, propose en juin le plan Marshall: aussitôt l'U.R.S.S. refuse de s'y associer et oblige les pays de l'Est, la Tchécoslovaquie notamment, à émettre le même refus. Le monde s'installe dans la guerre froide.

Or, dans le même temps, le régime né du deuxième référendum de 1946 étalait son impuissance. Paul Ramadier, certes, avait eu le courage — on ne saurait trop le rappeler — de jeter à la porte du Gouvernement les ministres communistes qui prétendaient jouer le double jeu et demeurer dans leurs fauteuils ministériels alors qu'ils se désolidarisaient de la politique économique ou indochinoise. On avait vu Billoux, ministre communiste de la Défense nationale, refuser de se lever quand l'Assemblée avait rendu hommage aux soldats qui combattaient en Indochine. Les communistes furent surpris et furieux de se trouver exclus, par décret, du cabinet. Ramadier fut sans doute encouragé à assumer cette attitude énergique par la création, un mois plus tôt, du Rassemblement du Peuple Français; il n'en conserve pas moins le mérite d'avoir accompli ce geste de salubrité politique avec le soutien de Vincent Auriol. Mais il ne pouvait empêcher ses alliés du M.R.P. et ses propres amis socialistes de jouer, eux aussi, sur le double clavier de la participation et de l'opposition. Il démissionna en novembre, le premier d'une longue série de présidents du Conseil qui, sous la IVe République, n'ont pas été renversés par un vote régulier, ni par la coalition de leurs adversaires, mais par l'inconsistance des alliances et par le désaccord de leurs propres amis (1).

(1) Sur 18 gouvernements sous la IVe République (de Paul Ramadier en 1947 à Pierre Pflimlin en 1958), 9 seulement ont été mis en minorité par un vote de l'Assemblée; de ces 9 cabinets, 5 ont été renversés par une opposition comprenant les députés gaullistes (R.P.F. ou républicains-sociaux). Les autres Présidents du Conseil ont démissionné, par exemple René Pleven en février 1951 et Antoine Pinay en décembre

Personne ne peut nier que le système établi par la Constitution de 1946 était mauvais en ce qu'il maintenait impuissance et instabilité. Même maintenant, alors que l'on brandit sans cesse l'épouvantail d'un retour aux erreurs du passé pour justifier celles du présent et pour perpétuer un système non moins funeste que le précédent quoique pour des raisons différentes, cela ne doit pas être oublié.

C'est donc tout naturellement sur le thème d'une profonde réforme des institutions que le général de Gaulle concentra sa propagande et son action politique dès qu'il eut décidé de rentrer dans l'arène.

Le titre « Rassemblement du Peuple Français » fut choisi par lui-même au cours d'une réunion à laquelle j'assistai, chez son beau-frère Jacques Vendroux, dans une petite salle à manger bourgeoise. Vendroux, député M.R.P., avait démissionné de son parti en octobre; le Général lui avait envoyé une lettre de félicitations dans laquelle il condamnait la Constitution « foncièrement mauvaise ». A Bruneval, le 30 mars, à Strasbourg, le 7 avril, il dénonça dans des discours retentissants « le cadre mal bâti où s'égare la nation et se disqualifie l'Etat ». Il demandait aux Français de « se rassembler sur la France », et annonçait, à Strasbourg, la création du « Rassemblement du Peuple Français, qui, dans le cadre des lois, va promouvoir et faire triompher... la réforme profonde de l'Etat ».

1952, comme suite à l'éclatement de leur gouvernement provoqué par les tendances divergentes des partis qui s'y étaient associés. Il est bon de rappeler ces faits pour ramener à leur juste mesure les accusations constamment proférées encore aujourd'hui contre les gaullistes de cette époque, à qui l'on fait grief d'avoir systématiquement aggravé l'instabilité ministérielle en mêlant leurs suffrages à ceux des communistes — comme l'ont fait d'ailleurs à maintes reprises les socialistes, les indépendants, les poujadistes.

Pressenti par lui dès le courant de l'hiver, j'avais déjà mis dans la confidence un certain nombre d'amis ou de camarades, tous évidemment anciens résistants de l'intérieur ou de l'extérieur. Deux ans à peine après la fin de la guerre, les souvenirs de la France Libre et de la Résistance dominaient encore nos esprits. Tous, et le général de Gaulle le premier, nous tendions tout naturellement à nous représenter la naissance du Rassemblement comme un second appel du 18 juin, la lutte que nous allions entreprendre comme la continuation d'une œuvre un moment interrompue.

Nous étions en cela victimes d'une illusion: d'abord la Résistance (si l'on ne tenait pas compte des pseudo-résistants de septembre 1944, des Tartarins de sous-préfecture qui avaient attendu la débâcle de la Wehrmacht pour se manifester, et des adeptes du double jeu) n'avait été en somme le fait que d'une infime minorité; nous ne comprenions pas suffisamment, d'autre part, que selon la parole de l'*Ecclésiaste* il y a un temps pour tout sur la terre. Or, le temps des combats héroïques était passé, et les grandes idées elles-mêmes n'avaient que peu d'attrait pour un pays soucieux avant tout de paix et de bien-être. A ce pays, nous venions parler de réforme constitutionnelle, de l'Union française, de politique mondiale, alors que la ration de pain et le retour à la normale accaparaient toute son attention. De Gaulle, qui disait volontiers ne pas avoir « libéré la France pour s'occuper de la ration de macaroni », n'était guère porté à se pencher sur ces problèmes dont est faite la vie quotidienne d'un peuple.

Durant les sept premiers mois d'existence du R.P.F. (à ce propos, je signale que de Gaulle marqua toujours une aversion invincible pour ce sigle, lui-même s'appliquant à dire: « le Rassemblement »), il prit si j'ai bonne mémoire dix fois la parole en public, soit dans des conférences de presse soit au cours de grandes réunions accompagnées de manifestations patriotiques, à Paris, Bordeaux, Lille, Rennes, Bayonne, Lyon, Vincennes, Alger. Ce fut essentiellement pour développer les thèmes, les « objectifs » du gaullisme: institutions, Union française, politique à l'égard de l'Allemagne, de l'Europe, des grandes puissances; pour attaquer le « régime des partis » et dénoncer le danger communiste; pour rappeler et le cas échéant justifier son action passée depuis 1940. Dans le domaine économique et social, il se bornait à esquisser la formule de l'« association », à montrer la nécessité d'une réduction draconienne des dépenses publiques et à indiquer que la solution des problèmes de l'heure devait être recherchée dans une augmentation de la productivité.

Près de 40 000 Parisiens assistèrent, le 2 juillet, à un meeting massif tenu au Vélodrome d'Hiver. Le général de Gaulle n'y vint pas. Malraux, Geneviève de Gaulle, Henry Torrès, Palewski, Jean Nocher, Louis Vallon, Jacques Baumel, moi-même y prîmes la parole. Quand on relit aujourd'hui ces discours, reproduits par le bulletin fort modeste, *L'Etincelle*, que nous publiions alors, on est frappé d'observer à quel point leur ton est peu « politique ». Union pour le salut public, Etat fort et démocratie, maintien de la France d'outre-mer, « le 18 juin qui recommence » (Palewski), « refaire la France avec nos mains nues » (Malraux), tels en sont les thèmes: à quoi il faut ajouter d'incessantes références au passé récent, à la guerre, à la résistance et à la libération. Tout cela chaleureux, visiblement sincère, romantique et un peu vague. Pourtant, je n'ai pas oublié l'atmosphère enthousiaste de ce meeting. Il n'est pas facile de réunir des dizaines de milliers de Parisiens au Vél' d'Hiv', et à part les communistes personne d'autre que nous ne pouvait le faire.

Quand les élections municipales eurent lieu le 19 octobre, dans une extraordinaire confusion, les listes R.P.F. improvisées à travers la France remportèrent un succès étonnant: avec 38 % des voix (1), le Rassemblement surclassait toutes les formations politiques, prenait la présidence du Conseil municipal de Paris (à laquelle accéda Pierre de Gaulle), les mairies de Lille, Marseille, Bordeaux, Nancy, Le Mans, Rennes, Strasbourg et de nombreuses autres villes, ouvrait des brèches énormes dans la « ceinture rouge » de la région parisienne.

Les orateurs du R.P.F., à vrai dire, avaient été les seuls à pouvoir se faire entendre dans les villes et bourgades communistes de Seine-et-Oise ou dans certains quartiers de la capitale. A Ivry, fief de Maurice Thorez, je pus prendre la parole dans le premier meeting non communiste qui ait été tenu dans cette localité depuis la Libération: c'est-à-dire que je m'accrochai au microphone pendant un quart d'heure, au théâtre municipal, parmi les vociférations et le vacarme tandis qu'amis et adversaires mettaient en pièces le mobilier et s'arrosaient avec les lances d'incendie. Au gymnase Japy, où un commando communiste criblait l'estrade de billes d'acier et de boulons projetés par des élastiques, il y eut de nombreux blessés autour de Vallon et de moi. A Trappes, avec Baumel, nous dûmes mettre fin quelque peu abruptement à un meeting pour éviter d'être défenestrés. En province, de même, de violents incidents émaillaient nos réunions, et Palewski fut rossé d'importance dans le Midi. Il n'en reste pas moins que le Parti communiste pliait sous le choc et que le R.P.F., en quelques mois, passait au premier rang des mouvements politiques français.

(1) Les listes R.P.F. avaient obtenu 10 688 000 voix. La comparaison des scrutins du 19 octobre 1947 avec ceux de novembre 1946 dans les mêmes localités fait apparaître l'origine des suffrages qui se sont portés sur le R.P.F.: 54 % provenaient des radicaux et du M.R.P. (qui avait perdu 3 millions de voix), le reste à peu près également de la gauche, communistes compris, et de la droite: P.R.L., indépendants, paysans.

Un indice non équivoque nous était fourni par l'afflux des adhésions, si rapide et impétueux qu'il submergeait littéralement nos permanences. Les premiers bureaux, exigus et incommodes, de la rue Taitbout, étaient transformés en pandémonium par les innombrables visiteurs qui venaient s'inscrire. Deux anciens de la lutte clandestine, René Dumont et Pierre Picard, canalisaient tant bien que mal cette invasion bénévole. On comprend sans peine qu'un immense travail d'organisation ait été rendu nécessaire par ce succès même; je n'y insisterai pas. Peu à peu se mettaient en place les structures du Rassemblement: comité exécutif (plus tard Conseil de Direction) présidé par de Gaulle, Conseil National, groupements départementaux, délégués régionaux, action ouvrière, propagande, publications... Des militants surgissaient de la masse, tels que André Lassagne et Charles Béraudier à Lyon, Léon Delbecque à Lille. Tout cela, non sans désordre, était entraîné par un irrésistible mouvement ascendant.

De Gaulle semblait prendre très au sérieux ses fonctions de président du R.P.F. Je crois qu'il s'ennuyait profondément, mais moins tout de même rue de Solferino ou dans les grands meetings qu'à Colombey. Une seule chose l'intéresse: le pouvoir; dans l'exercice du pouvoir, la grande politique internationale, les premiers rôles mondiaux. C'est dire combien, au fond de lui-même, il devait peu se satisfaire des séances du Conseil de Direction, pâle substitut d'un Conseil des ministres, ou même de ces bains de foule, souvent grandioses comme à la Canebière ou à Rennes, mais dépourvus de l'appareil et de la majesté de l'Etat. Les difficultés qui font inévitablement partie du train-train quotidien d'une formation politique, les prétentions des personnes, les arbitrages, tout cela visiblement l'assommait et il s'en déchargeait sur le secrétaire général, non sans grommeler plus d'une fois que nos comitards ne valaient pas mieux que ceux du parti radical. Son appréciation générale des hommes, jamais optimiste et le plus souvent critique, ne tendait pas à s'améliorer. Porté à expliquer les actions des autres par les motifs les moins élevés, l'arrivisme et la vanité, il trouvait ample justification à ses vues dans le tout-venant de la vie politique, chez les autres bien sûr et aussi chez nous. Il s'exaspérait sourdement d'avoir à trancher un conflit pour un siège de conseiller municipal entre deux obscurs militants de province alors qu'il rêvait de guider la France et d'étonner le monde. Après la grande aventure de la guerre, il se voyait retombé, comme jadis dans les garnisons de l'Est, à exercer son autorité sur ce qui lui paraissait des vétilles et à s'enliser dans la médiocrité.

On ne pouvait s'empêcher de ressentir qu'il y avait quelque chose de dérisoire, comme autour d'un monarque déchu entouré de sa petite cour, dans le fonctionnement de son état-major et de son cabinet à Paris et à Colombey: les aides de camp, le petit bureau de la rue de Solferino, la salle du Conseil étroite et mal éclairée, le salon de la Boisserie où Mme de Gaulle faisait cliqueter ses aiguilles à tricoter tandis que la pluie battait les vitres.

Entre eux, les collaborateurs du Général se lamentaient qu'il ait choisi cette résidence incommode et lointaine, dans ce lugubre paysage auquel on fait beaucoup d'honneur en le baptisant « forêt gauloise », campagne sans caractère sous un ciel brouillé. Trois heures de voiture s'imposaient pour atteindre cet ermitage; quant au téléphone, que d'ailleurs de Gaulle abominait, la ligne était notoirement branchée sur une table d'écoute, ce qui rendait impossible toute conversation confidentielle. Pour un oui, pour un non, pour peu qu'un événement survînt alors que le Général avait quitté Paris, il fallait entreprendre l'interminable voyage, pour retrouver l'atmosphère quiète et lourde d'ennui de la Boisserie, le bureau d'angle où de Gaulle travaillait à ses mémoires, les photos dédicacées de Roosevelt et de Tchang Kaï-chek, le jardin humide et sans soleil. La chère était robuste, arrosée de vins à mon goût très suffisants. Tel n'était pas l'avis de Louis Vallon, dont on connaît la réplique célèbre: à de Gaulle qui lui jetait: « Il paraît, Vallon, que vous aimez boire de bons coups? », il rétorqua: « En tout cas, pas chez vous, mon Général. »

Après le déjeuner, si le temps le permettait, on allait faire vingt fois le tour du jardin en discutant, et on repartait vers quatre ou cinq heures pour arriver en fin d'après-midi à Paris. Beaucoup de choses, je l'ai souvent pensé, auraient été différentes si le trajet entre la maison du Général et Paris, comme le nez de Cléopâtre, avait été plus court.

L'irritation plus ou moins dissimulée que de Gaulle laissait paraître même quand le R.P.F., dans sa phase ascendante, lui apportait chaque jour de brillants succès, et qui devint ouverte et chronique plus tard, tenait sans nul doute au décalage qu'il constatait sans cesse entre le rôle de chef d'Etat qu'il tenait devoir être le sien et celui de chef de parti. Car, et cela le mortifiait, le Rassemblement, qui avait voulu être autre chose qu'un parti et davantage, se trouva de plus en plus amené à se comporter comme un parti parmi les autres. Sans doute aurait-il mieux valu accepter ce fait et en tirer les conséquences. N'ayant pu se résoudre à le faire, de Gaulle se sentait inévitablement en porte à faux.

Le Rassemblement, dans sa formule initiale, avait pour but de regrouper les Français de toute opinion, sans tenir compte des divisions partisanes, en fonction de quelques objectifs de salut public: réformer les institutions, rénover les rapports sociaux, construire solidement l'Union française, rendre à la France un grand rôle en Europe et dans le monde. Il n'avait pas de programme, mais des « idées-forces ». Dans les tout premiers temps, l'afflux des adhésions provenant de tous les milieux et de toutes les tendances, beaucoup apportées par la classe ouvrière et les couches les moins favorisées des classes moyennes, l'enthousiasme suscité chez les anciens résistants de gauche, notamment à l'U.D.S.R. (dont Baumel et moi-même faisions partie), le ralliement de parlementaires radicaux tels que Paul Giacobbi et André-Jean Godin, de membres du M.R.P. comme Edmond Michelet et Louis Terrenoire, nous firent espérer que le Rassemblement pourrait grandir et accomplir sa tâche, à la façon d'une ligue, sans se couler dans le compartimentage déterminé par l'échiquier des partis. De fait, quand on considère les premiers dirigeants du R.P.F., on y trouve des hommes de la gauche non communiste tels que Vallon, Henry Torrès, moi-même, des francs-maçons comme Henri Ulver, des catholiques traditionnels et fervents comme les deux professeurs Mazeaud, des démocrates chrétiens comme Prélot et les éléments venus du M.R.P., des notables modérés comme Pasteur Vallery-Radot ou Léon Noël. On pouvait voir s'entretenir et discuter amicalement dans nos conseils Mgr Hincky et le militant ouvrier Charles Pivert, Manuel Bridier (aujourd'hui au P.S.U.) et Gaston Palewski, le délicat écrivain Albert Ollivier et le sociologue conservateur Raymond Aron, Michel Debré alors membre du parti radical et Edmond Barrachin, éloquent et habile leader de droite. Le peuple, plus que la bourgeoisie, se pressait en foule à nos meetings: les « élites », comme toujours, se réservaient.

Mais la contre-attaque des partis organisés ne se fit pas attendre. La « double appartenance » d'abord tolérée par les radicaux fut interdite, le M.R.P. exclut ceux de ses membres qui avaient adhéré au Rassemblement, le parti socialiste se dressa contre nous, les communistes bien entendu plus violemment encore. René Pleven, leader de l'U.D.S.R., chercha longtemps une conciliation mais ne put aboutir. Le sectarisme se déchaîna: Pierre-Henri Teitgen, hiérarque notable du

M.R.P., décrivit le R.P.F. comme un ramassis de « petits traîtres et d'anciens collaborateurs », imputation d'autant plus injuste que notre mouvement aurait plutôt mérité le reproche inverse de « résistantialisme », et la presse de gauche, rendant compte de nos meetings populaires, n'y découvrait que « de belles dames » en manteaux de vison et vieux colonels parfumés à la naphtaline. Les journaux modérés, en première ligne *Le Figaro*, tout en affectant un grand respect pour de Gaulle, menaient une campagne intense contre le Rassemblement, et François Mauriac, ne s'étant pas encore découvert une âme gaulliste, condamnait sévèrement le R.P.F., coupable à ses yeux de gêner le M.R.P. dans son œuvre de salut national.

Face à ces obstacles, de Gaulle s'enrageait contre les partis. Il les accablait de brocards. Avec ce don du persiflage qui constitue un des aspects de son talent d'écrivain et d'orateur, il mettait les foules en joie quand il décrivait avec une verve mordante les petits partis, occupés chacun dans son coin à cuire leur petite soupe sur leur petit feu. Il dénonçait, tout en rendant hommage pour la forme et par calcul aux « hommes valables » dévoyés par le système, les « trotte-menu de la décadence »: personne ne se doutait alors, et sans doute lui non plus, que si les partis de la IVᵉ République trottèrent en effet fort menu sur la voie de la décadence et des abandons, lui devait plus tard y avancer avec des bottes de sept lieues en liquidant sur un rythme accéléré toutes les positions de la France outre-mer. Mais passons. A l'époque que je décris, un perpétuel échange d'invectives et de mauvais procédés ne cessait d'aigrir de jour en jour les relations entre le R.P.F. et les partis. S'y ajoutèrent de grotesques tentatives de provocation policière: « complot » du Plan Bleu, « complot de la Pentecôte », heureusement fort mal montées et vite déjouées (j'en bloquai une tout net en la dénonçant, à deux ou trois heures du matin, au préfet de police

Roger Léonard, qui devait être mon prédécesseur au gouvernement général de l'Algérie), les services chargés d'organiser ces opérations n'ayant pas encore acquis le savoir-faire dont ils devaient donner tant de preuves sous le second règne.

Après le succès du Rassemblement aux élections municipales, les partis bousculés et meurtris décidèrent de se défendre en faisant le hérisson et en différant le plus possible toute nouvelle consultation électorale où, dans l'ambiance du moment, ils eussent été battus à plate couture. D'octobre 1947 à juin 1951, sous une série de ministères dont les plus durables furent ceux d'Henri Queuille, pour qui tout l'art de la politique consistait comme il le dit lui-même « non à résoudre les problèmes, mais à faire taire ceux qui les posent », le régime mena un combat retardateur. Repoussant d'abord les élections cantonales, puis faisant voter par l'Assemblée la loi électorale des « apparentements », véritable escroquerie qui permettait à un candidat M.R.P. ou radical d'être élu avec quelques milliers de voix contre un candidat du R.P.F. qui en avait obtenu le double (1), la Troisième Force — c'est ainsi qu'on l'appela — réussit à se maintenir aux affaires dans un immobilisme confinant à la paralysie. En fait, la cohésion de cette coalition tenait avant tout à la crainte que lui inspirait le R.P.F. De son côté, le Rassemblement ainsi mis en échec se durcissait et ne laissait pas de se teinter d'une dose de ce sectarisme qu'il reprochait justement aux autres.

Dès le 27 octobre 1947, après les élections municipales, le Général, dans une déclaration, avait tiré les

(1) Exemples: aux élections de juin 1951, dans le Nord, le M.R.P. obtint 4 sièges avec 84 000 voix, le R.P.F. aucun avec 94 000 voix. Dans l'Indre-et-Loire le candidat du Rassemblement était battu avec 39 300 voix, celui du parti radical élu avec 14 430 suffrages. Dans la Vienne, un indépendant (14 000 voix) battait le gaulliste (32 000).

conclusions de cette consultation: « Voilà condamné, disait-il, le régime de confusion et de division qui plonge l'Etat dans l'impuissance... Dans cette situation, il n'y a pas d'autre devoir, ni d'autre issue démocratique, que de recourir au pays. C'est à la source légitime, c'est-à-dire dans le vote du peuple, qu'il faut puiser d'urgence l'autorité indispensable aux pouvoirs de la République. » Partant de là, il indiquait la marche à suivre: adoption d'une loi électorale majoritaire, dissolution et nouvelles élections. Un peu plus tard, le 12 novembre 1947, dans une conférence de presse à la Maison de la Résistance, il attaquait âprement les partis: « S'ils veulent rester sur le rivage en déblatérant inutilement, leurs malédictions n'auront pas plus d'importance que des crachats dans la mer. » Il dénonçait la Troisième Force, « combinaison politicienne » de « féodaux (qui) se conjuguent tout naturellement pour essayer de retarder, sinon d'empêcher, ce qui doit arriver... Cette combinaison politicienne prétend à grands cris qu'elle est la République. Ma parole, elle finit par le croire! C'est un peu, révérence parler, ce qui se passe dans le livre célèbre de Kipling, où une certaine troupe (1) se promène dans la jungle en disant: « Nous sommes les rois de la jungle parce que nous le disons. »

Ces sommations et ces sarcasmes, auxquels répondaient les invectives de certains et la doucereuse hostilité de quelques autres, ne furent naturellement pas suivis d'effet. La Troisième Force, changeant comme Protée, à chaque crise, de forme et de composition (2), se cramponna pendant 43 mois.

(1) Il s'agit évidemment des singes, les Bandar-Log, dans *Le Livre de la Jungle*.
(2) Alliance M.R.P.-S.F.I.O.-Radicaux-U.D.S.R. sous les ministères Robert Schuman (novembre 1947-juillet 1948) et Queuille (septembre 1948-octobre 1949); S.F.I.O.-Radicaux-M.R.P.-Indépendants autour d'André Marie (juillet-août 1948); M.R.P.-

Période fertile en événements! La guerre froide s'aggrave, devenant guerre tout court en Corée dès juin 1950. La Tchécoslovaquie a succombé, dès juin 1948, au « coup de Prague »; ceux d'entre nous qui avaient connu, en exil, les dirigeants tchèques, apprirent avec douleur la mort de Masaryk. Face à la poussée impérialiste de la Russie de Staline, l'Ouest élève hâtivement des barrages: c'est l'Organisation européenne de coopération économique, le pacte de Bruxelles en 1948, le pacte atlantique l'année suivante. L'Allemagne, du même coup, reprend figure d'Etat, d'abord par la fusion des deux zones d'occupation anglaise et américaine, puis par les accords de Londres et la réforme monétaire qui dote les trois zones occidentales d'une monnaie solide en juin 1948 et prélude à un étonnant redressement économique. Un an plus tard, tout l'ouest de l'Allemagne sera constitué en une République fédérale dont Konrad Adenauer assumera le gouvernement. Dans les mois qui suivent, la zone soviétique devient « république démocratique »: voici l'Allemagne divisée pour un temps indéterminé. La puissance renaissante de l'Allemagne et le péril russe amènent l'Occident à imaginer de nouvelles formes d'organisation: c'est le Conseil de l'Europe (1949), le pool charbon-acier de Robert Schuman (1951), et déjà, en septembre 1950, le projet conçu par Pleven et Jean Monnet d'une communauté européenne de défense.

Pendant ce temps, dans le monde, des régimes et des Etats surgissent ou disparaissent: en janvier 1949, les communistes de Mao Tsé-toung entrent à Pékin, Tchang Kai chek s'installe en décembre à Formose. La répu-

S.F.I.O.-Radicaux-U.D.S.R.-Indépendants et Paysans avec Georges Bidault (octobre 1949-juin 1950) et René Pleven (juillet 1950-février 1951); coalition générale allant de la S.F.I.O. aux paysans dans le deuxième cabinet Queuille (mars-juillet 1951); coalition sans les socialistes dans le gouvernement Bidault à partir de février 1949.

blique de l'Inde est proclamée en janvier 1950. Au Moyen-Orient, Israël recouvre son existence d'Etat, en mai 1948, après mille huit cent treize ans d'éclipse, et se voit aussitôt contraint à la guerre pour repousser l'agression arabe.

En Indochine, la guerre continue à faire rage. Tandis que les buts de guerre de la France se modifient profondément — il ne s'agit plus que de maintenir l'indépendance du Viêt-nam, du Laos et du Cambodge, Etats associés à la France au sein de l'Union française — et que l'on concède à Bao-Daï l'unification des « trois Ky » refusée quatre ans plus tôt à Ho Chi Minh, le corps expéditionnaire français, dont le combat n'intéresse guère la population métropolitaine et ne suscite que spasmodiquement la sollicitude des gouvernements, essuie désastre sur désastre à Cao Bang et à Lang Son. En décembre 1950 seulement, la nomination du maréchal de Lattre, son prestige, son magnétisme, l'énergie de son commandement et l'intelligence des dispositions qu'il prend dès son arrivée, redressent une situation qui semblait sans issue.

L'Union française, en Afrique, est tantôt secouée de violents remous, tantôt rongée par un processus de désagrégation qui tend à s'accélérer. En Algérie, Marcel-Edmond Naegelen gouverne avec fermeté, et les premières élections à l'Assemblée algérienne, en avril 1948, donnent la majorité dans le premier collège aux listes d'union réalisées sous l'égide du Rassemblement, tandis que dans le deuxième collège les candidats de Messali Hadj et de Ferhat Abbas sont pour la plupart évincés. Mais les choses se gâtent aux deux ailes. Les revendications de Bourguiba trouvent un soutien imprévu dans un discours prononcé à Thionville, en juin 1950, par Robert Schuman qui fait allusion à l'« indépendance » de la Tunisie. Un gouvernement tunisien est formé, auquel participe le néo-Destour. L'hostilité du sultan du Maroc envers la France s'affirme par le soutien qu'il apporte à l'Istiqlal, provoquant la violente réaction des chefs traditionnels et des tribus berbères sous l'impulsion de Si El Hadj Thami El Glaoui, pacha de Marrakech. Des incidents éclatent en Côte-d'Ivoire. A Madagascar, la rébellion s'achève, mais elle a coûté cher; ses chefs sont condamnés (1). Le territoire ou « comptoir » de Chandernagor est annexé par l'Inde. On sent de toutes parts des forces centrifuges s'acharner à démembrer le vaste édifice de l'Union française, sans que les pouvoirs publics, mal organisés à cet effet, et une opinion inerte s'efforcent de prévenir efficacement sa dislocation.

Pendant ces quarante-trois mois, l'économie française sortait peu à peu, péniblement, de la situation de pénurie laissée par la guerre et l'occupation. Les tickets de pain ne disparurent qu'en février 1949. Mais la course infernale des salaires et des prix — ces derniers toujours vainqueurs — continuait de plus belle. On se rappelle que Pierre Mendès-France avait démissionné du gouvernement de Gaulle, en avril 1945, le Général ayant arbitré à son détriment le conflit qui l'opposait à Pleven sur le blocage des comptes et l'échange des billets. L'opération chirurgicale proposée par Mendès-France aurait sans nul doute été mal accueillie par le patient et lui aurait infligé un choc violent. Mais la médication douce se révéla inopérante. Pendant la seule année 1948, la viande de bœuf aug-

(1) Les anciens députés malgaches Raseta et Ravohangy avaient été parmi les dirigeants les plus actifs de la rébellion. Je me souviens qu'en 1945, fraîchement élus, ils tinrent à visiter, dès leur arrivée à Paris, l'hémicycle du Palais-Bourbon. Le fonctionnaire du ministère de la France d'outre-mer (dont j'étais alors chargé) qui les accompagna me raconta la scène: après avoir contemplé les travées, l'un des deux Malgaches (ils appartenaient l'un et l'autre à l'ethnie aristocratique Hova) lui demanda avec une nuance d'angoisse: « Est-ce que nous allons être obligés de siéger *avec les nègres?* »

menta de 75 %, le vin et le pain de 30 %, le lait de 38 %, le sucre de 46 %, l'huile de 120 %, le gaz de 20 %, l'électricité de 15 %, le charbon de 60 %. Les prix, au total, montèrent de 20 % jusqu'à la guerre de Corée; le coup d'accélérateur donné par ce conflit leur imprima un nouvel élan se chiffrant par 39 % de hausse en un an et demi. En 1951, l'indice des prix, sur la base de 100 pour 1938, atteignait la cote 2 291.

Tandis que grossissaient à vue d'œil les dépenses publiques (2 237 milliards en 1950) et que s'alourdissaient les impôts, le franc s'effritait: quatre dévaluations le faisaient descendre, palier par palier, de 119 à 350 francs pour un dollar. La circulation monétaire était passée de 1 695 milliards en décembre 1947 à 3 667 milliards quatre ans plus tard.

Pourtant, à partir de 1948, l'aide américaine, grâce au plan Marshall (1800 millions de dollars de novembre 1947 au mois d'avril 1949, et 2 milliards de dollars entre 1949 et 1952) venait permettre à la France de procéder aux investissements que réclamait la modernisation de son industrie. En dépit d'un dirigisme paperassier et tatillon, l'économie entrait dans une phase de progrès: mais les effets de cette évolution favorable ne se faisaient pas encore sentir au niveau des salariés, fonctionnaires, agents des services publics ou des industries nationalisées. D'où un mécontentement général que la C.G.T. et le Parti communiste excellaient à exploiter. Pour les communistes, en effet, le front social en France n'était qu'un des secteurs de celui où se livrait la guerre froide entre l'Est et l'Ouest, entre la Russie de Staline et l'Amérique de Marshall. Utilisant sans vergogne la misère des petits salariés et leur inquiétude du lendemain, ils lancèrent en 1947 et 1948 deux grandes vagues de grèves qui faillirent disloquer l'économie et l'Etat. A l'Assemblée nationale, 169 députés communistes et 13 progressistes multipliaient systématiquement les incidents et organisaient l'obstruction.

D'octobre 1947 à juin 1951, Ramadier, Robert Schuman, André Marie, Henri Queuille, Georges Bidault, René Pleven et de nouveau Queuille, assumèrent successivement les fonctions de président du Conseil, en moyenne sept mois chacun. Au cours des six crises ministérielles qui jalonnèrent cette période, nombreux furent les présidents désignés qui, nommés par le Président de la République, n'obtinrent pas l'investiture du Parlement, comme ce fut le cas de Léon Blum en novembre 1947, de Schuman en septembre 1948, de Guy Mollet, en mars 1951, ou qui, à peine investis, furent renversés ou acculés à la démission comme Jules Moch en octobre 1949, Queuille en juillet 1950. Il n'est pas inutile d'observer, d'autre part, que des sept chefs de gouvernement qui ont exercé le pouvoir pendant cette période, un seul — Robert Schuman, en juillet 1948 — fut régulièrement renversé par un vote conformément à la Constitution: tous les autres démissionnèrent, s'apercevant qu'il leur était impossible de gouverner en raison des divergences de vues qui opposaient, au sein même du cabinet, les représentants des partis composant la majorité.

Il y avait là comme une leçon de choses qui semblait destinée à faire la démonstration de la thèse principale soutenue par le Rassemblement: la faiblesse des institutions. Absent de l'Assemblée nationale, où il n'était représenté que par un petit « intergroupe pour une vraie démocratie (1) », le R.P.F. n'était pour rien dans cette instabilité chronique; il ne s'interdisait évidemment pas de l'utiliser comme argument. L'inadéquation tra-

(1) Cet intergroupe avait pour président Paul Giacobbi, député radical de la Corse. Fin et passionné, âme de feu dans un corps frêle et émacié (on faisait à son propos cette plaisanterie classique: « Un taxi vide entra dans la cour du Palais-Bourbon. Giacobbi en descendit »), il avait été un des premiers et des plus héroïques résistants de Corse. Après la libération de l'île en 1943, il vint à Alger où je fis sa connais-

gique du régime dans un monde aussi troublé, face à des problèmes aussi lourds, éclatait à tous les yeux.

Aussi le R.P.F. conservait-il sa force d'attraction. Même dans des scrutins strictement locaux, il remportait des succès encourageants. En 1947-1948, dans 31 élections cantonales, les chiffres de ces consultations comparés à ceux des élections législatives dans les mêmes cantons faisaient apparaître une perte de 16 000 voix au détriment des communistes, de 13 000 aux dépens des socialistes; le M.R.P. avait perdu 28 000 voix. Le Rassemblement, lui, en gagnait 29 000. En 1948-1949, aux élections partielles qui eurent lieu dans dix villes, notamment à Mulhouse, Grenoble, Grasse, Avignon, Draguignan, le R.P.F. arrivait en tête avec 38,2 % des voix, devant les communistes (30,2) et la Troisième Force (29,5).

Le renouvellement du Conseil de la République était prévu pour le 7 novembre. Le gouvernement Queuille, dans lequel Jules Moch détenait le portefeuille de l'Intérieur, avait jugé avantageux de renvoyer au mois de mars 1949 les élections cantonales qui auraient dû avoir lieu *avant* celles du Conseil de la République, afin de figer un corps électoral plus favorable, croyait-il, à la Troisième Force. De Gaulle décida de faire à propos de cette élection « sénatoriale » une véritable expérience de rassemblement: le R.P.F. offrit son investiture à tous les candidats, de droite ou de gauche, qui accepteraient de souscrire à un programme minimum et de constituer, au Palais du Luxembourg, non un groupe mais un intergroupe du Rassemblement, sans renoncer pour autant à leurs positions particulières.

sance. Membre du Conseil de Direction du R.P.F., il finit par quitter le mouvement à la suite de divergences trop vives avec de Gaulle sur la tactique à suivre. Je n'en demeurai pas moins son ami.

Dans une déclaration publiée à la veille de la consultation, de Gaulle, après avoir indiqué que les pouvoirs du Conseil étaient malheureusement restreints, ajoutait: « Malgré tout, le nouveau Conseil de la République pourra faire beaucoup, notamment pour provoquer le retour à la démocratie et à la consultation du peuple. Mais c'est à la condition que le Conseil comporte un nombre suffisant d'hommes qui se soient spontanément liés les uns aux autres en vue d'agir suivant une même direction exclusivement pour le salut public... Ces candidats (du R.P.F.) sont de toutes origines et tendances françaises et républicaines. »

Il y eut, en fait, deux catégories de candidats: d'une part les « gaullistes » sans parti, ne relevant que du R.P.F.; d'autre part les candidats à « étiquette » de parti, dont beaucoup d'indépendants-paysans, des radicaux, des U.D.S.R., quelques M.R.P. et ex-M.R.P. L'octroi des investitures fut souvent malaisé et donna lieu à quelques incidents. Tantôt les militants de la « base » s'indignaient que le R.P.F. accordât son soutien à des notables locaux qui n'avaient jusqu'alors montré aucun intérêt pour notre mouvement; tantôt des candidats évincés dénonçaient ce qu'ils appelaient le « caporalisme » de la direction du R.P.F. Ces incidents, démesurément grossis par la presse unanime, de la droite (L'Epoque) au communisme (L'Humanité) en passant par Le Figaro et Le Monde, donnèrent lieu à une campagne effrénée sur la « dislocation » du Rassemblement qui, selon ces journaux, « éclatait » littéralement dans tous les sens. Tandis que M. Bougenot dans L'Epoque déplorait que « dans le R.P.F., ce soient les éléments socialistes qui aient toujours tendance à prendre le dessus », Le Populaire stigmatisait « le rassemblement de toutes les forces réactionnaires traditionnelles ». Energiquement actionnés par Jules Moch, les préfets et sous-préfets s'affairaient à susciter des candidatures « isolées » ou « indépendantes » pour faire pièce aux nôtres, à rapprocher provisoirement contre nous les socialistes anti-cléricaux et les M.R.P. les plus sectaires.

En dépit de ces manœuvres, 130 conseillers de la République furent élus avec l'investiture du Rassemblement. Les plus lourdes pertes étaient subies par les communistes et le M.R.P. Le nouvel intergroupe du R.P.F. comprenait 44 « gaullistes sans parti », dont Michel Debré dans l'Indre-et-Loire, Victor Chatenay à Angers, Lionel Pèlerin à Nancy, Julès Houcke dans le Nord, André Lassagne à Lyon, Raymond Dronne et Jean Chapalain dans la Sarthe, Pierre de Gaulle, Corniglion-Molinier, Henry Torrès à Paris, André Diethelm en Seine-et-Oise, Mme Eboué en Guadeloupe; en outre, 40 indépendants-paysans, 17 radicaux, 14 P.R.L., 9 U.D.S.R. et socialistes indépendants, 5 ex-M.R.P. devenus « républicains populaires indépendants » et 1 M.R.P. On trouvait des élus du Rassemblement dans tous les groupes, à l'exception des communistes (16), des socialistes (49) et des musulmans algériens (6, plus un élu de l'U.D.M.A., parti de Ferhat Abbas). L'intergroupe ne manquait que de peu la majorité absolue de 135 voix.

Ce succès n'en contenait pas moins les germes des futurs revers: à terme, l'expérience de rassemblement échoua parce que les élus à double appartenance, et notamment les « modérés », notables s'appuyant sur de fortes positions locales, retournèrent peu à peu à l'obédience de leurs groupements d'origine. L'intergroupe devait s'effriter au fil des votes, des crises, des tiraillements à l'occasion de conflits provinciaux. Bien qu'en majorité hostile au tripartisme, le Conseil de la République ne parvint pas à imposer la dissolution de l'Assemblée nationale et de nouvelles élections, et finit par s'user dans une trop longue attente.

Henri Queuille, Fabius Cunctator de la Troisième Force, avait bien compris qu'en gagnant du temps, en lanternant, en retardant les échéances, il avait une bonne chance de lasser et d'écœurer un rassemblement né dans l'enthousiasme. C'est en effet ce qui arriva. Le R.P.F., sorte d'armée de volontaires faite pour la guerre de mouvement, contraint à mener une guerre de siège devant des portes obstinément fermées, ne résista pas à l'usure du temps et des déceptions. Il avait contre lui la totalité de la presse, la radio et les pouvoirs publics. Ces derniers, tout en dénonçant à tue-tête le danger communiste, ne dédaignaient pas de faciliter les provocations et les violences du Parti, comme ce fut le cas notamment à Grenoble, de façon à pouvoir renvoyer dos à dos les communistes et les gaullistes, accusés les uns et les autres de méthodes illégales, et à offrir à l'opinion moyenne terrifiée le havre rassurant du conformisme officiel.

Pourtant ces quarante-trois mois furent mis à profit par le R.P.F. pour entreprendre un travail qui constitue, à mon sens, son titre le plus éminent et le moins connu: au cours de trois congrès ou assises nationales (Marseille en avril 1948, Lille en février 1949, Paris en juin 1950), et de multiples réunions du Conseil National, le mouvement se mit en devoir de donner enfin au gaullisme un contenu idéologique. Dans tous les domaines: Constitution et réforme des pouvoirs publics, finances, économie, Union française, Europe, politique militaire et diplomatie, questions sociales, enseignement, un labeur intense et sérieux, mené avec continuité par des hommes compétents, aboutit à des positions doctrinales souvent originales et en général précises. Certes, de ce travail capital, presque rien ne filtra jusqu'au public à travers la radio et la grande presse, qui se bornaient à expédier en une phrase ou en trois lignes, le plus souvent farcies d'inexactitudes et de contresens, des rapports, des motions et des thèses, discutables assurément, mais que justement on ne discutait même pas.

Il convient de souligner l'intérêt que le général de

Gaulle manifesta et la part personnelle qu'il prit à ces travaux. Dans les congrès et les conseils nationaux, au sein des commissions spécialisées, il assistait aux débats, y intervenait, suggérait modifications ou additions. Il attribuait une grande importance au choix des rapporteurs, s'entretenait avec eux, étudiait les projets de résolutions, consultait sur les divers problèmes les membres du Conseil de Direction et du Conseil National. Si ses discours fixaient les grandes lignes de la doctrine, l'élaboration en revenait aux organes du R.P.F. au sein desquels lui-même, en tant que président du mouvement, jouait activement son rôle.

Ainsi les prises de position du R.P.F. ne procédaient-elles pas seulement de la pensée de son fondateur, mais de la réflexion conduite en commun par des hommes venus d'horizons très divers. Une fois définie par les conseils et congrès, et approuvée par de Gaulle lui-même, cette doctrine devenait sans nul doute celle du gaullisme, la charte des gaullistes. Il n'y a peut-être pas d'autre exemple dans la vie politique de notre pays d'un mouvement qui ait consacré autant d'énergie et de soin à définir ses idées, ni montré par la suite autant de désinvolture à les jeter aux oubliettes. A partir de 1958, le néo-gaullisme au pouvoir devait faire table rase de ce qui avait été sans doute la contribution la plus originale du gaullisme, pour s'abaisser à un opportunisme sans scrupule orienté vers la seule occupation du pouvoir.

Parallèlement à cet effort de réflexion, le R.P.F. menait une tâche d'organisation. Un grand mouvement politique est une toile de Pénélope. Les groupes, les individus, les difficultés locales, les rivalités des personnes y ouvrent chaque jour des accrocs qu'il faut constamment réparer. Peu apte à traiter ces humbles mais nécessaires réalités, de Gaulle s'irritait, tranchait arbitrairement, croyait tout régler par une décision olympienne ou une saillie sarcastique. Le secrétaire général et les délégués devaient bien souvent recoudre tant bien que mal ce qu'il avait déchiré. Pourtant le mouvement progressait dans le pays, sous la double forme des comités et groupements territoriaux et des groupes professionnels, groupes ouvriers d'entreprises en particulier (plus de 100 groupes dans la métallurgie de la région parisienne). A ces derniers, la direction du Rassemblement apportait tout le soutien possible, et non sans résultats encourageants: on le vit bien aux fêtes du 1er Mai, chaque année, où une foule de travailleurs des usines parisiennes se pressait autour de nos orateurs (1), et au cours des innombrables réunions organisées par le service de l'Action Ouvrière. Dans un autre ordre d'idées, la revue *Liberté de l'Esprit* que dirigeait Claude Mauriac et même le *Rassemblement* hebdomadaire où écrivaient Rémy et Malraux, Arthur Koestler et Raymond Aron, Pascal Pia et James Burnham, Albert Ollivier, Jules Monnerot, Jean Chauveau, Roger Nimier, sans parler de Palewski, de moi-même et d'autres responsables du R.P.F., s'efforçaient de diffuser notre point de vue dans le monde intellectuel (2).

Tout cela, et notamment les meetings dont plus de mille eurent lieu dans tout le pays dans le seul mois de février 1949, coûtait fort cher; les néo-gaullistes d'aujourd'hui, abreuvés aux fonds secrets, ne peuvent même pas se représenter les difficultés et les sacrifices des gaullistes de cette période. La campagne du Timbre, brillante invention de Malraux, nous permit de remplir

(1) Une caricature du journal *Franc-Tireur*, censée représenter la fête R.P.F. du 1er Mai 1948, montrait de Gaulle entouré d'officiers moustachus et de capitalistes en jaquette et haut-de-forme.
(2) Le mouvement « Liberté de l'Esprit » fut lancé le 18 novembre 1948 par une réunion à la Mutualité, où prirent la parole Maurice Clavel, Gaëtan Picon, Pascal Pia, Jules Monnerot, René Tavernier, Raymond Aron, Jacques Soustelle et André Malraux.

nos caisses: de toute la métropole et de l'outre-mer affluèrent à Colombey, par millions, les timbres que les Français les plus divers — souvent les plus modestes et les moins aisés — s'étaient procurés dans les permanences.

A partir du début de 1951, les élections générales ne pouvant plus être différées, le monde politique fut en proie à la fièvre pré-électorale. De multiples projets et contre-projets étaient soumis à la discussion du Conseil des ministres et des commissions de l'Assemblée nationale. Dans une atmosphère de plus en plus passionnée, où se heurtaient brutalement les partis coalisés, Pleven démissionna le 27 février. Queuille, lui ayant succédé à la présidence du Conseil, parvint à faire voter le 7 mai une loi électorale plus habile qu'honnête, ayant pour objet essentiel de permettre à la minorité des suffrages d'enlever la majorité des sièges grâce aux apparentements (1). Un millier d'élus du Rassemblement, parmi lesquels le président du Conseil municipal de Paris, de très nombreux maires, conseillers municipaux et conseillers généraux, députés et sénateurs, avaient dénoncé à l'avance, dans un manifeste signé à Levallois, ce que j'avais pour ma part qualifié de subterfuge, de truquage et de manœuvre sordide. Le Conseil de la République, de son côté, avait repoussé à la majorité absolue le premier texte adopté au Palais-Bourbon. La loi artificieuse ayant été finalement votée et les élections fixées au 17 juin, il ne restait plus qu'à se lancer dans la bataille.

Au sein du Conseil de Direction, certains parlementaires, notamment Edmond Barrachin, inclinaient à penser que, les apparentements étant imposés par la loi malgré nous, le R.P.F., en dépit de sa répugnance

_____

(1) Cette loi fut votée par 332 voix (S.F.I.O., M.R.P., radicaux, U.D.S.R., une partie des modérés) contre 248 (communistes, certains modérés, l'intergroupe gaulliste).

devrait, par tactique, en conclure de manière à conquérir un plus grand nombre de sièges. A cette proposition
s'opposaient la majorité du Conseil, et de Gaulle lui-
même: de tels apparentements n'auraient pu être com-
binés, dans les circonstances du moment, qu'avec la
droite traditionnelle; nous nous serions infligé à nous-
mêmes, en y consentant après les avoir cent fois dé-
noncés, un grave démenti. Enfin l'expérience de l'élection sénatoriale mentionnée plus haut nous incitait à
ne plus permettre aucune équivoque et à ne présenter
de candidats que sous notre bannière. Il fut donc décidé
que, sauf dans deux ou trois cas (notamment celui de
Léon Noël dans l'Yonne), nos candidats ne s'apparente-
raient avec personne, et qu'ils seraient, sans double
appartenance, uniquement les candidats du R.P.F.

Six cents candidats, au début de juin, signèrent une
déclaration qui disait notamment: « La simple lecture
de nos noms montre que nous sommes d'opinions et
de conditions diverses. Mais, devant les périls mena-
çants, nous croyons que les hommes libres ont le devoir de s'unir pour agir. C'est pourquoi nous nous pro-
clamons adhérents convaincus et solidaires du grand
mouvement qui rassemble notre peuple pour son salut.
Nous ne prenons d'autre étiquette que la sienne. Chacun de nous décide, s'il est élu, de se lier aux compagnons qui le seront aussi, en formant avec eux un seul
et même groupe à l'Assemblée nationale. »

Le manifeste ajoutait qu'il y aurait toujours place,
après le scrutin, auprès des élus du R.P.F., pour « tous
ceux qui voudraient les rejoindre ».

De Gaulle n'était pas candidat. « Vous me voyez,
me dit-il, mettre mon chapeau dans ma petite armoire
au vestiaire du Palais-Bourbon? » L'argument ne me
sembla pas péremptoire. Beaucoup de déboires devaient
découler de la répugnance que le président du Rassemblement éprouvait pour la vie parlementaire.

Prenant la parole à la radio dans la campagne électorale, de Gaulle déclara: « A quatre heures d'auto, à une heure d'avion de Strasbourg, passe le rideau de fer. Les deux tiers de l'Europe, la moitié de l'Asie sont dominés par les Soviets. Pour préparer leur marche vers l'Ouest, leurs auxiliaires fixent au loin, en Indochine et en Corée, les forces de l'Occident. Partout, notamment chez nous, leurs serviteurs sont à l'œuvre. C'est la plus grande menace que la France ait jamais connue. »

Dans une telle situation, poursuivait-il, afin de rétablir l'unité nationale, de refaire notre puissance, de bâtir un « Etat juste et fort » — cela notamment « en réformant l'injuste condition ouvrière » — le Rassemblement avait décidé de poser sa candidature partout « entre les deux extrêmes: communisme qui veut tout détruire, régime des partis qui ne peut rien changer ». Il en appelait en conclusion « aux familles spirituelles, diverses mais nullement exclusives, qui de siècle en siècle inspirent à la nation soit l'esprit de la chrétienté, soit la passion de la justice sociale, soit l'amour de la liberté, soit le respect de nos traditions... Toutes sont nécessaires au salut et au rayonnement de la France ».

Au soir du 17 juin, on faisait les comptes: les communistes avaient perdu, par rapport à 1946, 450 000 voix; les radicaux 187 000; la S.F.I.O. 667 000; le M.R.P. 2 705 000. Avec 4 150 000 voix et 128 élus, le R.P.F. devenait le groupe le plus important de l'Assemblée nationale, devant le Parti communiste (101 sièges), les socialistes (107), le M.R.P. (85), le R.G.R. et les radicaux (94) et divers modérés (98). Parmi ses élus: Pierre de Gaulle, Frédéric-Dupont, Pasteur Vallery-Radot, René Moatti, Vallon, Barrachin, Gaston Palewski et son frère Jean-Paul, Carlini, maire de Marseille, le général Billotte, le professeur Prélot, Chaban-Delmas, Guillain de Bénouville, Jean Nocher, Boislambert, Philippe Barrès, Raymond Mondon, Legendre, Vendroux, le général de Monsabert, Kœnig, Jacques Soustelle, Dronne,

André-Jean Godin, Léon Noël, Fouques-Duparc, maire d'Oran, etc. Capitant, Michelet, Terrenoire avaient été battus. Le R.P.F. avait obtenu 6 sièges en Algérie, 7 en Afrique noire, 1 en Guyane et 1 en Guadeloupe.

Vainqueur, certes, mais encore minoritaire, le R.P.F. trouvait devant lui dans la nouvelle Assemblée, outre les communistes, 380 députés partagés en deux tendances d'importance à peu près égale: la Troisième Force reposant sur l'alliance des socialistes et du M.R.P., et une « Quatrième Force » composée de radicaux et de modérés. N'ayant pas tout gagné, il pouvait tout perdre. Une partie terriblement difficile s'engageait: celle du gaullisme parlementaire.

4

LE GAULLISME PARLEMENTAIRE

Il est vain de récrire l'Histoire: je crois pourtant, encore aujourd'hui, que cette partie aurait pu être menée à bonne fin. Deux conditions étaient nécessaires à cet effet: de la part des élus à l'Assemblée nationale, une cohésion sans faille permettant au groupe d'engager et de réussir toutes les manœuvres tactiques, même les plus osées; de la part du général de Gaulle, moins d'agressivité verbale, plus de souplesse non certes quant aux principes mais quant aux moyens, une prise de conscience plus réaliste du temps qui devait inévitablement s'écouler pour nous permettre d'atteindre nos objectifs. Malheureusement, le groupe R.P.F. au Palais-Bourbon ne résista que huit mois à la corrosion du milieu ambiant: ruiné par l'attraction qu'exerçait sur ses éléments provenant de la droite l'influence croissante des modérés (car le fait dominant de cette période fut la montée des « indépendants »), il devait se casser en mars 1952 à l'occasion de l'investiture d'Antoine Pinay. Quant à de Gaulle, dépité par le résultat des élections, demi-succès et donc demi-échec — qu'il attribua à « l'état de dépression morale et, par conséquent, nationale où se trouve encore notre pays » — il ne put ou ne voulut pas tirer de ce fait les conclusions qui s'imposaient.

Quant à moi, élu président du groupe R.P.F. (Louis Terrenoire me succéda au secrétariat général du mouvement), je devais à la fois combattre les tendances centrifuges qui agitaient ce groupe, surtout dans son aile modérée, et pallier autant que je le pouvais les conséquences désastreuses qu'entraînait l'attitude de plus en plus négative du président du R.P.F. à l'égard du Parlement et de ses propres compagnons élus. Il n'avait pas voulu entrer à l'Assemblée, lourde erreur à mon avis; dès lors il aurait dû admettre que ceux qui s'y trouvaient, imbus d'une fidélité inébranlable envers les idées du Rassemblement et envers lui-même, avaient à y tenir, selon l'orientation fixée par lui, une conduite adaptée aux règles et à l'atmosphère du Parlement. Or, il ne pouvait s'y résoudre, animé qu'il était par une aversion insurmontable à l'égard de l'Assemblée, pièce maîtresse du régime — pourtant n'avait-il pas déployé lui-même les plus grands efforts pour nous y faire entrer? — et par une sorte de jalousie et de soupçon, que je lui découvris peu à peu, envers tout homme, même le plus sûr et le plus dévoué, capable d'agir de façon autonome et de briller sous son propre nom d'un éclat qui ne lui fût pas entièrement emprunté. De cette jalousie soupçonneuse, d'autres que moi, Georges Pompidou par exemple tout récemment, devaient subir les effets.

Ayant la responsabilité d'un groupe nombreux, dans la vie quotidienne d'une Assemblée, faite de débats, de votes, de prises de position souvent inopinées, de crises soudaines, de tractations multiples et embrouillées, je ne pouvais évidemment réduire mon action et celle de mes collègues à la répétition indéfinie de déclarations stéréotypées et d'attitudes machinales. Je ne pouvais davantage admettre que le groupe, dont la seule force résidait dans sa masse à la condition *sine qua non* qu'elle ne fût jamais entamée, s'effritât au fil des semaines dans des prises de position confuses et contradictoires. La marge de manœuvre était restreinte, d'autant plus que les tempéraments et les tendances opposaient les hommes les uns aux autres. Louis Vallon, gauchiste féru de mots à l'emporte-pièce, le solennel démocrate chrétien Marcel Prélot, le caustique républicain de droite Legendre, pour ne citer que ceux-là, faisaient difficilement bon ménage. Au secrétariat général, Terrenoire se plaisait à aggraver sournoisement les problèmes. Comment, enfin, diriger un groupe parlementaire à travers mille incidents et mille embûches, quand celui qui en assume la responsabilité officielle relève d'une autorité extérieure au Parlement? Autant il était relativement aisé de déterminer à l'avance, dans une discussion au Conseil de Direction ou une conversation avec de Gaulle, la conduite générale à suivre dans un certain débat, autant s'épuisait-on vainement, au jour le jour ou heure par heure, parmi les rebondissements de séances fiévreuses ou dans le cheminement tortueux des crises ministérielles, tandis qu'une brève suspension de séance ou un accrochage de quelques minutes dans les couloirs du Palais-Bourbon renversait une situation, à vouloir régler jusque dans le détail les votes et les déclarations.

De minimis non curat praetor (1), dit-on. Contrairement à cette règle, de Gaulle, tout en affectant de dédaigner la vie parlementaire, prêtait une attention soutenue et pointilleuse même à l'infiniment petit. Quand il se trouvait à Paris, encore pouvait-on sans trop de peine aller du Palais-Bourbon à la rue de Solferino ou échanger des émissaires. En revanche, un incident surgissait-il quand de Gaulle était à Colombey (où, accroché du matin au soir à la radio, il suivait sourcilleusement les débats), il fallait engager par téléphone une

(1) « Ce n'est pas au préteur de veiller aux détails. »

conversation souvent à moitié inaudible et à coup sûr écoutée par des tiers, transformée en dialogue de sourds par la distance psychologique plus que géographique qui séparait la chaudière bouillante du Parlement et la morose gentilhommière de la Haute-Marne.

Ce n'est pas que de Gaulle ait manqué de formuler, dès après les élections, une ligne de conduite raisonnable, à laquelle pouvaient souscrire tous les élus du Rassemblement. Le 22 juin, au cours d'une conférence de presse au palais d'Orsay, il tira la leçon du scrutin.

— Nous sommes, dit-il, la formation française qui... dispose à l'Assemblée nationale du plus grand nombre de sièges... C'est au Rassemblement du Peuple Français qu'il appartient, pour des raisons démocratiques en même temps que nationales, d'assumer la responsabilité capitale dans la dirction des affaires de la France.

Il poursuivit:

— Oui, c'est à nous de prendre la tête du gouvernement à former. Nous y sommes prêts. Nous sommes prêts à gouverner avec ceux qui voudront nous y aider, sans exclure d'avance personne.

Cette exigence posée — et comment ne l'aurait pas exprimée le chef du mouvement qui venait de faire élire le groupe le plus nombreux du Parlement? — de Gaulle énuméra les points essentiels d'un programme de gouvernement:

— « Il faut réformer la Constitution... équilibre entre les deux Assemblées... équilibre entre le pouvoir exécutif et le pouvoir législatif... il est indispensable que la possibilité de recourir au pays, soit par référendum, soit par dissolution, soit introduite dans la Constitution. »

— Réforme électorale, établir un « système majoritaire véritable, honnête, à deux tours ».

— « Au point de vue économique, ce qui s'impose avant tout, c'est un grand effort de productivité française dont doivent contractuellement profiter tous ceux qui y participent. Cela implique que l'économie soit engagée dans la voie de l'association du travail et du capital, en particulier dans les entreprises nationalisées. »

— Vote des lois d'organisation de la nation en temps de guerre, des trois armes, des cadres et des effectifs, sans lesquelles il ne pourrait exister de véritable défense nationale.

— « Il faut que la grave querelle au sujet de l'école en France soit apaisée (en instituant) un système d'allocations aux familles pour leur permettre d'aider les éducateurs qu'elles choisissent pour leurs enfants. »

— « Entamer une négociation d'ensemble avec l'Allemagne » afin de marcher « vers une fédération européenne effective ».

— Négocier avec les Etats occidentaux, « en particulier avec les Etats-Unis... un accord précis concernant la coopération en matière de défense commune... dans le cadre de l'Alliance atlantique ».

Telle était, en sept points, la « plate-forme » que le Rassemblement, par la voix de son président, proposait à tous les partis composant l'Assemblée nationale en vue de la formation éventuelle d'un gouvernement à direction gaulliste mais largement ouvert à toutes les tendances.

Cependant, ajoutait de Gaulle, « nous avons des raisons de penser que l'ensemble des partis qui se sont apparentés contre nous préférera gouverner sans nous. Qu'ils en prennent donc la responsabilité... Il va de soi que nous ne participerons pas aux cabinets successifs... Nous ne ferons pas de l'obstruction mais bien de l'opposition... Si même il arrive que d'autres proposent des mesures susceptibles de servir vraiment la nation, nous n'hésiterons pas à appuyer ces mesures-là... Il n'est pas invraisemblable que, dans l'esprit des partis... se produise un jour quelque changement qui amènera une conjoncture nouvelle ».

Répondant à une vingtaine de questions, de Gaulle déclara notamment:

— Pour la réalisation de l'association « capital-travail », « on peut commencer par les entreprises nationalisées, où les intérêts du capital privé ne compliquent pas la mise en pratique ».

— « Nous devons nous préparer à défendre l'Europe, sans toutefois renoncer à l'Asie, car ce serait renoncer pratiquement à tout. Si, en effet, on recule en Asie, on recule en fait partout, même en Europe, moralement, politiquement, et bientôt stratégiquement. MacArthur l'a parfaitement montré... Il faut savoir souffrir et ne pas lâcher l'Asie. Il faut rester en Corée, et il faut rester en Indochine. »

— « Nous sommes pour la Fédération européenne... pour un accord qui lie entre eux d'une manière positive, sur des sujets positifs, notamment l'économie, la défense, la culture, les Etats de l'Europe qui le veulent. »

— « L'Allemagne doit contribuer à la défense européenne. »

— En Indochine, « il y a quatre solutions militaires possibles. On peut s'en aller. On peut se limiter à tenir quelques môles. Ce sont là des solutions de défaite. Quant à moi, je ne les accepte pas. Alors, il en reste deux autres: ou bien celle qui est actuellement pratiquée et qui consiste à sauver l'essentiel, non sans grands efforts et lourdes pertes, hélas! (ou bien) envoyer des forces nouvelles au point de vue des effectifs et au point de vue du matériel... A cette double condition, nous pouvons trancher définitivement la question militaire en Indochine (1) ».

Le 1er juillet, à Levallois-Perret, le Conseil national du R.P.F. siégea pour une journée, avec les nouveaux

(1) Toutes les citations qui précèdent sont empruntées à l'hebdomadaire *Le Rassemblement*, n° 217, 29 juin 1951.

élus et les délégués de tous les départements. De Gaulle y parla notamment de « partager le pouvoir sans exclusive avec ceux qui visent les mêmes objectifs nationaux ». Tout en mettant en garde les députés contre « la course aux portefeuilles et les combinaisons où leur honnêteté et leur efficacité seraient également compromises », il les invita « à ne pas négliger les contacts avec les personnes qui ne sont pas de leur obédience » et il exprima l'espoir que les partis évolueraient de manière à se rapprocher de nous.

Le Conseil vota une déclaration disant notamment: « Le Rassemblement ne se dérobe pas devant le rôle qui lui revient selon les règles de la démocratie. Il est prêt à assumer la responsabilité dirigeante dans le gouvernement de demain avec tous ceux qui voudront s'associer, sans exclusive aucune, à une œuvre positive et concrète conformément à un programme minimum. »

Ce programme minimum, le Conseil l'adopta le même jour: réforme de l'Etat, relèvement du pouvoir d'achat, association dans les entreprises nationalisées, modernisation de l'agriculture, allocation-éducation, large amnistie, vote des lois militaires, organisation européenne, accords dans le cadre de l'Alliance atlantique, renforcement de l'Union française. Le Conseil National concluait: « Si la coalition de la Troisième Force et de ses associés entend conserver la direction des affaires publiques, le Rassemblement, tout en condamnant le nouveau retard apporté par là au redressement national, ne s'enfermera pas dans une attitude de stérile négation. Fidèle à lui-même, il proposera et défendra ses objectifs aussi bien dans les assemblées que devant le pays, sans compromissions et sans sectarisme, certain que les événements lui donneront raison (1). »

Quant à moi, prenant la parole devant le Conseil,

(1) *Le Rassemblement*, 6 juillet 1951.

j'avais prévenu nos amis: « Nous savons très bien que pour un temps — je dis pour un temps — nous allons nous trouver devant des apparentés qui, frais émoulus de la lutte qu'ils ont menée ensemble dans le pays, vont s'efforcer de la poursuivre au Parlement, en maintenant vaille que vaille le mythe absurde et outrageant pour nous de la « lutte sur deux fronts », avec le communisme d'un côté et le Rassemblement de l'autre. »

C'est en effet ce qui arriva. Vincent Auriol, qui aurait dû tenir compte des suffrages du pays, ne songea même pas à désigner un élu du R.P.F. pour tenter de former le gouvernement. Pressentis par lui, Henri Queuille et Maurice Petsche refusèrent, René Mayer accepta mais se vit refuser l'investiture, n'ayant obtenu que 241 voix alors que la majorité constitutionnelle était de 311. Le R.P.F. s'était abstenu. Là-dessus la ronde recommença: Georges Bidault, Paul Reynaud déclinèrent les offres du président Auriol, Petsche fut battu au scrutin d'investiture (281 voix), Guy Mollet refusa d'être désigné. Enfin, au début d'août, dans la lassitude générale après plus d'un mois de crise et d'échecs, on vit surgir, de conciliabules feutrés, la candidature imprévue (1) de René Pleven. Il fut investi le 8 août par 391 voix contre 102, le R.P.F. s'abstenant. Son cabinet comprenait 2 U.D.S.R. (Pleven et Claudius-Petit), 6 M.R.P., 7 radicaux, 8 indépendants (dont Antoine Pinay aux Travaux publics) plus une nuée de secrétaires d'Etat parmi les-

(1) Ironisant, du haut de la tribune de l'Assemblée, sur l'apparition soudaine de cette candidature, j'employai à son sujet le mot de « parthénogenèse ». Cette innocente plaisanterie souleva une vive agitation dans l'hémicycle, nombre de députés ignorant le sens de ce terme et y soupçonnant quelque malveillance. C'est alors qu'Edouard Herriot, qui présidait, se souvenant de m'avoir précédé rue d'Ulm, mit fin aux mouvements divers en frappant son bureau avec son coupe-papier et en s'écriant: « Messieurs, ce n'est insultant pour personne! »

quels Félix Gaillard, Maurice Schumann et Roger Duchet.

Dire que nous avions été fraîchement accueillis au Palais-Bourbon serait demeurer bien au-dessous de la vérité. Les partis apparentés, déchaînés contre nous, et s'associant sans vergogne avec les communistes, faisaient pleuvoir sur nous avanies et mauvais procédés: invalidations abusives, exclusion des nôtres des commissions. On nous relégua à l'extrême-droite de l'hémicycle en dépit de nos protestations. Nos interventions à la tribune provoquaient les interruptions les plus discourtoises. Traités en pestiférés, nous étions entourés comme d'un cordon sanitaire et tenus en quarantaine.

Pourtant les contradictions internes de la Troisième Force et de ses alliés nous offraient maintes occasions d'infléchir le cours de la législature. Dès septembre, il fut bien évident que la loi Barangé sur l'allocation scolaire ne pouvait être votée que grâce à nos voix. Le gouvernement Pleven devait jouer, pour différer la crise qui le menaçait en permanence, sur des majorités de rechange, tantôt avec le R.P.F., tantôt sans lui. L'essentiel pour nous était de faire bloc, de ne jamais donner nos voix en détail et surtout de ne pas en donner pour rien, mais d'exiger tout au moins des amendements, des pas dans notre direction. Dans le cas de la loi Barangé, qui ne nous satisfaisait qu'à demi, puisque, au lieu de se conformer à notre principe de l'allocation-éducation qui était compatible avec les lois scolaires de la République, elle ouvrait la voie à une politique de subventions, nous avions pu cependant en améliorer le texte et y faire introduire des dispositions répondant à notre point de vue. Tout le monde, malgré les préjugés, avait dû reconnaître que nos interventions étaient sérieuses et bien étudiées. Certains de nos orateurs comptèrent bien vite parmi ceux que la Chambre écoutait avec attention au lieu de se plonger dans la rédaction du courrier ou la lecture des journaux.

Quand Pleven eut été renversé en janvier 1952 sur les questions financières et sociales, je fus avec Christian Pineau, Paul Reynaud, Bidault et Delbos parmi ceux que le président Auriol appela et qui d'ailleurs refusèrent. Mes collègues du groupe R.P.F. auraient voulu, tout au moins bon nombre d'entre eux, me voir pousser plus loin l'expérience. J'estimais quant à moi que l'heure n'en était pas encore venue; je ne leur dis pas que de Gaulle n'avait consenti qu'avec mauvaise humeur à me laisser me rendre, comme l'exigeait à défaut de sens politique la plus élémentaire courtoisie, à l'invitation de Vincent Auriol. Or, ce seul geste signifiait qu'il était mis fin à la quarantaine et, de ce fait, à notre paralysie parlementaire. J'en eus la preuve quand, Edgar Faure étant devenu président du Conseil — pour six semaines — et bien que nous n'ayons pas voté son investiture, nos représentants trouvèrent auprès de lui et de ses ministres un accueil beaucoup plus compréhensif que sous le cabinet précédent. Nous étions sortis du « ghetto ».

Je reste convaincu que si nous avions persévéré dans la voie ainsi ouverte, en nous maintenant toujours solidaires, condition *sine qua non* de nos progrès, nous serions parvenus assez vite, vers le milieu de la législature, à une situation qui nous aurait permis de constituer un gouvernement de coalition sous notre propre direction. Peut-être aurait-il fallu passer par une étape intermédiaire de participation selon des conditions strictement fixées. De Gaulle l'aurait-il admis? Je ne sais. Son impatience devant les lenteurs inévitables auxquelles nous condamnait l'insuffisance de notre succès électoral, loin de l'inciter à composer, le rendait chaque jour plus atrabilaire. Deux incidents aussi désobligeants qu'inutiles éclatèrent entre lui et moi, le premier quand je voulus, à l'occasion de je ne sais plus quelle crise, « faire un geste » en faveur de Georges Bidault, pour qui j'avais toujours gardé une profonde estime, le second quand une délégation de notre groupe se rendit auprès de Paul Reynaud, alors pressenti pour assumer la présidence du Conseil. Au cours de la deuxième algarade, de Gaulle — inévitablement à Colombey alors qu'une activité politique intense régnait à Paris — s'emporta à tel point au téléphone que je raccrochai.

Je tiens à insister sur le fait qu'il ne s'agissait à aucun moment et en aucune manière, selon moi, de voter sans contrepartie pour un gouvernement ou d'y entrer sans condition pour le seul plaisir de sortir de l'opposition ou de conquérir des portefeuilles. Il s'agissait d'accentuer et de diriger une évolution qui, nous rendant indispensables, nous placerait en position de force pour faire prévaloir nos vues. Or, si de Gaulle opposait à ces méthodes un scepticisme de plus en plus négatif, se déchaînant à tout propos et hors de propos contre tous les leaders politiques (qu'il qualifiait d'« hommes valables » en public, et en privé de « cloportes », « trotte-menu », « politichiens », etc.), il y avait à l'aile droite du groupe R.P.F. des députés qui, tout au contraire, voulaient entrer sans délai dans la voie du soutien et de la participation. Ces « modérés », dont certains l'étaient sans modération, voyaient augmenter dans le pays, à chaque élection partielle, les suffrages de la droite conservatrice dont ils étaient issus. Ils constataient que ces élections partielles nous étaient souvent défavorables, ce qui fut aussi le cas des cantonales d'octobre (le R.P.F. y avait gagné 87 sièges, mais la droite 224). Leurs grands électeurs, notables modérés, les chapitraient : le R.P.F. votait, disaient-ils, avec les communistes, il était toujours « contre ». Edmond Barrachin se désolait : « Les électeurs se détournent de nous parce que nous sommes contre tout. Il ne faut pas faire la politique du pire. »

A ces motifs purement politiques s'ajoutaient chez certains, je le dis parce que c'est vrai, des soucis nationaux: ils voyaient se dégrader la situation française, notamment en Indochine, et ils s'imaginaient, à tort selon moi, qu'en entrant dans le système, sans conditions, comme appoint à un gouvernement axé à droite, ils pourraient empêcher les catastrophes qu'ils voyaient venir.

Au début de 1952, une série de dialogues de sourds s'instaure entre de Gaulle et l'aile droite du groupe R.P.F., représentée notamment par Barrachin, par Henry Bergasse, député de Marseille et par Frédéric-Dupont, député de Paris. Sous les gouvernements Pleven et Edgar Faure, l'inflation s'est accélérée; l'indice des prix de détail a augmenté de 27 points entre février 1951 et février 1952. Une véritable panique financière commence à se déclencher, la confiance dans la monnaie a disparu. Pour de Gaulle, il s'agit de tenir sur les positions maintes fois affirmées du R.P.F., de ne pas porter secours au régime, d'attendre en maintenant intacte la cohésion du mouvement l'événement qui obligera les partis à capituler. Pour ceux qui lui adressent des objurgations de plus en plus angoissées, il faut avant tout « sauver les meubles ». Antoine Pinay, appelé par le président Auriol après la chute d'Edgar Faure, leur paraît l'homme de la situation: ils jugent indispensable que le groupe du R.P.F. lui apporte son soutien.

Le 5 mars 1952, veille du jour fixé pour la séance de l'Assemblée où Antoine Pinay devait solliciter l'investiture, une réunion dramatique eut lieu dans la lugubre salle du « Musée social », rue Las Cases, sous la présidence du général de Gaulle. Se trouvaient là, avec le Conseil de Direction, les groupes R.P.F. des deux Chambres. Barrachin plaida la cause du soutien: la banqueroute menaçait, le pays le savait et jugerait sévèrement quiconque ne contribuerait pas à faire reculer ce danger. Le programme exposé par Pinay, en matière financière et fiscale, rejoignait le nôtre. Nos électeurs ne comprendraient pas que nous votions contre, ni même que nous nous abstenions.

La réplique du Général fut tranchante, voire acrimonieuse. Bien qu'il eût, je le crois, raison sur le fond, il se montra inutilement cassant, comme s'il avait voulu précipiter la rupture au lieu de la prévenir. L'exposé qu'il fit, non sans outrance, définissait précisément cette « politique du pire » que ses interlocuteurs redoutaient. Il donnait l'impression, comme ce fut souvent le cas, de préférer la France aux Français, de vouloir sauver la première sans se soucier des souffrances des seconds. On sentait dans son intransigeance quelque chose d'amer qui décida plus d'un hésitant à franchir le pas.

Le lendemain, la réunion du groupe au Palais-Bourbon, dans l'amphithéâtre Colbert qui lui était réservé, n'aboutit à aucune conclusion d'ensemble. Elle se termina dans le tumulte. Au moment du vote, 27 membres du groupe apportèrent leurs voix à Antoine Pinay: n'ayant obtenu au total que 324 suffrages, il aurait été battu sans ceux des gaullistes dissidents.

La plaie de la scission était donc ouverte. Pour beaucoup, dans les milieux politiques et dans d'autres: presse, patronat, qui appelaient de leurs vœux, depuis le début, cet « éclatement du R.P.F. » si souvent annoncé, c'était un motif de jubilation. On pavoisa au *Figaro*. Au cours des mois qui suivirent, les divergences entre la majorité du groupe et les dissidents du 6 mars ne firent que s'accentuer. Ceux qui avaient voté l'investiture commencèrent à prendre l'habitude de se réunir à part, chez l'un d'eux, constituant ainsi, de fait, un groupe distinct. Le Conseil national « élargi » qui se réunit à Saint-Maur du 4 au 6 juillet, et qui comprenait, en plus des conseillers nationaux, les parlementaires et les délégués des départements, adopta après de longs débats, par 478 voix contre 56 et 81 abstentions, une motion présentée par le Conseil de Direction. Cette motion, sans revenir sur le passé, établissait pour l'avenir des règles de discipline de vote: 26 députés, estimant ne pouvoir les accepter, donnèrent leur démission et formèrent à l'Assemblée un groupe dit « Action Républicaine et Sociale » (A.R.S.) sous la présidence d'Edmond Barrachin. « Nous ne prétendons pas être des sauveurs, déclarèrent-ils, mais nous ne serons pas des destructeurs. »

Cette scission, symptôme d'un malaise grandissant, devait à son tour l'accroître. Les notables commencèrent à s'écarter du Rassemblement. Beaucoup démissionnèrent, tels le général Catroux, Le Provost de Launay, ou furent exclus comme Paul Coirre, président du Conseil municipal de Paris, le syndic Jacques Féron, le conseiller municipal Jean-Louis Vigier. Toute une fraction de la droite classique qui avait trouvé asile au R.P.F. en sortait pour rejoindre Antoine Pinay, en qui elle se reconnaissait à juste titre. Tandis que de Gaulle stigmatisait avec une ironie acide ceux qui nous avaient quittés (« On peut camper sur une position en attendant la soupe, mais on ne peut remporter de victoire sans combattre. Ceux qui ne voulaient pas combattre sont allés à la soupe. ») la désaffection des notables se traduisit par un net recul du Rassemblement aux élections sénatoriales de mai (9 sièges perdus, baisse des voix de 6 %). Lors d'une élection législative partielle à Paris en décembre, Paul Coirre, sous l'étiquette A.R.S., battit le candidat R.P.F. Albert Ollivier grâce au désistement des indépendants et des radicaux.

En réalité, le déclin du Rassemblement avait pour cause le changement du climat psychologique. Antoine Pinay avait provoqué un choc dans l'opinion, par ses propos pleins de bon sens, par l'énergie et l'honnêteté incontestables (« M. Pinay est un homme fort honorable », déclara de Gaulle lui-même le 1er mai) qui émanaient de sa personne, et même par des traits mineurs qui le rendirent populaire: le petit chapeau, l'allure de « Français moyen ». Edouard Herriot disait de lui: « Il s'est fait une tête d'électeur. » Nommé sans l'avoir demandé membre du Conseil National de Vichy, il n'y avait jamais siégé; ainsi rassurait-il les anciens maréchalistes sans pour autant irriter à l'excès les gaullistes (1). Phénomène psychologique, l'inflation galopante de février 1952, reflet de la méfiance des Français envers leur propre monnaie, fut arrêtée par une contre-offensive psychologique. Pinay rétablissait la confiance, « la confiance des possédants » comme le lui reprochaient les socialistes, mais aussi celle des classes moyennes. Les prix montaient parce que les Français, n'ayant pas confiance, se hâtaient de dépenser une monnaie qu'ils voyaient se déprécier chaque jour. Ils cessèrent de monter et amorcèrent une timide mais indéniable baisse (1 point $1/2$ en deux mois) dès lors que l'opinion commença à croire que la hausse perpétuelle n'était pas fatale. Le louis, refuge habituel des épargnants apeurés, tomba de 800 francs en six mois. Desserrement de l'étau du dirigisme, allègement de la fiscalité, amnistie aux capitaux rapatriés, emprunt basé sur l'or, toutes ces mesures classiques du libéralisme financier valaient moins par elles-mêmes que par l'atmosphère nouvelle qu'elles créaient. Un auteur anonyme (on sut par la suite qu'il s'agissait d'Edgar Faure) pouvait écrire dans *Combat,* le 5 septembre: « Ce sera certainement l'un des rares cas dans l'Histoire où l'on aura vu apparaître des résultats ne correspondant à aucun effort positif et qui se dessinent en quelque sorte dans le vide. » Appréciation d'ailleurs trop sévère, mais

(1) Dans une note du 27 août 1952 remise à mon chef de cabinet Paul Troisgros, le général de Gaulle faisait allusion à « l'insolence actuelle des vichystes ». Une tentative de rapprochement avec Teitgen et le M.R.P., sur la base d'un regroupement des anciens résistants, avait été esquissée dès avril, quand, à la tribune de l'Assemblée, j'avais rendu hommage à Teitgen pour son attitude pendant la guerre.

dont l'excès même fait ressortir la part de vérité qu'elle contient.

Dans ce climat nouveau, la France rassurée ne ressentait plus le besoin de se rassembler comme elle l'avait fait en 1947, et ne voyait plus la nécessité de profondes réformes. Le gaullisme, cessant d'être indispensable, n'attirait plus. Et à quoi bon s'imposer un effort pour se guérir si le Dr Pinay tire de sa trousse le remède-miracle?

L'euphorie dura quatre mois. Dès juillet les prix se mirent à remonter, et cette hausse s'accentua en août et en septembre. Antoine Pinay décida non sans courage de renverser la vapeur. Revenant du libéralisme au dirigisme, il bloqua les prix. Comme il arrive en pareil cas, il risquait de mécontenter ceux qui l'avaient soutenu sans pour autant rallier à lui ceux qui l'avaient combattu, et c'est bien ce qui se produisit.

D'autre part, de sombres nuages s'accumulaient à l'horizon: agitation au Maroc, rejet des propositions françaises de réformes par le Sultan, rejet par le bey de Tunis du plan de réformes soumis par la France, incidents sanglants provoqués à Orléansville par les nationalistes algériens de Messali Hadj, recrudescence du terrorisme viêt-minh en Cochinchine, tension franco-allemande à propos de la Sarre. Le traité comportant la création de la C.E.D. (Communauté Européenne de Défense) est signé le 27 mai. Antoine Pinay, néanmoins, ne le dépose pas encore pour ratification devant l'Assemblée, ce qui mécontente le M.R.P., tandis que le R.P.F. s'irrite de le voir signé. C'est à cette époque que le problème de la C.E.D. commence à dominer — et à empoisonner — toute la vie politique française: cela durera jusqu'en août 1954.

Mue par l'instinct infaillible de la meute qui sent faiblir le cerf blessé, l'Assemblée un instant contrainte à suivre Antoine Pinay se mit à regimber dès la rentrée d'octobre. En décembre, le président du Conseil se vit obligé de poser sans répit la question de confiance sur ses textes financiers: sa marge de majorité ne cessait de s'amenuiser (20 voix seulement dans le vote sur la loi de finances). Observant ce sûr indice d'une chute prochaine, il préféra devancer l'événement. Il sentait d'ailleurs autour de lui l'hostilité de moins en moins voilée des députés, qu'aiguisait d'ailleurs, il faut le dire, une maladroite campagne de presse où l'anti-parlementarisme se combinait avec des éloges outrés envers Antoine Pinay (je lui avais dit moi-même: « Trop d'ours, autour de vous, jonglent avec trop de pavés. ») Un membre peu connu du M.R.P., Moisan, se levant à son banc le soir du 23 décembre 1952 pour annoncer, en quelques phrases sans éclat, que son parti s'abstiendrait dans un vote sur la Sécurité sociale, lui fournit l'occasion que sans doute il recherchait. Les « mouvements divers » suscités dans l'hémicycle par la déclaration du M.R.P. ne s'étaient pas encore apaisés qu'on voyait le président du Conseil se lever, saisir sa serviette et se précipiter comme l'éclair vers la sortie, suivi avec un temps de retard par ses ministres médusés. Sans vouloir rien entendre, il alla incontinent remettre sa démission à Vincent Auriol.

C'est ici que se place un épisode dont le récit m'oblige à parler de moi plus que je ne l'aurais souhaité. Mais je le crois important, moins en lui-même que par ses conséquences lointaines.

Guy Mollet ayant refusé d'être désigné, Vincent Auriol décida de m'appeler. Je me trouvais alors — le jour de Noël — dans ma famille à Bron, près de Lyon, quand la préfecture du Rhône me communiqua le message du président de la République; un avion du pool ministériel me transporta aussitôt à Paris. Après avoir conversé un moment avec Auriol, à qui je ne cachai pas mon scepticisme quant à la possibilité de trouver une majorité viable dans l'Assemblée, je lui demandai de me laisser réfléchir jusqu'au lendemain matin.

De Gaulle, naturellement, était à Colombey. Je semai les journalistes attachés à ma piste et pris la route trop familière de la Haute-Marne.

J'excluais, bien entendu, toute chance de former le gouvernement: l'Assemblée issue des apparentements n'était pas mûre pour accepter un cabinet à direction gaulliste. Mais je voyais cinq raisons de ne pas refuser et d'entreprendre ce que, dans le jargon parlementaire, on appelait irrévérencieusement le « tour de piste »: rendre à notre groupe, ébranlé par les défections (1), un peu de confiance en lui-même; nouer ou renouer, à la faveur des consultations rituelles, des relations personnelles avec les leaders parlementaires de diverses tendances; utiliser à fond pendant deux ou trois jours les ressources de la presse et de la radio, si souvent hostiles, pour faire connaître à l'opinion nos buts et nos idées; en tant que président désigné, avoir accès aux « dossiers » financiers, militaires, diplomatiques et ainsi prendre en quelque sorte une photographie exacte de la situation du pays; enfin, ne pas laisser prescrire, par un refus pur et simple, notre droit, hautement affirmé dès le début, d'assumer un jour la « responsabilité capitale » dans la direction des affaires de l'Etat.

C'est ce que j'exposai au général de Gaulle, que je trouvai grave et soucieux, au cours d'un entretien qui dura une partie de la nuit. Il était clair, et nous en étions tombés d'accord d'emblée, que l'expérience ne saurait être prolongée jusqu'à l'investiture, car ou bien l'hostilité des divers partis à notre programme (même réduit à un « programme minimum ») rendrait d'avance vain le recours au vote de l'Assemblée, ou bien, pour surmonter cette hostilité, je me verrais contraint de consentir à d'inadmissibles concessions.

(1) Ses effectifs étaient alors tombés à 84 ou 85 membres. André Diethelm en assumait la présidence depuis la rentrée d'octobre.

Cela étant bien établi, de Gaulle vit, ou sembla voir, ce qu'il y avait de positif dans ce que je lui proposais, et accepta, ou sembla accepter, de me laisser carte blanche à l'intérieur des limites que nous avions définies ensemble.

De retour à Paris à l'aube, je me mis en devoir de préparer ces quarante-huit ou soixante-douze heures qui allaient être, je n'en doutais pas, épuisantes et semées d'embûches. Je décidai de m'adjoindre un des délégués régionaux du R.P.F., Roger Frey, homme cultivé (« C'est un planteur de Nouméa... bachelier, certes »: De Gaulle), fin, d'abord agréable, et qui faisait montre d'un solide attachement à ma personne: il est vrai que, depuis quelques années, j'avais apporté un appui constant à sa carrière politique, le faisant élire sur ma liste au Conseil municipal de Lyon, le présentant aux élections législatives dans le Rhône, où malheureusement il ne fut pas élu, et le poussant au Conseil de l'Union française. Nous nous installâmes au 58, rue de Varenne, dans les bureaux du secrétaire d'Etat à la fonction publique.

Délégations parlementaires: socialistes avec Charles Lussy, M.R.P. avec Teitgen, U.D.S.R. (Mitterrand), députés d'outre-mer, radicaux, indépendants et paysans; leaders des diverses tendances comme Paul Reynaud, Georges Bidault, Robert Schuman, Queuille, André Marie, Pleven, Jules Moch, Daladier, René Mayer, Mendès-France; présidents ou rapporteurs des grandes commissions: Jacques Bardoux (Affaires étrangères), Kœnig (Défense nationale), Barangé (Finances), Berthoin (Commission des Finances du Conseil de la République), hauts fonctionnaires comme Alexandre Parodi, Wilfrid Baumgartner, Bloch-Laîné, le président de l'assemblée de l'Union française Albert Sarraut se succédèrent dans ces bureaux pendant ces trois journées. Roger Frey donnait les coups de téléphone, introduisait les visiteurs et veillait au déroulement d'un emploi du temps très chargé. Il maintenait aussi le contact avec nos groupes du Parlement et avec le Conseil de Direction.

De ces entretiens avec délégations ou personnalités, certains furent de pure forme, d'autres plus poussés, la plupart intéressants et instructifs. Il n'y eut pas un seul des anciens présidents du Conseil pour mettre en doute la nécessité et l'urgence de la réforme constitutionnelle. Mendès-France me fit bénéficier d'un brillant exposé sur les problèmes financiers: en dépit de l'euphorie passagère due au « miracle Pinay », le déficit budgétaire s'élevait à plusieurs centaines de milliards. Avec Pleven, j'abordai le problème de plus en plus brûlant de l'« armée européenne », mais, comme il le déclara lui-même à la sortie, « nous ne nous étions pas convaincus en dix minutes ». Queuille évoqua, bonhomme, nos souvenirs communs de Londres et d'Alger. Mitterrand releva que nous étions d'accord « sur un certain nombre de points, notamment sur le plan idéologique aussi bien qu'en politique économique », Teitgen au nom du M.R.P., Saller au nom des élus d'outre-mer firent des déclarations favorables, tandis que Berthoin me disait « très averti de tous les problèmes qui se posent à l'heure actuelle ».

Cela dit, il est évident qu'au-delà des paroles courtoises il y avait les partis, auxquels chaque délégation devait rendre compte, et je ne me faisais aucune illusion sur la suite. Mais je mettais à profit ces journées pour publier des déclarations, rédiger des communiqués que Roger Frey distribuait à la presse, et parler deux ou trois fois par jour à la radio. Ce qui provoquait les lamentations de M. Robinet dans *Le Figaro:* « Ces trois ou quatre jours de consultations auront permis au Rassemblement de se livrer à une intense propagande, alors qu'il était à la veille d'un nouvel éclatement », et celles de M. Durand dans *L'Humanité*: « Le R.P.F. a besoin de redorer son blason. Qu'à cela ne tienne! Auriol répond « Présent! » et lui offre une magnifique occasion de palabrer, de s'agiter, de faire preuve de démagogie nationale et sociale. » C'est qu'en effet pour tout le monde, amis ou adversaires, le Rassemblement se grandissait, apparaissait comme sérieux, honnête, bien informé, ouvert à la discussion mais non enclin aux compromissions. Tirant les conclusions de cet épisode dans son éditorial du *Rassemblement,* Albert Ollivier écrivit: « On peut se réjouir de voir accepter par plusieurs partis de l'Assemblée les idées exposées inlassablement, depuis cinq ans, par le général de Gaulle... Loin d'être une concession, une entrée dans le mauvais système, les consultations de Soustelle ont exprimé un souffle nouveau, elles ont ranimé la flamme... »

Tel était bien le sentiment général au Rassemblement. Le 28 décembre, ayant reçu des divers partis des réponses négatives ou évasives, seul le M.R.P. ayant eu une attitude plus favorable, je fis la déclaration suivante:

« Chargé par le président de la République de la mission de former le gouvernement, j'ai d'abord rendu visite au général de Gaulle, avec qui je me suis longuement entretenu (1). Après avoir ensuite conféré avec mes amis, j'ai accepté de faire un inventaire de la situation française en vue d'aboutir à un large regroupement social et national. J'ai, en conséquence, offert aux différents groupes politiques consultés un programme inspiré des objectifs du Rassemblement, mais tenant

(1) Cette « révélation » (en fait les gens avertis se doutaient bien que je n'avais pas passé la nuit du 25 décembre à faire la tournée des night-clubs) provoqua l'ire du *Figaro.* Sous le titre mélodramatique, « Le masque tombe », le quotidien de M. Brisson écrivit: « En sortant, vendredi (26 décembre), de l'Elysée, M. Soustelle avait tiré de sa poche un long papier. C'était une proclamation dont nous avons dit, le lendemain. qu'elle eût pu être signée du général de Gaulle... hier, il annonçait que son premier soin... avait été d'abord de se rendre auprès du général de Gaulle. »

compte des nécessités inhérentes à la constitution d'un gouvernement d'union. »

Je rendais hommage ensuite à la courtoisie et à la compréhension des délégations et des personnalités; puis, enregistrant « le refus sans équivoque des groupes socialiste et radical, et les réserves du groupe indépendant », je faisais connaître ma décision de « ne pas prolonger inutilement la crise en demandant la convocation de l'Assemblée nationale pour une investiture désormais problématique ». En conclusion, je retenais, de cette courte expérience, trois leçons: impossibilité de gouverner sans la réforme des institutions, le renforcement de l'exécutif, le rétablissement d'un équilibre entre les deux Assemblées; nécessité de transformer la condition matérielle et morale des travailleurs; renforcement de l'Union française, en fonction de laquelle l'Europe doit être « construite et défendue ».

Au total, le bilan de ces journées me paraissait largement positif. Sortant de l'isolement politique où l'on aurait voulu le reléguer, le Rassemblement venait de prendre une hypothèque sur la direction d'un gouvernement futur.

Cela est tellement vrai que, peu de jours après mon refus et celui de Georges Bidault qui me succéda comme « pressenti », René Mayer fut investi le 7 janvier 1953 par 389 voix, dont celles du groupe R.P.F. unanime. Nos députés n'entraient pas dans le cabinet, mais dans la majorité. Que s'était-il donc passé? Simplement que René Mayer avait pris deux engagements: celui de mettre en chantier la révision constitutionnelle (un ministre d'Etat, le juriste de talent Paul Coste-Floret, du M.R.P., en fut spécialement chargé) et surtout celui de rouvrir la négociation pour amender le traité de la C.E.D., que de Gaulle considérait désormais comme le danger principal à écarter.

Il va de soi que cette décision fut prise par de Gaulle lui-même, à la demande du groupe de l'Assemblée et notamment d'André Diethelm, son président. L'organe officiel du mouvement, *Le Rassemblement*, dans son numéro du 8 janvier, publia sous le titre « Les conditions du R.P.F. à M. René Mayer » un article qui, faisant mention des « entrevues au cours desquelles une délégation du groupe parlementaire du R.P.F. avait demandé au président René Mayer des engagements formels concernant la discussion du traité de défense européenne », reproduisait l'intervention de Chaban-Delmas au nom de ce groupe dans le débat d'investiture. « Il s'agit, avait-il déclaré, du traité d'armée européenne, question essentielle pour le Rassemblement... En la matière, les apaisements ne sauraient suffire. Ce sont des assurances qu'il nous faut... Si vous nous fournissez clairement les précisions que nous réclamons, si la ratification ne doit en aucun cas intervenir avant le vote du protocole (1), notre groupe pourra voter l'investiture. »

Dans le même journal, André Diethelm (dont l'« orthodoxie » gaulliste ne saurait être mise en doute) écrivit l'éditorial suivant:

« ... Désormais la réforme de la Constitution est enfin sortie des sables mouvants de la procédure; désormais un engagement précis a été publiquement accepté par le président du Conseil... Et si nous n'avions obtenu que sur ce point précis des engagements solennels, cela seul aurait suffi, de toute évidence, à justifier les votes positifs que le groupe du R.P.F. a émis... si notre vigilance était déçue, la vie du nouveau gouvernement serait simplement éphémère. »

« Nous avons encore, et sur un point crucial, obtenu des engagements précis... Le terrible traité de la communauté européenne de défense (devait être) profondément amendé, modifié, remanié... Là encore, et sur

(1) Protocole interprétatif destiné à corriger certains points du traité.

des points que nous avons toujours estimés essentiels, nous avons finalement obtenu de M. René Mayer des engagements formels et qui ne laissent place à aucune ambiguïté. »

Il concluait: le Rassemblement entendait mettre à profit cette situation nouvelle pour hâter l'heure où la France serait enfin dotée des institutions qui lui étaient indispensables. « Ces résultats, ajoutait-il, qui, il y a peu de semaines encore, pouvaient paraître hors de notre portée, ont été obtenus, et par la cohésion de notre groupe parlementaire, et par la démonstration si éclatante qu'a faite notre ancien secrétaire général Jacques Soustelle, au cours des journées où il a été président du Conseil pressenti, de la clarté de ses conceptions gouvernementales, de ses qualités éminentes d'homme d'Etat », etc.

Etant donné que *Le Rassemblement* ne publiait pas une ligne, en tout cas sur les sujets politiques les plus importants, qui ne fût approuvée par de Gaulle, que d'autre part Diethelm n'aurait pas même rêvé de prendre sur un tel point une position différente de celle du Général, et qu'enfin le groupe n'aurait pas voté à l'unanimité pour René Mayer sans l'autorisation du chef du mouvement, il n'est pas niable que l'investiture de Mayer en janvier et mes consultations de décembre — deux faits intimement liés — correspondaient aux intentions et recueillaient l'approbation du général de Gaulle.

Il a fallu attendre quinze ans, jusqu'à la publication en 1967 d'un livre remarquablement bien informé (1), pour apprendre que de Gaulle, pendant que je m'efforçais d'extraire le maximum de l'occasion qui nous était offerte, montrait à d'autres qu'à moi mais contre moi amertume et aigreur, me criblait en mon absence de

(1) J.-R. Tournoux. *La Tragédie du Général*, Plon, 1967, p. 127 et suiv.

furieux sarcasmes et interprétait comme une trahison envers lui la conduite que je tenais avec son accord, pour ne pas dire par son ordre. Le plus curieux est que, lorsque je le rencontrai, une fois au moins, pendant ces trois jours, il ne laissa rien transparaître; que ni alors ni plus tard il n'articula aucun reproche; qu'il ne désavoua jamais ni moi ni mes camarades de groupe, soit en décembre, soit en janvier; qu'il approuva la publication dans notre organe officiel des articles, déclarations, éditoriaux que j'ai mentionnés plus haut. Or, on sait bien, et il savait mieux que personne, qu'un seul mot de lui aurait suffi pour me faire renoncer à une entreprise que j'estimais, certes, bonne et positive, mais qui ne me passionnait nullement et à laquelle je n'apportais aucune ardeur personnelle; un veto de sa part m'aurait amené dans l'instant à décliner l'offre de Vincent Auriol, aurait mis fin aux tractations avec René Mayer et contraint le groupe à l'abstention.

Comme, d'un autre côté, les témoignages et les recoupements de l'auteur du livre en question, dont je connais et ne puis mettre en doute le sérieux, conduisent irrésistiblement à tenir pour vrais les faits qu'il relate, je me vois obligé d'admettre, avec le profond regret qu'on imagine, que de Gaulle, dès 1953, alors que je lui faisais entièrement confiance et m'acharnais à servir de mon mieux le pays selon ses conceptions et sous sa conduite, était animé à mon égard d'un complexe de « jalousie » (le mot n'est pas de moi) qu'il mit dix-sept ans à assouvir. Si une telle hypothèse est exacte, comme malheureusement il le semble bien, ce n'est pas, contrairement à ce que j'ai cru, le spectacle de ma popularité en Algérie, les acclamations qui saluaient mon nom en 1958, qui ont provoqué l'animosité dont j'ai ressenti dès lors les effets. Le mal venait de plus loin, et c'est une longue rancune enfin satisfaite qui m'a condamné à l'effacement et à l'exil. Plus, ou pire, encore: on peut se demander si cette amertume, si longtemps distillée contre un ami fidèle en qui une âme égarée par le soupçon et le mépris des hommes voulait à tout prix voir un concurrent ou un adversaire virtuel, n'est pas entrée pour quelque chose dans l'évolution du général de Gaulle envers et contre l'Algérie.

Mais si, dès 1953, de Gaulle nourrissait à mon égard un tel ressentiment, comment expliquer sa conduite, ses lettres amicales, ses propos apparemment confiants? *Ad simulanda negotia altitudo ingeni incredibilis* (1): cette définition de Sylla par Salluste nous fournirait-elle la clé, ou une des clés, de cette énigme?

Quoi qu'il en soit, à mesure que croissait, malgré les défections, l'importance des parlementaires du R.P.F., de Gaulle, loin de faire usage aux fins du Rassemblement de l'instrument qui lui était ainsi offert, tendait à s'en désintéresser chaque jour davantage. C'est qu'à vrai dire les groupes, dans les deux Chambres, ne pouvaient plus être traités comme de simples instruments, mais étaient devenus des centres autonomes d'action politique, qu'il eût fallu orienter et coordonner, mais qu'on ne pouvait se borner à commander. Le fossé se creusait de plus en plus entre le Palais-Bourbon et le Luxembourg d'un côté, la « rue de Solferino » de l'autre.

A la fin du mois d'avril 1953, les élections municipales marquèrent un net déclin du R.P.F. en tant que force électorale. Cela n'était pas surprenant: les listes municipales de 1947 avaient été des listes de coalition, où étaient entrés de nombreux éléments modérés, et qui avaient été formées et élues dans l'enthousiasme. L'atmosphère, en six ans, avait profondément changé. L'enthousiasme s'était émoussé. Les remous provoqués par la cassure du groupe s'étaient répercutés à l'échelon municipal, à Paris notamment; l'union avait fait

(1) « D'une profondeur d'esprit incroyable pour dissimuler. » *Jugurtha*, XCVI, 3.

place à la dispersion et aux querelles. Les élus et candidats de droite estimaient n'avoir plus besoin du drapeau du Rassemblement; ils se présentèrent en masse comme « indépendants » en brandissant le nom d'Antoine Pinay. En outre, alors que la campagne électorale de 1947 avait été menée tambour battant avec force manifestations, discours, réunions publiques, affiches, celle de 1953 se développa sur le mode mineur comme si la haute direction du R.P.F. et le secrétariat général n'y accordaient que peu d'importance. Le R.P.F. perdit donc 15 % des voix au profit des « indépendants » et du « rassemblement des gauches républicaines » radicaux et centre gauche), non sans conserver nombre de mairies importantes dans la région parisienne et en province; 72 parlementaires furent élus ou réélus dans leurs communes.

C'était un revers et non un désastre. Une grande partie de la presse s'évertua pourtant à présenter ces élections comme une catastrophe. De Gaulle, qui avait passé tout le mois précédent à voyager en Afrique noire (en insistant partout, notamment à Bamako, sur la cohésion nécessaire de l'Union française), sembla partager cette opinion; ou, plus probablement, n'attendait-il qu'une occasion pour rompre avec l'aile parlementaire du mouvement. Trois jours après le deuxième tour du scrutin, il publia une déclaration par laquelle il rendait leur liberté aux élus du R.P.F. — lesquels, soit dit en passant, ne la lui avaient pas réclamée.

« La nation, constatait-il, faute d'être conduite, retombe dans ses vieilles divisions. Celles-ci l'abaissent et la paralysent... L'effort que je mène depuis la guerre, entouré de Français résolus, pour que notre pays trouve enfin son unité et mette à sa tête un Etat qui en soit un, n'a pu, jusqu'ici, aboutir. Je le reconnais sans ambages... Que va faire le Rassemblement?... Avant tout, il doit s'écarter d'un régime qui est stérile et qu'il ne peut, pour le moment, changer. »

Mais alors, qu'allaient devenir, qu'allaient faire les élus du Rassemblement? « Les compagnons qui détiennent un mandat et, par là, ne peuvent se soustraire au manège, doivent certes, de leur personne, rester liés au mouvement, mais jusqu'à nouvel ordre, ce qu'ils auront à faire dans le cadre du régime, ils le feront sans engager le Rassemblement lui-même et sous leur responsabilité. » Ce sera donc sans engager le R.P.F. que ses élus prendront part « à la série des combinaisons, marchandages, votes de confiance, investitures, qui sont les jeux, les poisons et les délices du système ».

Quant au Rassemblement lui-même, il doit s'organiser et s'étendre dans le pays, avant-garde du « regroupement social et national du peuple pour changer le mauvais régime ».

L'occasion de ce regroupement? Elle pourrait être une future consultation populaire, ou bien un sursaut de l'opinion inquiète, ou encore « une grave secousse dans laquelle, une fois de plus, la loi suprême serait le salut de la patrie et de l'Etat ».

De Gaulle conclut: « Voici venir la faillite des illusions. Il faut préparer le recours. »

Emus et éblouis, plus qu'éclairés, par ce texte d'une magnifique tenue, les parlementaires comprirent surtout qu'en ce 6 mai 1953, n'ayant en rien démérité, croyant même avoir apporté une contribution positive à l'œuvre entreprise par de Gaulle, celui-ci les abandonnait en enfants perdus dans la jungle politique, comme s'ils eussent été coupables d'y être alors qu'il les y avait envoyés.

Ainsi fut close, après sept ans d'efforts, par un constat d'échec qui ne s'imposait pas, la phase parlementaire du gaullisme.

5

DE GAULLE S'ÉLOIGNE

Si le gaullisme n'était plus au Parlement, il y avait encore des parlementaires gaullistes. Désemparés par la défection de leur chef, ils réagirent instinctivement en décidant de demeurer ensemble. Dès le 7 mai, André Diethelm avait écrit personnellement à chacun des députés: « Si le Général juge nécessaire de nous rendre notre liberté au moins momentanément, il nous appartient de garder par tous les moyens en notre pouvoir notre cohésion interne. » Le 12, le groupe réuni résolut « de rester étroitement solidaire pour continuer à défendre les mêmes objectifs ».

On imagine sans peine que cette tâche n'avait rien d'aisé. « Rendre sa liberté » au groupe parlementaire semblait à beaucoup un euphémisme pour le « désavouer ». Les journaux qui nous étaient hostiles, et notamment *Le Figaro*, étalant leur joie, tiraient le plus grand parti du geste du Général. François Mauriac y déplorait la « lourde erreur politique » que nous avions commise selon lui en fondant le R.P.F. A quoi je répondais dans notre hebdomadaire: « Il fallait créer le Rassemblement; et quel que soit demain notre sort, je dis que nous avons eu raison de le faire... Il y a quelque perversité intellectuelle à reprocher au Rassemblement de ne pas avoir réussi l'essentiel, le véritable regroupement, et de s'être en quelque sorte resserré sur lui-même, lorsqu'on sait avec quel acharnement les partis et toutes les féodalités, à commencer par celles de la presse, ont tout mis en œuvre pour empêcher que le Rassemblement en fût vraiment un. Chaque parti a formé son hérisson; chaque forteresse a hissé le pont-levis... Mais à qui faut-il adresser des reproches? A ceux qui ont offert la chance ou à ceux qui l'ont repoussée? »

Mais tout cela, c'était déjà du *post mortem*. Je ne sais si de Gaulle lui-même, quand il projetait, selon sa déclaration du 6 mai, de maintenir le Rassemblement comme mouvement organisé dans le pays tout en larguant les élus, y croyait sérieusement. En dépit de tous les efforts des militants, et de beaucoup de parlementaires redevenus simples militants, le ressort était cassé. Il faut bien dire que c'était de Gaulle lui-même qui, dépité parce que l'instrument n'avait pas rendu tout ce qu'il en espérait, s'en était dégoûté et l'avait brisé.

Le Rassemblement devait encore traîner pendant deux ans une existence fantomatique, avec Terrenoire puis Jacques Foccart au secrétariat général, mais avec des cadres chaque jour moins nombreux et plus découragés. N'ayant plus d'objectifs précis à court terme, tels que la conquête de positions politiques locales ou nationales, les comités du R.P.F. tournaient à vide, se réduisaient à de simples amicales gaullistes qu'envahissait la mélancolie, dans l'attente d'une sorte de Grand Soir vaguement entrevu à un horizon toujours plus lointain. Il y avait encore des réunions. De Gaulle continua à venir assez régulièrement à Paris, à faire connaître ses positions par des déclarations et des conférences de presse. Quelques fidèles, toujours les mêmes (dont j'étais), l'entouraient encore. Pendant plus d'un an, la bataille parlementaire fit rage autour du projet d'armée européenne (C.E.D.) et le Général conserva à ce propos un contact étroit avec les élus, reconnaissant implicitement par là que leur action, même dans le « système », n'était pas à dédaigner. Une fois acquis en août 1954 le rejet de la C.E.D., de Gaulle dériva de plus en plus loin de la lutte politique et, finalement, le 13 septembre 1955, prononça la mise en sommeil, ou en veilleuse, du R.P.F. C'était un moribond qu'il plaçait en hibernation, un mouvement qui n'avait plus guère d'adhérents et plus du tout d'argent — un huissier se présenta même rue de Solferino pour saisir les meubles.

Parallèlement à cette agonie se poursuivait inexorablement celle du régime. René Mayer fut renversé le 21 mai 1953; c'est le problème de la C.E.D. qui lui avait aliéné le soutien de l'ex-groupe R.P.F. Pressentis, Guy Mollet, Diethelm, Paul Reynaud, Mendès-France, Bidault se récusèrent, André Marie et Pinay allèrent jusqu'à l'investiture et furent l'un et l'autre battus. Enfin le 26 juin, en conclusion d'une crise prolongée et lassante, Joseph Laniel devint président du Conseil. Trois ministères et deux secrétariats d'Etat revenaient aux gaullistes, parmi lesquels Corniglion-Molinier, Maurice Lemaire, Henri Ulver, Marc Jacquet. Les socialistes demeuraient hors du cabinet, auquel une coalition du M.R.P., des radicaux et des indépendants fournissait l'essentiel de son ossature.

Les anciens députés du Rassemblement prirent l'étiquette de « républicains d'action sociale », puis de « républicains-sociaux ». Ce groupe présentait ceci de singulier qu'il n'existait qu'au Parlement et ne se rattachait, en dehors du Palais-Bourbon, à aucune formation politique, puisque le R.P.F. ne voulait plus le connaître. Cette situation inconfortable devait se prolonger jusqu'à la mise en sommeil du Rassemblement: à partir de ce moment-là, les « rép.-soc. » se donnèrent, par la force des choses, des structures de parti, avec un

Comité exécutif où entrèrent Chaban-Delmas, Michelet, Debré, Triboulet, moi-même et quelques autres, et un Congrès qui se tint pour la première fois à Asnières en novembre 1955. Roger Frey assuma le secrétariat général du parti. Les militants du Rassemblement, à Paris et en province, c'est-à-dire le peu qui en subsistait, fournirent l'essentiel des cadres républicains-sociaux.

En décembre 1953, l'élection du Président de la République par les deux Assemblées réunies en congrès à Versailles donna à la France et au monde un spectacle affligeant. Notre pays était-il tombé dans une décadence définitive? C'est ce que se demandaient les observateurs français et étrangers en assistant aux intrigues, manœuvres, conciliabules, « jeux, délices et poisons », dans les couloirs du palais royal. Ni Joseph Laniel ni Naegelen ne parvenaient à réunir une majorité sur leur nom. Selon certains, Vincent Auriol attendait le moment favorable pour solliciter un deuxième septennat. Selon d'autres, André Le Troquer, qui présidait le Congrès, espérait voir s'ouvrir devant lui les portes de l'Elysée. Des candidatures surgissaient l'espace d'un ou deux tours de scrutin: Pierre Montel, député indépendant de Lyon, capta assez de suffrages pour torpiller Laniel, leader de son propre groupe. Il y avait quelque chose de dérisoire dans l'agitation à la fois frivole et fiévreuse de ce millier d'hommes qui tourbillonnaient dans les couloirs et les salons, échafaudant des manœuvres, calculant au plus juste les pointages, faisant de bons mots. On entendait un sénateur modéré à l'allure de marchand de bestiaux mugir, mi-plaisant mi-sérieux: « C'est combien un radical sur pied? » Dans les tribunes, le Tout-Paris, des femmes élégantes en manteaux de fourrure.

Soucieux, plusieurs parlementaires gaullistes, dont Michelet et moi-même, décidèrent de « monter » à Colombey: nous avions pressenti Kœnig, qui aurait pu accepter d'être candidat si de Gaulle avait donné son accord. Nous pensions (on en était au sixième ou septième tour de scrutin) que le général Kœnig, grande figure nationale encore auréolée de la gloire de Bir-Hakeim, avait peut-être une chance de débloquer une situation devenue inextricable. L'entrevue fut brève: de Gaulle refusa de patronner ou même simplement d'autoriser la candidature de Kœnig. La raison qu'il nous donna de son veto était que notre ami n'avait aucune chance et qu'ainsi nous le conduisions à un échec qui ternirait son renom. Etait-ce la vraie raison? Ne s'agissait-il pas plutôt, comme ce fut le cas pour moi en décembre 1952, de cette profonde méfiance et de cette jalousie soupçonneuse que suscite chez de Gaulle la perspective de l'élévation d'un de ses plus fidèles compagnons?

A la veille de Noël, pressés de rentrer chez eux, fouaillés par la presse qui les couvrait de ridicule, conscients de porter eux-mêmes un coup terrible au régime, les parlementaires se rallièrent à la candidature de René Coty, conservateur modéré et d'une profonde honnêteté, respectueux de la Constitution telle qu'elle était mais convaincu qu'il fallait la reviser. La mascarade sans dignité de Versailles s'achevait, par un heureux paradoxe, dans un des meilleurs choix qu'on pût imaginer, celui de ce Normand à la haute taille de Viking, peu enclin au faste, dévoué à son pays. C'est peut-être ici le lieu de remarquer que les deux présidents de la IVᵉ République, Auriol et Coty, furent l'un et l'autre des personnalités de premier ordre dans des registres très différents. Ils représentaient des tendances politiques et des ethnies sans lesquelles la France ne serait pas ce qu'elle est: d'un côté le Méridional à l'accent rocailleux, chaleureux et rusé, socialiste comme on l'est à Toulouse, de l'autre le modéré au type scandinave, réservé, mais capable comme il l'a montré de sacrifier au bien public toute considération égoïste. Que ni l'un ni l'autre n'aient pu dominer les conséquences désastreuses d'institutions mal conçues démontre à l'évidence la nocivité de ces institutions. Auriol, vers la fin de son septennat, en était conscient; René Coty, dès le début, la reconnut explicitement, dénonça dans son premier message les dangers qui menaçaient l'Etat, et proclama la nécessité d'une réforme.

Pendant presque une année, Laniel tint bon, bien qu'assailli par de terribles vagues de grèves, secoué par la dégradation de nos affaires indochinoises et par les scandales qui s'y greffaient, et enfin battu à Versailles. Il avait donné sa démission après l'élection de René Coty, mais ce dernier la refusa. Laniel avait été de ces conservateurs, peu nombreux, qui avaient couru les risques de la Résistance. Membre du C.N.R., il avait descendu les Champs-Elysées en août 1944 aux côtés du général de Gaulle en même temps que Bidault, Kœnig et Leclerc. Affable, peu disert (et aussi, trait assez sympathique, amateur éclairé de porcelaine de Rouen), doué de beaucoup de bon sens allié à une certaine gravité terrienne, il déplaisait fort à une certaine intelligentsia parisienne. Mauriac, je crois bien, définit son gouvernement « une dictature à tête de bœuf » — brocard doublement injuste car personne n'était plus éloigné que lui des attitudes dictatoriales; quant au bœuf, à tout prendre, c'est un symbole de force et de continuité dans l'effort moins brillant peut-être mais plus sérieux que le coq gaulois, emblème de la vanité nationale. Dans un régime équilibré, Laniel aurait réussi. Dans le cadre de la IVe, il ne put que retarder, de crise en crise, l'inéluctable chute. Le siège de Diên Biên Phu, commencé le 13 mars 1954, s'acheva le 7 mai par la victoire du Viêt-minh. Le général communiste Giap avait déployé contre le camp retranché (dont la position et l'organisation ont fait l'objet de controverses passionnées, sans qu'il soit encore possible de parvenir à une conclusion incontestable) des ressources et des méthodes, une artillerie et une D.C.A., des colonnes de transport composées de milliers de coolies fourmillant invisibles dans la jungle, que les services de renseignement n'avaient pas décelées et que l'Etat-Major n'avaient pas prévues. Au-delà des responsabilités purement militaires, on ne pouvait fermer les yeux devant celles du gouvernement, incertain et divisé quant aux buts et aux moyens, de nos alliés anglo-américains dont l'intervention aérienne aurait pu sauver Diên Biên Phu, mais, malgré les efforts de Georges Bidault, ne se produisit pas, et enfin de la nation elle-même, inattentive à cette guerre lointaine. Parmi les officiers, beaucoup avaient eu le sentiment justifié d'être abandonnés moralement par le pays pour lequel ils se battaient. Nombre d'entre eux, comme le général Salan ou le colonel Vaudrey, s'étaient attachés de toutes leurs fibres à cette terre asiatique et à ses peuples. Après des années d'un combat atrocement dur mené dans l'indifférence de la métropole, ils virent les meilleurs d'entre eux tomber, ou prendre sous les coups le long chemin des camps de jungle. Les traitements auxquels furent soumis les prisonniers affamés, en butte à mille sévices et brutalités, ne font honneur ni au Viêt-minh ni à Ho Chi Minh, à qui de Gaulle prodigue aujourd'hui tant de marques d'amitié. On peut en tout cas dater de ce fatidique 7 mai, neuf ans presque jour pour jour après la chute du IIIe Reich, le divorce, qui devait entraîner des conséquences si dramatiques, entre la France et son armée.

Fallait-il, après ce dur revers, poursuivre la lutte? Ou bien ne devait-on pas négocier à la fois pour mettre fin aux combats et pour limiter ce qui s'annonçait comme une débâcle? Mis à part les défaitistes dès longtemps acquis à la liquidation de l'Indochine, chacun s'interrogeait avec angoisse. Une longue conversation avec Kœnig, alors président de la Commission de la Défense nationale à l'Assemblée, me convainquit que les moyens militaires qu'il aurait fallu mettre en œuvre pour reprendre la guerre avec quelque chance de la gagner, n'existaient pas. Quant à la nation, tirée un instant de sa torpeur par des rumeurs de la bataille, elle y retombait, se donnait bonne conscience à peu de frais en se gargarisant de l'héroïsme des derniers défenseurs. Le régime n'était évidemment pas à même de galvaniser le pays en vue d'un suprême effort.

Dans ces conditions, il ne restait plus qu'à faire le bilan et à en tirer les conclusions: livrer l'Indochine au Viêt-minh n'était ni souhaitable ni nécessaire; le partage de la péninsule s'imposait. La conférence de Genève s'ouvrit le 26 avril: Georges Bidault, Foster Dulles, Eden, Molotov et Chou En-Laï y représentaient la France, les Etats-Unis, la Grande-Bretagne, l'U.R.S.S. et la Chine communiste, appelée pour la première fois à prendre place autour du tapis vert dans une grande négociation internationale. Quatre délégations: Viêt-minh, Viêt-nam, Laos, Cambodge, devaient défendre les positions et les intérêts de leurs gouvernements respectifs. C'est pendant la conférence que Pierre Mendès-France, devenu président du Conseil et ministre des Affaires étrangères après la chute du cabinet Laniel le 12 juin, remplaça Georges Bidault; la délégation du Viêt-nam elle aussi fut modifiée de fond en comble comme suite à l'avènement de Diem, protégé des Etats-Unis, à la place du prince Buu-Loc comme chef du gouvernement à Saigon. L'Amérique s'apprêtait à recueillir l'héritage de la France: le protectorat sur le Viêt-nam, sans doute, mais aussi la guerre quand elle reprendrait, comme il était inévitable, dès que le gouvernement de Hanoï s'efforcerait de dominer l'ensemble de la péninsule.

Le partage provisoire, destiné en principe à prendre fin après des « élections libres » auxquelles personne ne croyait, était la seule solution, pour suspendre le conflit, qui fût acceptable à la fois par tous les membres de la conférence. La France s'était déjà dépouillée de toute souveraineté en Indochine (encore le 4 juin, un des derniers actes du gouvernement Laniel fut de parapher un traité avec le Viêt-nam reconnaissant son indépendance complète) et se bornait à sauver ce qui restait de son corps expéditionnaire. Depuis la mort de Staline l'année précédente, Américains et Russes exploraient les avenues de la détente, le conflit coréen avait été réglé par un partage. L'Angleterre, qui avait reconnu Pékin, se croyait encore en mesure de jouer un rôle de premier plan en Asie grâce aux Etats asiatiques du Commonwealth; elle consentait, pour arrêter la guerre, à la création de l'Etat communiste du Nord-Viêt-nam, et comptait sur le Sud-Viêt-nam, le Laos et le Cambodge pour faire barrage à l'expansion du communisme vers la Thaïlande et la Malaisie. La Chine se satisfaisait de voir se constituer, à sa frontière sud-occidentale, une république communiste qui étendait sa zone d'influence en y englobant le Tonkin et une partie de l'Annam.

Les Etats-Unis d'abord réticents ayant accepté le 29 juin le principe du partage, l'essentiel de la négociation porta sur la limite à fixer. On s'arrêta finalement au 17e parallèle. Des élections devaient avoir lieu dans les deux zones en juillet 1956: ce délai est expiré depuis douze ans...

Avec le cessez-le-feu, signé par le général Delteil et le délégué viêt-minh Ta Quang-buu, prenait fin une guerre qui, en neuf ans, avait coûté au trésor public 2 385 milliards (1), au corps expéditionnaire 90 000 morts dont 19 000 métropolitains. Elle avait surtout coûté à la France la perte de son autorité outre-mer et le traumatisme infligé à son armée. Le conflit avait éclaté en décembre 1946 sous le ministère Léon Blum, mais

_____

(1) Anciens francs. Les Etats-Unis avaient en outre versé une aide de l'ordre de 800 milliards.

personne ne peut honnêtement nier que la politique du général de Gaulle envers l'Indochine en 1945, celle que suivit ensuite, conformément à ses directives, l'amiral Thierry d'Argenlieu, haut-commissaire jusqu'en mars 1947, celle enfin que de Gaulle et le R.P.F. exposèrent pendant plusieurs années, ont tendu à conserver l'Indochine, sinon comme une colonie, du moins comme une fédération de territoires autonomes au sein de l'Union française, sous la suzeraineté de la France. Je le sais d'autant mieux que j'ai été associé, en tant que chef des services spéciaux — qui envoyèrent des missions parachutées en Indochine encore occupée par les Japonais — puis comme ministre des Colonies, à la formulation de cette politique, à la déclaration d'intentions du 24 mars 1945 et à la préparation des instructions remises à l'amiral d'Argenlieu. Dans la lettre que le général de Gaulle envoya à Félix Gouin pour l'avertir de son retrait le 20 janvier 1946, ne déclarait-il pas: « Nos territoires sont entre nos mains, nous avons repris pied en Indochine »?

Je n'ai pas oublié non plus les positions catégoriques que de Gaulle prit maintes fois en tant que président du R.P.F., ni la scène violente qui l'opposa en janvier 1947 au général Leclerc.

Si je rappelle tout ce qui précède, ce n'est pas pour suggérer que la politique de maintien de la France en Indochine était mauvaise. D'ailleurs, tous les partis étaient associés au gouvernement lorsqu'elle fut formulée, y compris les communistes; et si ces derniers virèrent de bord rapidement, les autres ne se résignèrent que progressivement à concéder l'indépendance au Viêt-nam, puis à mettre fin par le partage de l'Indochine à un conflit trop lourd pour le régime. Mais j'ai tenu à mentionner ces faits incontestables pour rétablir la vérité: à savoir que le général de Gaulle, contrairement à ses allégations et aux panégyriques de ses flatteurs, n'était nullement disposé à tolérer, encore moins à réaliser, la « décolonisation » dont il aurait été, nous dit-on maintenant, le prophète depuis Brazzaville en 1944. Cela n'est pas vrai. Toutes les paroles et tous les actes du Général, jusqu'à la tragédie algérienne, démentent cette audacieuse falsification de l'Histoire.

Une autre observation s'impose. Mendès-France a été, est encore vivement critiqué dans certains milieux de l'opinion nationale en raison des accords de Genève. Beaucoup de gaullistes se sont associés à ces critiques. Je considère quant à moi que Mendès, devant les conditions concrètes créées par la défaite de Diên Biên Phu, dans le cadre du régime et face au pays tel qu'il était, non seulement ne pouvait prendre un autre parti, mais encore a su limiter les pertes. Il a fait la part du feu. Partager l'Indochine, en soustraire une moitié au communisme, épargner à l'armée de nouvelles épreuves, ce n'était certes pas une issue glorieuse, mais ce n'était pas non plus un désastre. Une paix de compromis n'est jamais exaltante; elle est préférable à une capitulation. Aussi me paraît-il étrange, je le dis sans ambages, qu'aux yeux de tant de bien-pensants, encore aujourd'hui, Pierre Mendès-France apparaisse comme couronné de la sinistre auréole de l'abandon, alors que de Gaulle est tenu pour un parangon de vertu nationale et un rempart contre le communisme après avoir livré à une secte terroriste militairement battue un vaste pays situé aux portes de la France et peuplé de plus d'un million de Français de souche. Il n'y avait pas eu, que je sache, de Diên Biên Phu en Algérie. Même l'ultime solution du partage a été écartée, pour aboutir à l'abandon pur et simple du territoire, de ses habitants, de ses bases stratégiques. Encore, pour en arriver à un pareil résultat, a-t-il fallu faire donner la police et la troupe contre la population française pour la contraindre soit à se soumettre à la domination du F.L.N., soit à s'exiler.

Mendès-France avait été investi le 18 juin par 419 voix contre 47 et 143 abstentions, non sans avoir rejeté à l'avance les suffrages des communistes. Kœnig, Lemaire, Fouchet, Chaban-Delmas, Diomède Catroux, Henri Ulver entraient dans le ministère, aux côtés des radicaux, de l'U.D.S.R., des indépendants et de l'A.R.S. (1). Je rencontrai souvent Mendès-France chez lui pendant la formation du cabinet. Il me proposa le ministère des Affaires marocaines et tunisiennes; mais, ayant demandé son accord à de Gaulle et ne l'ayant pas obtenu, je déclinai cette offre. Christian Fouchet fut chargé de ce département ministériel, apparemment sans veto de Colombey.

De Gaulle, dans le privé, tantôt concédait à Mendès-France les qualités d'intelligence, de travail et de ténacité qu'on lui reconnaît généralement, tantôt le criblait de flèches. Il le dépeignait non sans humour comme un prophète de malheur, comme un Jérémie. *De profundis clamavi ad te, Domine*, tel était selon lui le ton ordinaire de ses discours. Il affectait le plus souvent de regretter que cet homme « valable » en fût réduit à composer sans fin avec les partis, à commencer par le parti radical. A peine entré à l'hôtel Matignon le 18 juin, le nouveau président du Conseil adressa au Général un message: « En ce jour anniversaire qui est aussi celui où j'assume de si lourdes responsabilités, je revis les hautes leçons de patriotisme et de dévouement au bien public que votre confiance m'a permis de recevoir de vous. » De Gaulle répondit avec une froideur marquée que « quelles que soient les intentions des hommes, l'actuel régime ne saurait produire qu'illusions et velléités ».

L'armistice en Indochine conclu, puis approuvé par l'Assemblée nationale, le problème majeur de la politique française devenait, ou redevenait, celui de la Communauté Européenne de Défense. De Gaulle avait

---

(1) Un membre du M.R.P., Robert Buron, faisait partie du cabinet comme ministre de la France d'outre-mer. Mais sa présence n'engageait pas son parti.

condamné le projet dès sa conception par Pleven. Par de multiples déclarations, il avait alerté l'opinion contre le danger qu'un tel traité faisait courir à la France, qui se serait trouvée, par son adoption, privée de ses forces armées versées à un « pool » supra-national, et, de ce fait, incapable d'agir militairement outre-mer dans l'Union française. Sous le régime de ce traité, la France, faisait-il observer, serait seule à perdre son armée, l'Amérique et l'Angleterre conservant bien entendu les leurs. Le débat n'avait cessé de s'étendre et de s'envenimer dans le pays et dans les Assemblées. Les parlementaires gaullistes, depuis le soutien accordé par eux à René Mayer, n'avaient obéi presque qu'à une seule préoccupation: retarder et, si possible, empêcher la ratification de la C.E.D. A Auxerre, le 31 mars 1954, le maréchal Juin critiqua violemment le projet; un peu plus tard, tout en déclarant qu'il ne « disait pas deux fois la messe pour les sourds », il récidiva. Kœnig, adversaire du traité et connu comme tel, fut élu en 1953, réélu en 1954 président de la Commission de la Défense nationale. C'est que le problème de la C.E.D. soulevait des discussions passionnées et provoquait des clivages au sein de tous les partis. Le M.R.P., sans doute, était unanime ou presque dans son appui au traité, dans lequel il voyait une garantie contre le réarmement allemand; les communistes, quant à eux, étaient unanimes contre la ratification. Chez les socialistes, chez les radicaux, chez les indépendants, il y avait des « CEDistes » et des « anti-CEDistes », qu'opposaient des débats de plus en plus fiévreux.

Le Conseil national du R.P.F., le 1er mars 1953, adopta une motion détaillée (que de Gaulle avait revue personnellement ligne par ligne et mot par mot), où l'on peut relever notamment les passages suivants: « Cette conception entraîne une coupure mortelle entre la France et le reste de l'Union française. La grande communauté formée au-dessus des mers et des conti-

nents par la nationalité et la citoyenneté françaises...
est sacrifiée à une communauté continentale. La France
ne peut abandonner sa souveraineté en Europe et la
conserver hors d'Europe. (La C.E.D.) fait abandonner
par la France son alliance nécessaire avec la Grande-
Bretagne. L'Angleterre qui devrait demeurer notre première alliée s'effacerait désormais dans notre amitié
politique au profit de l'Allemagne. »

Ces deux arguments clés: menace contre la cohésion
de l'Union française et primauté de l'alliance anglaise,
devaient être repris sous mille formes et à satiété tant
par de Gaulle que par les porte-parole du R.P.F. et les
parlementaires républicains-sociaux pendant un an et
demi.

La motion qui vient d'être citée, tout en rejetant le
projet de C.E.D., même assorti de « protocoles », proposait une politique de rechange, fondée sur la « solidarité totale — c'est-à-dire économique et sociale autant
que militaire — des nations occidentales ».

A cette fin, le Conseil national, s'attaquant à l'un
des points les plus faibles de l'organisation projetée, à
savoir que l'« armée européenne » serait pour ainsi dire
suspendue dans le vide sans être responsable devant
une autorité politique, dessinait les grandes lignes de
ce que devrait être cette autorité: la « réunion des chefs
de gouvernement, autorités légitimes responsables des
destinées de leurs nations », conseil dont l'action serait
orientée par une assemblée *élue* après que les peuples
de l'Europe aient été appelés à se prononcer, par référendum, sur cette association. Ce serait là, ajoutait la
motion, le « noyau d'une confédération européenne ».
Dans ce cadre, « à condition que cette conception d'ensemble soit adoptée par nos alliés américains », l'Allemagne devrait « participer à la solidarité occidentale
et prendre place parmi les puissances atlantiques »,
compte tenu des « limites et garanties nécessaires tant
quantitatives que qualitatives, tant militaires qu'indus-

trielles » sans lesquelles le réarmement allemand ne saurait être accepté. Quant à « l'intégration, en d'autres termes l'organisation en commun des programmes, des fabrications, des équipements, des réserves et de la stratégie », le Conseil national du R.P.F. en était partisan, pourvu qu'elle fût entreprise sous l'égide de l'« autorité légitime » de l'Europe définie précédemment. C'est par là que la conception gaulliste s'opposait fondamentalement à la thèse « technocratique » des partisans de la C.E.D., qui croyaient possible d'organiser la défense de l'Europe sur le modèle du pool charbon-acier. C'est par là aussi qu'elle rejoignait la position de nombreux socialistes qui exigeaient que l'armée européenne fût subordonnée à un pouvoir politique.

Comme, en outre, les socialistes considéraient eux aussi, pour la plupart, qu'une association étroite avec l'Angleterre était indispensable, on voit qu'il y avait beaucoup de points communs, dans ce débat, entre eux et les gaullistes. De fait, dans toute cette grave affaire, nous nous trouvâmes souvent très proches de nos collègues S.F.I.O. au Parlement.

Plus le temps passait, plus la controverse s'aigrissait, et moins la C.E.D. avait de chances d'être acceptée par l'opinion française et ratifiée par l'Assemblée. Or, pendant la même période et par une évolution inverse, le gouvernement américain, d'abord sceptique, s'attachait de plus en plus au projet, en faisait son cheval de bataille, exerçait une pression croissante en sa faveur. Avec son sens très particulier de l'opportunité, John Foster Dulles alla jusqu'à menacer l'Europe d'une « révision déchirante » *(agonizing reappraisal)* de la politique américaine si la C.E.D. était repoussée. Cette peu adroite déclaration (14 décembre 1953) n'eut d'autre résultat que de susciter une réaction anti-américaine chez beaucoup de Français. De Gaulle, dans sa conférence de presse du 12 novembre 1953, avait accusé les Etats-Unis de transformer l'alliance en une sorte de protectorat. Il exprimait là un sentiment déjà assez répandu tant à gauche qu'à droite, et que la « gaffe » de Dulles ne fit que renforcer.

Après plus de deux ans d'atermoiements, Mendès-France en arrivant au pouvoir trouva dans l'héritage laissé par ses prédécesseurs une C.E.D. moribonde que personne n'avait su ou voulu ni guérir ni tuer. Il s'engagea à mettre fin à l'équivoque. Or, si l'opinion et le Parlement étaient divisés, son gouvernement ne l'était pas moins, tiraillé entre les adversaires déterminés de la C.E.D., notamment les ministres gaullistes, et ses partisans non moins résolus tels que Bourgès-Maunoury, Emiles Hugues, Claudius-Petit.

Le 13 août, Mendès fit approuver par le cabinet un « protocole d'application » du traité. Ce compromis prévoyait la suspension pendant huit ans des clauses « supra-nationales »; le traité pourrait être dénoncé en cas de réunification de l'Allemagne; seules les forces stationnées en Allemagne seraient intégrées. Jugé insuffisant par les ministres républicains-sociaux, qui démissionnèrent aussitôt, ce texte fut accueilli avec mauvaise humeur, à Bruxelles, par les partenaires européens de la France, « exaspérés » selon Mendès lui-même par la politique incertaine et louvoyante des gouvernements successifs. Ils le rejetèrent catégoriquement.

Pierre Mendès-France ne comptait pas, personnellement, parmi les sectateurs de la C.E.D. Il tenait trop à l'alliance anglaise — « Un axiome de la politique française est de ne jamais nous séparer de la Grande-Bretagne » — pour ne pas mesurer le danger que le traité faisait courir à cette constante de notre diplomatie. Après l'échec de Bruxelles, il eut une entrevue avec Churchill à Londres. Au cours de cet entretien fut envisagé le problème du réarmement de l'Allemagne, qui se poserait en tout état de cause après comme avant la décision finale de la France sur la C.E.D. Cette décision, il était résolu à l'obtenir sans délai du Parlement. Mais comment? Devait-il engager l'existence de son gouvernement, c'est-à-dire poser la question de confiance sur le projet de traité? Devait-il, à l'inverse, se déclarer contre la ratification?

Je me souviens d'un très long entretien que nous eûmes pendant un week-end à Marly où le président du Conseil s'était retiré pour travailler et consulter. Nous discutions en arpentant les sentiers du parc, Pierre Mendès-France en chandail à col roulé, le menton bleu, sérieux et concentré comme toujours. Au nom de mes amis, je lui demandai de prendre position contre la C.E.D., de la faire repousser par une majorité écrasante à l'Assemblée. Ainsi, le fantôme exorcisé, pourrait-il poursuivre son action à la tête du gouvernement. Mais c'est là, précisément, qu'il objectait que, s'il adoptait cette attitude, il n'aurait plus de gouvernement du tout, et cela avant même la séance de l'Assemblée, car le cabinet volerait aussitôt en éclats. Si, d'autre part, il posait la question de confiance en faveur de la C.E.D., son gouvernement se disloquerait également. Dans ces conditions, il ne lui restait plus d'autre voie que de présenter le texte pour ratification, d'en exposer les avantages et les inconvénients, et de laisser le Parlement prendre sa décision, le gouvernement s'abstenant.

Certes, c'était là une mauvaise solution. L'autorité du président du Conseil ne pouvait qu'en sortir diminuée tant en France qu'à l'étranger. Surtout, il y avait là un aveu d'impuissance. « On peut voir le gouvernement, déclara de Gaulle le 26 août, sur une question dont dépend l'existence même de la France, refuser d'engager la sienne (1). »

(1) Mendès-France s'en expliqua avec de Gaulle au cours d'une conversation en octobre. Le Général lui reprocha de ne pas s'être engagé plus catégoriquement contre la C.E.D. Il rétorqua que le gouvernement aurait éclaté, et qu'un autre, lui succédant, aurait encore une fois renvoyé l'affaire aux calendes grecques.

Toujours est-il que les partisans de la C.E.D. trouvèrent singulièrement tièdes les exposés qu'il fit devant les commissions de l'Assemblée, puis du haut de la tribune. Quant à l'opposition au traité, renforcée de jour en jour par de nouvelles et illustres adhésions telles que celles de Vincent Auriol et d'Edouard Herriot, elle était devenue torrentielle. Le 30 août, Herriot intervint de son banc — il était déjà trop malade pour pouvoir gravir les marches de la tribune. Son allocution fut brève, pathétique. Par 319 voix contre 264 (et 41 abstentions), l'Assemblée vota la « question préalable » rejetant le traité (1).

Cet épisode terminé, et bien que les mois suivants aient été marqués, dans le domaine de la politique étrangère, par des faits d'une importance capitale: négociation des accords de Paris, entrée de l'Allemagne fédérale dans l'O.T.A.N., engagement solennel de Bonn « de ne jamais recourir à la force pour obtenir la réunification de l'Allemagne », ce sont les problèmes d'Afrique du Nord qui prennent la vedette. Dès le 31 juillet, le président du Conseil s'est rendu inopinément à Tunis, en se faisant accompagner du maréchal Juin. Il a prononcé à Carthage un discours reconnaissant l'autonomie interne de la Régence. Un gouvernement tunisien présidé par Tahar Ben Ammar s'est constitué peu après pour négocier des conventions avec la France. Au Maroc, la campagne de l'Istiqlal pour le retour de l'ancien sultan Mohammed Ben Youssef devient de jour en jour plus violente. Enfin, le 1er novembre 1954, un ordre parti du Caire où siège le C.R.U.A. sous l'aile des services secrets de Nasser déclenche la rébellion algérienne: l'instituteur Monnerot est assassiné dans l'Aurès.

(1) Les radicaux (34 contre la C.E.D. sur 67), les socialistes (55 contre sur 105), les modérés (44 contre sur 122), s'étaient divisés sur ce vote capital.

« On ne transige pas lorsqu'il s'agit de défendre la paix intérieure de la nation, l'unité, l'intégrité de la République, déclara Mendès-France devant l'Assemblée nationale le 12 novembre. Les départements d'Algérie constituent une partie de la République française. Ils sont français depuis longtemps et d'une manière irrévocable. » Aussi bien lui que son ministre de l'Intérieur François Mitterrand se proclamèrent résolus à défendre l'Algérie qui, disaient-ils, « est la France ». Cette défense, ils la concevaient à juste titre comme devant prendre deux aspects: d'une part résister à l'offensive terroriste, d'autre part concevoir et appliquer au plus tôt des réformes qui, sur la base du statut voté en 1947 mais le dépassant autant qu'il serait nécessaire, aient pour but et pour résultat de liquider ce qui demeurait « colonial » dans les structures de l'Algérie. L'objectif à atteindre, me dit Mitterrand, c'était d'*intégrer* réellement l'Algérie à la France. Et c'est pour faire cette politique à la fois française et libérale que Mendès me proposa, en janvier 1955, le gouvernement général de l'Algérie. J'acceptai avec l'accord du général de Gaulle.

La doctrine gaulliste quant à l'Algérie avait été définie sans ambiguïté par le chef du Rassemblement en 1947. Il préconisait « un système dans lequel la France exercera pleinement les droits et les devoirs de sa souveraineté, et dans lequel les deux grandes catégories de la population seront associées et équilibrées dans la délibération des affaires proprement algériennes ». Il avertissait: « La France, quoi qu'il arrive, n'abandonnera pas l'Algérie. » Il précisait: « Le bien de l'Algérie consiste en ceci: que la France y poursuive et y développe l'œuvre admirable qu'elle a entreprise depuis cent dix-sept années... L'autorité de la France doit s'affirmer ici aussi nettement et aussi fortement que sur toute autre terre française. » Il condamnait vertement « toute politique qui, sous le prétexte fallacieux d'une évolution à rebours, aurait pour effet de réduire (en Algérie) les droits et les devoirs de la France ». Il plaçait parmi les « éléments capitaux de la rénovation française » l'effort à déployer pour la mise en valeur du pays, l'élévation du niveau de vie, l'enseignement, l'association de tous les Algériens à l'œuvre commune.

Telle était, je le répète, la doctrine du Rassemblement, puis des républicains-sociaux.

J'ai raconté ailleurs (1) comment, gouverneur de l'Algérie de février 1955 à février 1956, je conçus après une sérieuse étude et au contact des réalités un plan de réformes qui allait bien au-delà du statut de 1947. Il s'agissait en effet, selon moi, d'une part d'imprimer à l'économie algérienne un dynamisme suffisant pour résorber son secteur sous-développé, créer des emplois et combattre la misère, d'autre part d'intégrer la province nord-africaine à la République française, avec ses caractères ethniques, linguistiques, religieux, culturels, autrement dit avec sa « personnalité », en effaçant les inégalités politiques que le statut de 1947 laissait subsister entre les Français de souche européenne et les Français musulmans. Programme révolutionnaire, je ne l'ai jamais caché, qui impliquait de grands efforts et de grandes dépenses cependant moins lourds et surtout moins stériles que ceux qui ont été extorqués à la nation depuis 1962 pour subventionner l'Algérie de Ben Bella et de Boumediène et pour chevaucher la chimère de la puissance nucléaire.

Ce programme exigeait surtout de la part des Français d'Algérie et de la métropole qu'ils surmontassent les préjugés du racisme et la peur petite-bourgeoise de la nouveauté. Or, il est de fait que si les « Pieds-Noirs », au terme d'une évolution douloureuse, en arrivèrent à partir de mai 1958 à accepter pleinement l'égalité avec les musulmans et notamment le collège unique, les Français de la métropole demeurèrent trop souvent

(1) *Aimée et Souffrante Algérie*, Plon, 1956.

recroquevillés dans leur misonéisme et paralysés par la perspective de sacrifices financiers: de Gaulle devait jouer sur ces sentiments pour faire, une fois au pouvoir, le contraire de ce qu'il avait toujours dit et promis.

Mais, en 1955, nous n'en étions ni à la prétendue autodétermination de 1959 ni à la fuite de 1962. Je maintiens sans redouter aucun démenti qu'à l'époque où Mendès-France puis Edgar Faure m'envoyèrent en Algérie, et quand, revenu d'Alger, je me lançai de toutes mes forces dans une campagne acharnée pour le salut de nos départements d'outre-Méditerranée, la doctrine gaulliste, inspirée des positions du R.P.F., reprise et développée par les républicains-sociaux (Frey, Chaban-Delmas, Debré, etc.), jamais rejetée par de Gaulle qui, au contraire, m'encouragea verbalement et par lettre à poursuivre mon action, demeura définie par deux axes principaux: maintien de la souveraineté française, profondes réformes libérales et égalitaires. Il ne s'agissait certes pas, contrairement à ce qu'ont répété depuis la sottise et la mauvaise foi, de conserver des privilèges mais, bien au contraire, de faire accéder ensemble tous les Algériens, en premier lieu les musulmans, à un bien-être matériel et à une dignité civique, dont six ans d'« indépendance » les ont éloignés plus que rapprochés.

Mais je ne veux pas anticiper davantage: nous reviendrons sur la mystification dont l'Algérie fut l'occasion et la victime.

En acceptant le gouvernement de l'Algérie, je m'étais mis en quelque sorte en congé de parti. Je me tenais donc à l'écart, autant qu'il se pouvait, des intrigues parlementaires, ayant d'ailleurs, on s'en doute, d'autres chats à fouetter. Ma façon de concevoir mon rôle ne me permettait pas de m'associer à des entreprises politiques dirigées contre le président du Conseil, et lorsqu'il me fut proposé par certains de ses adversaires de prêter mon concours à une manœuvre destinée à le torpiller, je m'y refusai. Je puis dire que je fus loyal envers Edgar Faure; je ne saurais affirmer que la réciproque ait été vraie.

Le comité de coordination des affaires d'Afrique du Nord, que présidait Edgar Faure, et qui se composait de Bourgès-Maunoury, Palewski, Pierre July, Pflimlin, Gilbert Jules, Kœnig et Juin, approuva le principe du plan de réformes que je lui avais soumis, et, dès septembre, en dépit du terrorisme, des massacres massifs déclenchés par le F.L.N., et de l'agitation de politiciens tels que Mohammed Bendjelloul, l'Assemblée algérienne commença à en étudier les principales dispositions. Il apparut bientôt qu'à part quelques irréductibles du côté des Européens et des musulmans, une majorité écrasante de cette Assemblée s'apprêtait à voter les réformes.

C'est malheureusement de la métropole que vint le coup de frein. Edgar Faure, après m'avoir soutenu, se mit à virer de bord. Au lieu d'exiger de l'Assemblée nationale, qui la lui aurait accordée, une approbation sans équivoque des réformes algériennes, il se contenta, au terme d'un débat confus, d'un ordre du jour imprécis. Entre-temps, sa politique marocaine aboutissait au renvoi du sultan Ben Arafa et au retour triomphal de Mohammed V. Les ministres gaullistes se retirèrent du cabinet, et les parlementaires républicains-sociaux, en rupture ouverte désormais avec Edgar Faure, entrèrent dans l'opposition.

Renversé le 29 novembre, Edgar Faure décida la dissolution de l'Assemblée nationale. Les élections furent fixées au 2 janvier 1956. Edgar Faure et Antoine Pinay, qui avaient pris ensemble la décision, comptaient sur une victoire éclatante. Contre eux, le parti socialiste, le parti radical, l'U.D.S.R. et les républicains-sociaux — Guy Mollet, Mendès-France, Mitterrand, Chaban-Delmas — formèrent un cartel baptisé « Front républicain ».

116

La dissolution de l'Assemblée nationale frappa d'impuissance l'Assemblée algérienne et plongea l'Algérie dans l'incertitude et dans le doute. C'est une décision néfaste qu'avait prise Edgar Faure, dominé par des considérations de politique intérieure et par un faux calcul électoral. La situation s'aggrava aussitôt en Algérie, comme toujours quand Paris et la métropole donnaient l'impression de faiblir, et le F.L.N. enhardi (d'autant plus que la loi établissant l'état d'urgence cessait automatiquement d'être en vigueur par suite de la dissolution) redoubla d'exactions et de crimes.

Ainsi s'acheva l'année 1955. Quant au gaullisme, il avait pratiquement disparu de la scène, au moins en la personne de son fondateur, car de Gaulle s'était retiré à Colombey le 15 septembre après avoir mis le Rassemblement en sommeil. Il ne venait plus que de loin en loin à Paris. Les demandes d'audience se faisaient de plus en plus rares. Le Général écrivait ses mémoires, lisait, arpentait le jardin de la Boissière, écoutait la radio, et peu à peu l'amertume, le regret, une irritation sans cesse renaissante s'emparaient de lui. « Les Français sont des veaux. » La France? « On en reparlera dans cinquante ans. » Pour l'instant, elle se complaît dans la « vachardise ». Aux quelques fidèles (dont moi-même) qui allaient encore s'entretenir avec lui, il laissait voir son profond découragement, sa certitude que la France ne se redresserait pas de son vivant et que par conséquent il n'avait aucun espoir de revenir au pouvoir. Il se déchaînait en sarcasmes contre les hommes du régime, contre les parlementaires, la presse, les milieux d'affaires, les « bien-pensants », les « féodaux ». La décadence française le hantait, et sa propre impuissance à en interrompre le cours fatal. Deux soucis lancinants se mêlaient dans son esprit encerclé par la solitude: une noble préoccupation pour l'avenir de la France, mais aussi, malgré des phrases de résignation malaisée, un chagrin plus personnel.

117

Ecarté de la scène du monde, il ne voyait que médiocrité ou turpitude chez les acteurs qui s'y montraient sans lui. Il était, en fait, inconsolable de ne pouvoir jouer un très grand rôle, le premier en France, un des tout premiers dans le monde. C'est donc dans un climat d'âcre pessimisme que ses rares visiteurs le trouvaient; et ceux d'entre eux qui, voyant le régime s'affaiblir et les événements prendre un cours torrentiel, exprimaient leur conviction que de Gaulle reviendrait un jour aux affaires, se heurtaient à un scepticisme désabusé, alternativement sombre ou ironique.

On aurait alors aisément compté sur les doigts des deux mains, sinon d'une, les gaullistes qui ne renonçaient pas. Pour beaucoup de ceux qui étaient le plus en vue, la référence au retour du général de Gaulle n'avait pas plus de sens qu'un rite machinal. « Allons, mon vieux, dit un jour Chaban-Delmas à Maurice Bayrou, dans la cour du Palais-Bourbon, nous en parlons toujours, mais entre nous, nous savons bien qu'il ne reviendra jamais. »

De loin en loin, à l'écart des villes et sans publicité, dans quelque propriété rurale, de Gaulle recevait les derniers fidèles, gens humbles pour la plupart, anciens combattants des Forces Françaises Libres, anciens résistants. L'atmosphère de ces réunions était lourde de mélancolie: c'était comme la veillée des espoirs défunts.

Dans le pays, on ne relevait à son égard ni enthousiasme ni hostilité, mais une indifférence torpide. Selon les « sondages » d'opinion, 2 % des personnes interrogées souhaitaient son retour.

De Gaulle semblait s'éloigner dans la pénombre et la brume d'un interminable crépuscule.

6

DE GAULLE REVIENT

Aux élections de janvier 1956, le « Front républicain » dont faisaient partie les républicains-sociaux avait remporté la victoire. Mais, de ce succès, les gaullistes ne recueillaient que les miettes. Avec 950 000 voix, ils perdaient plus de 3 millions de suffrages par rapport au R.P.F. de 1951. Le gros de ces électeurs perdus avait cédé à la démagogie tonitruante de Poujade, dont l'U.F.F., avec 2 millions et demi de voix, conquit 52 sièges. D'autres suffrages ex-gaullistes s'étaient dispersés à gauche et à droite (1). Il ne resta plus que 21 députés républicains-sociaux qui, cette fois — maigre consolation — ne siégèrent plus à l'extrême-droite mais au centre de l'hémicycle.

Réélu moi-même à Lyon sans avoir pu vraiment faire campagne, je demeurai à Alger jusqu'à l'expiration de ma mission, et quittai l'Algérie le 2 février. J'allais désormais consacrer l'essentiel de mon énergie à défendre

(1) Les radicaux gagnaient, par rapport à 1951, 765 000 voix, les socialistes 436 000, les modérés 650 000. Les communistes obtinrent 544 000 voix de plus qu'aux élections précédentes. Seul le M.R.P. demeura stationnaire à quelques milliers de suffrages près. Il y avait 2 300 000 suffrages exprimés de plus qu'en 1951.

en France et à l'extérieur la cause de l'Algérie française. A partir de février, je commençai une série de conférences, d'abord à Paris au théâtre des Ambassadeurs sous l'égide de mes amis André et Guy David, puis dans tout le pays. A l'Assemblée nationale, mes interventions à la tribune et l'action du groupe avaient pour but essentiel de soutenir la politique courageuse de Guy Mollet président du Conseil, et de Robert Lacoste, ministre résidant en Algérie. En novembre 1956, Guy Mollet me chargea de plaider à l'O.N.U. le dossier de la France durement attaquée par le bloc soviétique et arabo-asiatique.

C'était là mon premier contact avec la maison de verre de la 3e avenue, avec son subtil secrétaire général Dag Hammarskjöld, son rituel compassé, ses intrigues de couloirs, de restaurants et de bars. Pour défendre les positions françaises, auxquelles nos alliés n'apportaient que bien mollement leur soutien, il fallait faire flèche de tout bois. Alors que les délégations arabes déployaient d'immenses efforts de propagande, la nôtre, faute de crédits et de directives, manquait de vigueur et de mordant. Certains de nos représentants, se croyant encore au temps de M. de Norpois, hésitaient à faire usage des arguments et des documents que le ministère de l'Algérie leur fournissait: c'est ainsi que je trouvai dans les placards de la délégation, dûment ficelés, de nombreux colis du Livre blanc sur les atrocités commises par les fellagha. Les diplomates de la vieille école avaient eu un haut-le-corps en voyant les photographies atroces que ce Livre blanc contenait; aussi avaient-ils préféré ne pas les diffuser de peur de choquer leurs éminents collègues. Pendant ce temps, les délégués du F.L.N., camouflés pour les besoins de la cause en Egyptiens, Syriens ou Irakiens, inondaient l'O.N.U. de relations terrifiantes sur les crimes de guerre qu'ils imputaient à l'armée française en Algérie.

Un des personnages les plus influents à l'O.N.U., à

cette époque, était le représentant de l'Inde, Krishna Menon. Basané, le cheveu hérissé, tiré à quatre épingles et s'appuyant sur une canne ouvragée, s'exprimant avec le plus suave accent d'Oxford, il transperçait et fascinait de son regard ophidien les délégués des pays du Tiers-Monde, et même certains autres. Je le vis plus d'une fois déployer les ressources illimitées d'une dialectique souvent teintée d'hypocrisie, en particulier pour faire « avaler » par le Conseil de Sécurité l'annexion du Cachemire décidée par le gouvernement de Nehru.

L'Assemblée des Nations Unies se comporte comme un Parlement qui, circonstance aggravante, serait divisé en autant de groupes autonomes qu'il existe de pays membres de l'Organisation. Hammarskjöld me dit un jour, alors que je m'entretenais avec lui dans son bureau du trente-huitième étage décoré de tableaux abstraits, qu'il se considérait comme un président du Conseil en régime parlementaire en face de cette Assemblée: il devait donc se conformer aux vœux de la majorité. Déjà à cette époque, où l'O.N.U. n'avait pas encore été submergée par l'avalanche des nouvelles nations ou pseudo-nations, la majorité était soviéto-arabo-asiatique. Les Occidentaux, malmenés à longueur de journée par les Russes, les Syriens, les Egyptiens, etc., et même par les délégués d'Etats à l'indépendance fictive comme les Ukrainiens et les Biélorusses (1), harcelés par les vociférations anticolo-

(1) Un membre de l'Assemblée demanda un jour au chef de la délégation ukrainienne: « Pourriez-vous me donner l'adresse du ministère des Affaires étrangères à Kiev? — Ne plaisantons pas », répondit l'Ukrainien avec flegme. On sait que les Etats-Unis, dans leur désir d'amener l'Union Soviétique à adhérer à l'O.N.U., avaient accepté en 1945 que l'Ukraine et la Biélorussie fussent représentées à l'Assemblée, sans préjudice de la représentation soviétique. De ce fait, Moscou dispose de trois voix, alors que les Etats-Unis, la France, la Grande-Bretagne n'en ont qu'une.

nialistes des satellites et clients de l'U.R.S.S., ne livraient qu'un combat retardateur face à l'assaut conjugué du communisme et du Tiers-Monde. Encore n'opposaient-ils à cette offensive permanente qu'un front dispersé, car les Etats-Unis, l'Irlande, les pays scandinaves hésitaient fort à soutenir la cause d'une France coupable de colonialisme.

Le règlement de l'Assemblée des Nations Unies dispose qu'une résolution ne peut être votée que si elle obtient les deux tiers des suffrages exprimés. Notre tactique, dès lors, devait avoir pour but de réunir au moins un tiers des voix, le « tiers bloquant » (*blocking third*) contre la motion arabo-asiatique qui condamnait la France. A cette fin, nous ne pouvions que souhaiter une motion aussi dure et violente que possible, de manière que certaines délégations hésitantes, notamment parmi les Latino-Américains, fussent dans l'impossibilité de la voter, la trouvant excessive et injurieuse pour la France. C'est pourquoi, en exposant la thèse française, je la présentai sans aucune concession, espérant bien exaspérer l'adversaire et le pousser à durcir sa propre position. D'autre part, jouant par la bande, et grâce à certaines délégations qui nageaient entre deux eaux, nous faisions parvenir aux représentants arabes toutes sortes de rumeurs destinées à les faire s'enferrer dans leur intransigeance. Ce stratagème nous réussit. Sûrs de leur victoire, ils s'entêtèrent à soumettre à l'Assemblée une motion que beaucoup, sans épouser pour autant l'attitude française, jugeaient inacceptable.

Parmi les délégués d'Amérique latine, des juristes et des diplomates de premier plan tels que le Péruvien Belaunde et le Cubain Nuñez Portuondo furent d'emblée nos alliés. Il me fallut cependant voler à La Havane — et quel contraste entre le ciel brumeux, neigeux de New York, et l'azur éclatant de Cuba! — pour obtenir du Premier Ministre l'assurance que son pays voterait avec nous. Paul Rivet, mon vieux maître et ami, âgé et déjà malade, accourut à New York à mon appel pour jeter dans la balance son prestige de savant et d'humaniste auprès des Latino-Américains.

Certes, le jeu était dangereux, car à forcer nos adversaires à l'intransigeance tandis que nous leur opposions une intransigeance égale, nous risquions de perdre la partie si la fatidique majorité des deux tiers était atteinte ou dépassée, fût-ce d'une ou deux voix, ce qui pouvait dépendre au dernier moment d'un coup d'Etat à Haïti ou d'un soulèvement en Bolivie. D'où la tentation bien naturelle, chez certains, de s'orienter vers un compromis et de laisser passer une résolution édulcorée qui, sans nous donner satisfaction, ne serait pas non plus entièrement favorable aux Arabo-Soviétiques. Or, une telle issue à ce débat me paraissait lourde de dangers. En effet, si une motion même modérée avait été votée à la majorité requise, le F.L.N. n'aurait pas manqué de l'exploiter au maximum dans sa propagande auprès de la population musulmane d'Algérie, qui aurait été évidemment peu sensible aux nuances délicates, aux atténuations de vocabulaire et aux changements de ponctuation. « L'Assemblée des Nations Unies a condamné la France » : c'est ainsi, en dépit de toutes les astuces du texte, que ce résultat aurait été résumé à l'intention du fellah de la Mitidja, du montagnard de Kabylie ou du bourgeois musulman d'Alger.

Krishna Menon, lui, avait sans aucun doute percé au clair nos intentions. Il se mit, dans les derniers jours précédant le scrutin, à faire le siège de Christian Pineau, ministre des Affaires étrangères, qui venait d'arriver à Paris pour prendre part au débat. Bientôt, dans les couloirs de la maison de verre, où la moindre rumeur se propage à la vitesse de l'éclair, il ne fut bruit que des mystérieux entretiens Menon-Pineau, dont était exclu le reste de la délégation, y compris le ministre Marcel Champeix, socialiste lui aussi, arrivé à New York sur ces entrefaites. Les journalistes intrigués et goguenards se faisaient l'écho des tractations aux termes desquelles une motion « moyenne » présentée par les Japonais et d'autres Asiatiques permettrait de reléguer aux oubliettes celle des Arabes. La France, ajoutait-on, n'y ferait pas obstacle.

Le problème qui se posait était donc de savoir si nous accepterions le médiocre, quitte à ne pas obtenir le mieux, afin d'éviter le pire. Je demeurais convaincu, quant à moi, qu'il fallait courir le risque, et que d'ailleurs nous gagnerions. Guy Mollet, alerté par Champeix, adopta la même attitude. Il téléphona à Christian Pineau, et les pourparlers avec le diabolique Krishna Menon furent interrompus. Au vote, l'Assemblée rejeta la motion antifrançaise. J'avais travaillé, durant cet épisode, en dehors de tout esprit partisan, en étroite liaison avec le président Guy Mollet. Les contacts fréquents que j'ai eus avec lui pendant cette période et tant qu'il demeura au gouvernement n'ont fait que renforcer mon estime pour son caractère et sa lucidité (1).

Les gaullistes, de leur côté, faisaient tout ce qu'ils pouvaient pour m'appuyer. J'étais aux Nations Unies quand eut lieu à Bordeaux, sous la présidence de Chaban-Delmas, le congrès des républicains-sociaux. Une

---

(1) Guy Mollet m'adressa la lettre suivante après la session de l'O.N.U. :

« Monsieur le Ministre et cher ami,

« La vie nous a plusieurs fois — à notre insu — réunis dans la lutte pour la liberté, au C.V.I.A., dans la résistance, mais aussi souvent séparés et opposés dans la lutte politique.

« C'est pourquoi je préfère ne pas attendre les séparations possibles de demain et vous dire aujourd'hui combien j'ai apprécié votre action aux Nations Unies.

« Avec mes remerciements et l'assurance de ma très grande estime,

« Cordialement,

« Guy MOLLET. »

conversation par téléphone transatlantique en « duplex » fut arrangée; et tandis que je regardais, d'une fenêtre du building de l'O.N.U., la pluie tomber sur les eaux grises de l'East River, me parvenaient de Bordeaux la voix de Chaban et les acclamations d'un millier de congressistes réunis à l'Alhambra. « Mon cher Jacques, dit Chaban-Delmas, nous aimerions bien entendre de votre bouche comment se présentent les affaires pour lesquelles vous faites un travail remarquable, car personne ici ne doute que si vous n'aviez pas été là-bas depuis quelques semaines nous n'aurions pratiquement aucune chance de nous en tirer (1). » Dans ma réponse, je soulignai le fait que les discours interminables et haineux de nos adversaires avaient ouvert les yeux des représentants de nombreux pays. « Ils ont discerné, dis-je, avec inquiétude et irritation le visage de l'impérialisme pan-arabe et l'alliance de cet impérialisme avec les Soviets. » Je rendis hommage à l'attitude de divers pays européens, des Latino-Américains, de la Turquie, et au discours « très amical » de Cabot Lodge.

Chaban reprit: « Avant de nous séparer, je voudrais vous exprimer l'amitié, la confiance, l'affection de tous nos compagnons... chacun de nous a mesuré que votre voyage, votre présence à l'O.N.U., votre déplacement en Amérique centrale, votre retour à l'O.N.U., et le travail que vous faites actuellement ont été littéralement décisifs... Vous là-bas, nous sommes tranquilles, nous les gaullistes ici. »

C'est qu'il n'y avait aucune hésitation parmi les gaullistes sur la voie à suivre à propos de l'Algérie. Roger Frey, secrétaire général, rédigeait régulièrement des « notes d'information » du Centre national, qui étaient diffusées à tous nos militants. La note du 17 avril 1956

_____

(1) Cette citation et les suivantes sont extraites du relevé sténographique de l'enregistrement effectué lors de cette conversation.

était consacrée au problème algérien. Après en avoir exposé les données historiques, géographiques, politiques, Frey mettait en garde le gouvernement de Guy Mollet contre le danger de négociations, même avec des élus de l'Algérie. Il semblait même redouter que le gouvernement ne cherchât à « s'abriter derrière le respect des règles de la démocratie et la volonté des peuples à disposer d'eux-mêmes » pour préparer une formule de règlement périlleuse pour le maintien de la souveraineté française, c'est-à-dire, notons-le en passant, exactement ce que devait faire de Gaulle en 1959 en présentant comme une panacée la prétendue « autodétermination ». La conclusion de cette étude mérite d'être citée. « Il nous faut réaffirmer, écrivait Roger Frey, notre doctrine constante touchant le problème algérien. L'Algérie fait partie de la France, sans que pour autant le Constantinois soit assimilable à la Corrèze ou l'Algérois au Puy-de-Dôme. L'égalité totale entre Français d'origine métropolitaine et Français musulmans — qui est encore à réaliser sur nombre de points — ne doit pas nous faire oublier les différences qui les séparent à bien des égards: ces différences conduisent à parler d'une « personnalité » de l'Algérie. Des réformes sont à accomplir sur les plans politique, économique, social: la France doit les décider souverainement. Elle doit ignorer la rébellion, sauf pour en venir à bout: la pacification militaire et l'œuvre de réformes, qui tendent à la même fin, doivent être menées simultanément sans autre intervention que de la France dans cette affaire qui concerne sa substance même. »

Voilà qui est bien dit, et signé: Roger Frey. Qui aurait pu prédire que le même homme, ministre de l'Intérieur cinq ans plus tard presque jour pour jour, organiserait une répression impitoyable contre ceux qui, ayant partagé ses convictions d'alors, n'en avaient pas changé?

Le 2 juin 1957, le Conseil national des républicains-sociaux, réuni à Levallois-Perret, vota une motion très détaillée relative à l'Algérie. « Refusant de réduire le destin du pays aux dimensions étroites d'un hexagone continental », les gaullistes se déclaraient « unanimes dans leur résolution inflexible de maintenir l'Algérie française en la reconstruisant dans la justice et l'égalité ». Ils définissaient ainsi leur doctrine quant à ce que devait être l'Algérie: « partie intégrante de la République française, peuplée de citoyens égaux en droits, une province formée de régions autonomes, chacune disposant de pouvoirs étendus à l'échelon local... sans autre restriction que l'interdiction faite à ces pouvoirs locaux de porter aucune atteinte aux libertés et à l'égalité des citoyens quels que soient leur origine ou leur statut personnel ».

Fin octobre et début novembre 1956, la courte campagne franco-britannique contre l'Egypte, tandis que l'armée israélienne réalisait la conquête du Sinaï, s'acheva en une lourde défaite diplomatique. Combattu dans son propre parti, miné par l'opposition des Dominions asiatiques du Commonwealth, Anthony Eden s'effondra sous la double pression des Russes et des Américains. Dulles et Eisenhower commirent l'effroyable erreur de se ranger contre les alliés de l'Amérique avec les Soviets qui, au même moment, noyaient dans le sang la révolte de Budapest. Nasser, miraculeusement sauvé d'une débâcle imminente, se posa en héros du pan-arabisme, encouragé dans ses desseins agressifs contre Israël par la funeste division des Occidentaux. Du coup, ses protégés F.L.N., qu'il n'avait cessé d'entretenir en armes et en argent et que la radio du Caire exaltait sans interruption en couvrant la France d'injures, reprirent de plus belle leurs attentats et leurs atrocités. Ils s'étaient terrés pendant que les parachutistes français prenaient Port-Saïd et que la liquidation du nassérisme n'était plus qu'une question d'heures. Réconfortés par la complicité de Washington et de Moscou volant au secours de leur « Grand Frère », ils déchaînèrent de nouvelles vagues de terrorisme, tantôt déchiquetant par leurs bombes à retardement les passants dans les rues d'Alger, tantôt égorgeant par centaines, comme ils le firent à Mélouza, les paysans musulmans qui ne se pliaient pas à leur tyrannie.

Quant à l'armée, elle se sentit douloureusement atteinte par ce fiasco. Alors qu'elle avait exécuté tout ce que le gouvernement lui avait prescrit, qu'elle avait rempli sa mission et s'apprêtait à enlever l'objectif final — mettant fin ainsi à la malfaisance de Nasser et infligeant une défaite décisive au pan-arabisme, moteur du F.L.N. algérien — elle se voyait battue et humiliée sur le terrain diplomatique et politique. Après Diên Biên Phu, Suez: la rupture s'aggravait entre l'armée et la nation.

Certes, le gouvernement Guy Mollet, soutenu par une assemblée presque unanime dans cette affaire à l'exception des communistes, avait fait loyalement son devoir. Aurions-nous pu continuer sans les Britanniques, malgré le Kremlin et la Maison-Blanche ligués contre nous? On peut en discuter. De Gaulle, en tout cas, répétait à tous ses interlocuteurs qu'il aurait fallu aller jusqu'au bout, et que lui-même, s'il avait été à la tête du gouvernement, aurait poursuivi la lutte coûte que coûte jusqu'à la chute de Nasser. Aux Israéliens, il prodiguait des conseils de fermeté: « Surtout, ne quittez pas Gaza(1)! »

En mai 1957, la conjonction des communistes, des indépendants et des poujadistes renversa Guy Mollet sur sa politique économique et financière. La crise dura trois semaines, pendant lesquelles le président Coty fit appel à Antoine Pinay et à Pflimlin, qui refusèrent la mission de former un nouveau gouvernement. Guy Mollet, pressenti ensuite, se récusa lui aussi. Enfin Maurice

(1) Cf. mon livre *La Longue marche d'Israël*, Arthème Fayard, 1968, p. 318.

128

Bourgès-Maunoury constitua un cabinet soutenu presque exclusivement par les radicaux et les socialistes. Les gaullistes décidèrent de ne pas y participer, en dépit de la sympathie personnelle qu'inspirait à beaucoup d'entre eux le président du Conseil. Je n'oubliais pas, quant à moi, le rôle courageux et efficace que Bourgès-Maunoury, sous le pseudonyme de « Polygone », avait joué pendant la guerre comme délégué militaire clandestin en territoire occupé, ni les brillantes qualités dont il avait fait preuve au ministère de l'Intérieur, puis à la Défense nationale, sous les deux gouvernements précédents. Malheureusement, les républicains-sociaux n'avaient pu obtenir de lui aucun engagement quant à la réforme des institutions. Or, on se rendait compte de plus en plus clairement que le régime, s'il n'était pas modifié ou plutôt changé de fond en comble, serait incapable de régler le problème de l'Algérie. Outre-Méditerranée, la situation se dégradait, malgré l'énergie de Robert Lacoste: pendant la crise ministérielle, Bourguiba exigea l'évacuation des dernières troupes françaises et, en attendant, leur interdit tout mouvement, les bloquant dans leurs garnisons; à Alger, un attentat à la bombe joncha de cadavres et de mutilés la salle de danse du casino de la Corniche.

« Le régime perdra l'Algérie comme il a perdu l'Indochine. »: c'est ce que le général de Gaulle répétait à ses visiteurs. A moi-même, dans une longue lettre datée du 4 décembre 1956, il avait écrit:

4 décembre 1956.

Mon cher Soustelle,
Quand le bel exemplaire de votre ouvrage « Aimée et souffrante Algérie » m'est parvenu, j'avais lu déjà le texte et avec un extrême intérêt. Pour tout ce qui concerne le déroulement, les péripéties, des événements et de votre action, tant sur place que dans la Métro-

pole, je tiens votre exposé pour aussi clair, aussi sincère et frappant que possible. En outre, vous écrivez très bien, ce qui ajoute beaucoup aux arguments. Je ne crois pas qu'on puisse contredire sérieusement ce que vous avancez, ni blâmer de bonne foi ce que vous avez fait.

Le résultat final, c'est une autre affaire, qui n'était pas de votre ressort. Une réussite française en Afrique du Nord, et notamment, en Algérie, exigerait une très grande politique. Action locale de vaste envergure pour aboutir à l'association sincère des deux principaux éléments. Action puissante et continue sur l'opinion en France pour la rassembler en vue de l'effort. Action déterminée à l'extérieur, allant, bien entendu, jusqu'à sacrifier au besoin le Pacte Atlantique. Et puis, de tous côtés, attitude telle que la France officielle apparaisse à la fois comme attrayante et inébranlable.

Le tout pouvant durer des années et des années sans changer de route. Il est trop évident que le régime est hors d'état de fournir une course aussi rude et aussi prolongée. Le monde le sait et le voit. Je crains donc que, pour le monde, la cause ne soit entendue et qu'alors, en raison de l'inconsistance du régime, elle soit plus tôt ou plus tard tranchée dans les faits.

A moins que le régime ne cède la place « in extremis ».

Veuillez croire, mon cher Soustelle, à mes sentiments de fidèle amitié.

C. DE GAULLE.

Dans une autre lettre, le 19 août 1957, toujours à propos de l'Algérie, il précisait ainsi sa pensée: « Vous savez qu'à mon sens rien ne peut aboutir et dans aucune direction, sans un complet changement de notre régime politique et moral. »

La réforme des institutions, le changement de régime devenaient donc le « préalable » fondamental au salut de l'Algérie. Telle était bien la profonde conviction des gaullistes, du dernier carré pourrait-on dire, et c'est pourquoi le Centre des républicains-sociaux décida d'organiser dans tout le pays une campagne de meetings, baptisés « Journées nationales », sur le thème de la révision constitutionnelle: « De nouvelles institutions pour une nouvelle République. » La première de ces « journées » se tint à Lyon le 13 octobre. D'autres suivirent à Paris et en province. Chaban, Frey, Michelet, Raymond Triboulet et d'autres orateurs dont j'étais s'efforçaient de démontrer à des auditoires souvent nombreux et chaleureux qu'il fallait à tout prix doter la France d'institutions nouvelles, d'un « Etat juste et fort », afin de sauver notre province d'outre-mer. « Algérie française! » et « De Gaulle au pouvoir! », tels étaient les cris qui retentissaient à chaque instant dans ces réunions.

Le gouvernement de Bourgès-Maunoury dura trois mois et demi. Il n'avait cessé d'être en butte aux pires difficultés économiques et sociales: déficit du budget, grèves du gaz, de l'électricité, des banques et même des gardiens de prison, impôts nouveaux, dévaluation déguisée sous le nom d'« opération 20% », inflation accélérée et hausse des prix. Il ne succomba pas, pourtant, sur ce terrain mais à propos de son projet de « loi-cadre » sur l'Algérie. Créant des pouvoirs locaux autonomes dans les différentes régions de l'Algérie, ce projet, d'inspiration fédéraliste (ce qui n'était pas pour me déplaire), omettait cependant ce que tout système de ce genre doit comporter: des contrepoids destinés à empêcher qu'une des communautés ethniques puisse être opprimée et privée de ses droits par une autre qui se trouverait être majoritaire. J'avais donc proposé, et mes amis exigèrent, que le texte fût modifié de manière à y inclure une représentation des communautés en tant que telles, avec le pouvoir de bloquer toute mesure discriminatoire, qu'elle fût politique, économique ou culturelle. C'est sur cette question que fut renversé Bourgès-Maunoury. Certains voulurent me faire à ce propos une réputation de « tombeur de ministères », comme si notre petit groupe, avec ses 21 suffrages, avait pu provoquer la crise, alors que le ministère fut battu par 279 voix.

Tout le mois d'octobre 1957 fut gâché en conciliabules, « tours de piste », tentatives infructueuses. Guy Mollet, Pleven, Robert Schuman, Pinay, ou bien renoncèrent, ou bien se virent refuser l'investiture. L'Assemblée ne paraissait pouvoir dégager que des majorités négatives. La machine devenue folle tournait à vide. Pour tout observateur clairvoyant, il sautait aux yeux que le régime en était arrivé au dernier degré de l'épuisement. Fourbu, il se traînait dans l'impuissance en accomplissant machinalement des gestes rituels auxquels personne ne croyait plus et dont le pays regardait le fastidieux déroulement tantôt avec indifférence ou ironie, tantôt, chez les meilleurs, avec tristesse. Cependant le général de Gaulle, tout en accablant de ses critiques les institutions et les hommes, persistait à croire, ou affectait de croire, que le régime réussirait à se maintenir indéfiniment, en « larguant » l'Algérie bien sûr (il ajoutait même: et puis la Corse, la Bretagne, etc.), en rejetant l'un après l'autre tous ses fardeaux, mais en trouvant toujours, dans la « vachardise » générale, de nouvelles combinaisons. Pourtant nombreux étaient ceux qui, en dehors des gaullistes, estimaient que son heure allait sonner.

Les parlementaires gaullistes mirent à profit la crise pour reprendre devant l'opinion leurs deux thèses fondamentales. « Notre position est sans équivoque, écrivit Roger Frey. A chaque gouvernement qui sollicitera notre concours ou notre soutien, nous demanderons de définir clairement sa position sur ces deux aspects du problème français: réforme des institutions, Algérie française. »

« Je suis convaincu, disais-je, que la crise dramatique où se débat la France depuis dix ans dans ses rapports avec l'outre-mer... ne sera surmontée que si nous révisons au plus tôt des institutions qui ne sont pas adaptées à la vie commune de 80 millions d'êtres humains appartenant à des groupes ethniques et culturels différents, quoique réunis autour d'un même drapeau. Il faut que nous mettions sur pied des institutions nouvelles, qui ne peuvent être que de type fédéral, où puissent se concilier les libertés locales avec la communauté nécessaire. »

Quand Guy Mollet tenta, en vain, de constituer un gouvernement (la confiance lui fut refusée le 28 octobre par une coalition composée des communistes, des indépendants et des poujadistes), les républicains-sociaux décidèrent de le soutenir et d'accepter deux portefeuilles: la Défense nationale pour Chaban et le secrétariat d'Etat à la France d'outre-mer pour Maurice Bayrou. Notre attitude s'explique ainsi: « Sur deux points fondamentaux, l'Algérie française et la réforme des institutions, nous rencontrions chez notre interlocuteur (Guy Mollet) une grande compréhension de nos thèses, notamment sur le premier point. A l'issue de son entrevue avec M. Guy Mollet, Jacques Soustelle nous avait, en effet, fait part de sa satisfaction de voir que le président du Conseil désigné reprenait à son compte toutes les modifications et toutes les suggestions que nous avions émises depuis plusieurs mois. Il confirmait d'ailleurs cette attitude par sa déclaration à l'Assemblée nationale (1). »

Un jeune radical, brillant, souple, bon *debater* parlementaire, réussit enfin le 4 novembre à former un cabinet avec les socialistes, le M.R.P. et quelques indépendants. Bourgès-Maunoury reprenait le portefeuille

(1) Roger Frey dans la Note d'Information du 30 octobre 1957.

de l'Intérieur et Robert Lacoste demeurait à Alger.

Comme nous avions coutume de le faire, les deux groupes parlementaires (Assemblée et Conseil de la République) des républicains-sociaux se réunirent au Palais-Bourbon avec les membres du Comité directeur du parti. Michel Debré prononça une violente diatribe contre Félix Gaillard, puis s'éclipsa. Dans l'ensemble, nos groupes n'étaient guère favorables à cette nouvelle « expérience » et décidèrent, par un vote, de ne pas y participer. C'est alors que Chaban-Delmas, avec un flegme sublime, se leva: « Excusez-moi, mes chers amis, je dois me rendre de ce pas chez le président Félix Gaillard, qui m'a offert le ministère de la Défense nationale. » Il sortit, laissant aphones et médusés les parlementaires. Il prit, effectivement, le ministère de la rue Saint-Dominique, ce qui ne fut pas sans conséquences, comme on le verra, sur les événements de mai 1958. Malgré les récriminations des « durs », les groupes tolérèrent sa participation au gouvernement, par laquelle, disait-il, il s'efforçait de changer le régime « de l'intérieur » ou tout au moins « d'éviter le pire ».

En quatre mois et onze jours — c'est ce que dura leur passage au pouvoir — Félix Gaillard et ses ministres s'attaquèrent avec plus ou moins de bonheur à deux séries de problèmes: ceux de l'économie, ceux de l'Afrique du Nord.

Dans le premier de ces domaines, la IVe République sur son déclin présente le spectacle d'un contraste très marqué entre une industrie en progrès et des finances chroniquement délabrées. La modernisation entamée après la guerre grâce au plan Marshall et au plan Monnet s'était traduite par une production accrue (156 en 1957, pour 100 en 1952). La France fabriquait deux fois et demie plus d'acier qu'avant la guerre, et produisait trois fois plus d'électricité. Le gaz de Lacq, exploité depuis 1952, le pétrole puis le gaz naturel du Sahara découverts à partir de 1956, lui offrent d'énormes ressources énergétiques. Ses ingénieurs, ses techniciens mènent à bonne fin des réalisations telles que la *Caravelle*. Certes, certains secteurs demeurent faibles; les Français sont toujours mal logés. Mais on est loin de l'après-guerre, des restrictions et du marché noir. Le pays entre dans l'ère de la consommation de masse. Pour une proportion croissante des Français, ce n'est plus le pain, ni même le bifteck, qui constitue l'objet de leur travail et de leur soucis, mais les week-ends, les vacances, la voiture, la maison de campagne. La France s'installe dans la prospérité, dans une expansion qu'on s'habitue volontiers à considérer comme devant se poursuivre indéfiniment selon le même rythme.

Il serait fort malhonnête de ne pas reconnaître à la IVe République le mérite d'avoir favorisé cette expansion, stimulé les investissements, encouragé la recherche et la création. La Ve, pendant au moins les cinq ou six premières années de son existence, ne se privera pas de faire inaugurer en grande pompe par ses hiérarques les ouvrages conçus et commencés avant juin 1958, comme le pont de Tancarville, non sans puérilement se vanter, avec la jactance caractéristique de ce régime, de ne les devoir qu'à elle-même.

Le point faible de la IVe République résidait dans les finances et la monnaie, qui subissent directement le contrecoup de l'instabilité et de la démagogie. Après l'accalmie qu'on a constatée au début de l'expérience Pinay, les prix recommencent à monter irrésistiblement et à un rythme qui s'accélère: 11 points entre 1956 et 1957. La monnaie s'effrite. Tandis que les dépenses publiques deviennent de plus en plus lourdes: 3 656 milliards d'anciens francs en 1952, 5 295 en 1958, et que le déficit atteint 600 milliards, tandis que la balance commerciale française est en déséquilibre (413 milliards en 1956), la fuite devant le franc précipite épargnants et spéculateurs vers le lingot et le napoléon. Or, il est de fait qu'un Etat dont la monnaie est chancelante ne peut ni maintenir son autorité à l'intérieur ni se faire écouter sérieusement à l'extérieur. D'autres que nous en ont fait l'expérience.

Ce n'est pourtant pas l'inflation, ni le déficit budgétaire, qui devaient abattre la frêle combinaison ministérielle à laquelle présidait Félix Gaillard. La crise qui mit fin à son existence vint d'Afrique du Nord. Habib Bourguiba, honni par les durs du F.L.N., ne ressentait assurément pas de sympathie pour eux mais tremblait devant ses hôtes incommodes. Non seulement il les laissa s'installer en Tunisie, y monter des camps d'entraînement, y accumuler du matériel de guerre, mais encore mit-il à leur disposition des moyens de transport et toléra-t-il que son territoire servît de place d'armes contre l'Algérie. Un barrage électrifié, couvert par un système complexe de mines et de radars, avait été construit le long de la frontière algéro-tunisienne en 1957 conformément aux directives d'André Morice, alors ministre de la Défense nationale, et selon les ordres du général Salan. Il opposait un obstacle très efficace aux incursions des fellagha, qui subissaient de lourdes pertes à chaque tentative de passage. Il ne pouvait cependant pas être imperméable à cent pour cent, et les *moudjahiddine* avaient encore la ressource de le tourner par le sud. Quatorze soldats français furent tués, cinq enlevés au cours d'un engagement, en janvier 1958, entre une petite unité de l'armée et une formation F.L.N.

La complicité du gouvernement tunisien, dans cette affaire comme dans une trentaine d'autres analogues qui ont jalonné la fin de 1957 et le début de 1958, n'était pas niable. Habib Bourguiba se refusant à donner des éclaircissements et des assurances — en fait, malgré ses prétentions à la souveraineté, il n'était pas maître chez lui — Paris rappela l'ambassadeur de France. Le Conseil des ministres décida d'exercer le droit de suite contre le territoire tunisien, devenu territoire F.L.N. du point de vue stratégique.

Le village tunisien de Sakiet-Sidi-Youssef, à la frontière, comptait parmi les cantonnements les plus importants des fellagha. Pièces de D.C.A. et mitrailleuses tiraient, de là, sur les appareils de l'aviation française qui survolaient la frontière.

A partir du milieu du mois d'août 1957, les incidents se multiplièrent: treize avions furent atteints et deux perdus. Au début de février, le poste-frontière français, ou « bordj », avertit officiellement le chef de poste tunisien de Sakiet que des tirs ou bombardements de représailles seraient déclenchés si les agressions continuaient. C'est ainsi que le 8 février le commandement de l'Air fit bombarder Sakiet, visant en particulier les batteries de D.C.A. des fellagha. Aussitôt Bourguiba jeta les hauts cris, bloqua Bizerte, ameuta l'O.N.U.

« C'est après avoir beaucoup attendu et beaucoup patienté que nous nous sommes décidés à exercer le droit de poursuite et le droit de riposte », déclara Chaban-Delmas, ministre de la Défense nationale, au nom du gouvernement.

A cette époque, l'Angleterre et l'Amérique, toujours à la poursuite du mirage de l'« amitié arabe » (poursuite dans laquelle de Gaulle devait se lancer plus tard au point de sacrifier Israël), courtisaient particulièrement Bourguiba. Déjà, en novembre 1957, les deux gouvernements avaient provoqué chez nous émotion et amertume en livrant à la Tunisie des armes dont on pouvait redouter à bon droit qu'elles fussent en fin de compte remises aux fellagha. L'incident de Sakiet, amplifié démesurément par les vociférations de l'O.N.U. et de toute la propagande pro-arabe, leur fournit le prétexte à une intervention que Félix Gaillard eut la faiblesse d'accepter. Les Etats-Unis et la Grande-Bretagne proposèrent leurs « bons offices » en vue d'une médiation entre Paris et Tunis; les médiateurs désignés furent l'Américain Robert (« Bob ») Murphy, diplomate avisé, connaissant bien le Maghreb, assez peu favorable au maintien de l'influence française en Afrique du Nord, et l'Anglais Harold Beeley, nourri dans le sérail des services britanniques au Moyen-Orient, partisan acharné du pan-arabisme. L'impartialité des « bons offices » laissait donc quelque peu à désirer — c'est le moins qu'on puisse dire.

Sans doute l'affaire de Sakiet ne se rattachait-elle que latéralement à celle de l'Algérie, mais le fait d'accepter les « bons offices » ne préludait-il pas à une internationalisation de cette dernière? N'était-ce pas mettre le doigt dans l'engrenage? Depuis longtemps de Gaulle redoutait qu'une intervention d'autres Etats, ou celle des Nations Unies (1), n'entraînât la perte de l'Algérie.

L'attitude de Washington n'avait rien de rassurant. Le 2 juillet 1957, le sénateur du Massachusetts, John F. Kennedy, avait prononcé un discours nettement hostile à la position française sur l'Algérie. John Foster Dulles, trois jours après l'incident de Sakiet, laissa planer la menace d'un « examen de ce problème au sein de l'Organisation atlantique ou d'une autre organisation ». Eisenhower, en avril, adressa un message pressant à Félix Gaillard, qui accepta le principe de l'évacuation des troupes françaises de Tunisie.

Déjà échaudée par le fiasco de Suez, une part importante de l'opinion française voyait avec une inquiétude grandissante se dessiner les prodromes d'une action diplomatique tendant à dessaisir la France de sa souveraineté en Algérie. Ces inquiétudes se faisaient jour dans divers milieux politiques, exprimées par des hommes tels que Georges Bidault au M.R.P., André Morice chez les radicaux, Roger Duchet parmi les indépen-

(1) « Un jour, M. H. viendra à Alger, et tout sera fini... l'Algérie sera perdue », déclara-t-il le 30 novembre 1956 au journaliste J.-R. Tournoux (*La Tragédie du Général*, p. 210).

dants, Debré et moi-même chez les gaullistes. L'idée d'un « gouvernement de Salut public » surgissait de toutes parts, face à la déconcertante impression de vide et d'aboulie que donnait la conduite de notre politique nord-africaine. Devant la perspective d'un « Diên Biên Phu diplomatique » (la formule devenue célèbre fut lancée par Robert Lacoste), des esprits fort différents tendaient à réagir en recherchant un recours. Je déclarai quant à moi le 2 mars: « Il faut qu'un gouvernement de Salut public prenne la tête des affaires. Personne n'a l'illusion de croire que le gouvernement actuel soit un gouvernement de salut public. Il n'y a dans l'immédiat, en France, parmi les hommes d'Etat disponibles, qu'un seul homme qui puisse jouir à l'étranger de l'autorité nécessaire... C'est le général de Gaulle. »

On voit par cette citation, soit dit en passant, ce qu'il faut penser des allégations d'un Edmond Michelet qui découvrit, en 1962 il est vrai, que je jouais depuis six ou sept ans « un jeu personnel ».

Entre-temps, la loi-cadre sur l'Algérie, légèrement quoique insuffisamment améliorée, avait été votée. Avec le sens politique qui le caractérise, Massu s'en était fait inopinément le champion et me reprochait de l'avoir combattue pour l'amender. Félix Gaillard avait donc franchi cet obstacle, mais il fut renversé le 25 avril après un débat violent sur les « bons offices » et sur les pressions américaines subies bon gré mal gré par son gouvernement. La crise ministérielle allait durer environ un mois, jusqu'au fatidique 13 mai. Elle aurait duré assurément davantage: l'Assemblée, atomisée, ne pouvait même plus trouver en son sein les éléments d'une précaire combinaison, et les groupes se divisaient en fractions violemment hostiles, comme le prouva le torpillage de Georges Bidault par le M.R.P. — si la prise du Gouvernement général à Alger par les partisans de Lagaillarde n'avait rassemblé les partis, dans une réaction viscérale du Parlement, autour du président désigné du moment, Pierre Pflimlin. Les socialistes, en effet, qui avaient déjà décidé de ne pas voter son investiture, se ravisèrent quand les nouvelles d'Alger sortirent des téléscripteurs. Ils lui apportèrent leur soutien et, dès le 15 mai, leur participation. Jules Moch, notamment, prit le ministère de l'Intérieur.

Il n'y avait naturellement aucun gaulliste dans le nouveau gouvernement. Chaban-Delmas fut remplacé à la Défense nationale par un M.R.P., M. de Chevigné. Mais pendant les quatre mois qu'il avait passés rue Saint-Dominique, il avait créé à Alger une « antenne » confiée à Léon Delbecque. Ancien résistant, délégué départemental du R.P.F. dans le Nord, infatigable organisateur, Delbecque réussit en peu de temps à nouer d'innombrables liens dans les milieux politiques d'Alger, chez les anciens combattants, dans l'armée. Partout présent, prompt à saisir toute occasion, sachant convaincre et entraîner, il ne séparait pas dans ses projets et dans son action le salut de l'Algérie et le retour du général de Gaulle au pouvoir. Chaban le « couvrait » discrètement, s'apprêtant soit à le soutenir si les événements suivaient un cours favorable, soit à le désavouer dans le cas contraire. Dans la nuit du 13 au 14 mai, croyant que le gouvernement Pflimlin, dûment investi, était capable de reprendre en main la situation, Chaban n'avait plus qu'une idée en tête: mettre fin à toute action en faveur du retour de de Gaulle. Je le rencontrai sur l'esplanade des Invalides vers 2 heures du matin: je revenais de Villacoublay, ayant en vain cherché à m'envoler vers Alger dans l'avion du général Salan. Mais le nouveau ministre, de Chevigné, avait donné ses ordres: aucun avion n'était autorisé à décoller. Chaban était plongé dans le plus profond pessimisme. Il me supplia de ne pas compromettre « ma carrière politique », mais sans doute songeait-il surtout à la sienne.

Michel Debré, à l'inverse, s'exaspérait de voir le flottement provoqué par le succès inattendu de Pflimlin. Immobilisé par une malencontreuse — ou providentielle — sciatique, il ne pouvait partir lui-même pour Alger et s'en désolait. Mais il me pressait de gagner au plus tôt l'Afrique du Nord, ce qui était plus facile à dire qu'à faire, car je me trouvai placé, dès le 14 au matin, sous une étroite surveillance policière et pratiquement prisonnier dans mon appartement. Frey partageait l'impatience de Debré. Foccart me transporta le soir du 13 mai dans sa voiture jusque chez mon ami René Dumont, et une militante gaulliste, Simone Menut, me conduisit ensuite au Cercle militaire d'où je partis avec le colonel Juille, chef de cabinet du général Salan, pour l'essai infructueux de départ dont j'ai parlé plus haut. Le lendemain, Michelet, Sanguinetti, Ponchardier s'efforcèrent de me procurer le moyen de quitter Paris. Mais ce furent Pierre de Bénouville et Geoffroy de La Tour du Pin qui organisèrent mon évasion de l'immeuble que j'habitais, au nez et à la barbe de la police, avec l'aide de la fille de mon propriétaire qui me dissimula dans sa voiture (non point dans le coffre, comme on l'a dit, mais à la place du siège arrière démonté).

Donc tout un groupe de gaullistes, et non des moindres, tandis que Chaban prenait le chemin de Bordeaux et de sa mairie, mettait tout en œuvre pour me faire prendre celui d'Alger. D'autres, comme Triboulet, estimaient utile qu'un certain nombre de nos parlementaires fussent présents à l'Assemblée où régnait une intense confusion. Olivier Guichard, lui, se spécialisait dans les tractations, conversations et entrevues plus ou moins secrètes. Quant à Pompidou, que nul n'avait connu à l'époque de la Résistance et qu'on n'avait guère vu au Rassemblement — il poursuivait alors, comme on le sait, une carrière plus fructueuse — il allait refaire surface au moment de la victoire.

La légende veut qu'il y ait eu un complot, ou plusieurs, ou même treize. Autant que je sache, et je suis assez bien placé pour en parler, cela n'est pas vrai. Ou alors il faut appeler complot toute action politique, même menée en pleine lumière par des gens qui reprenaient inlassablement depuis des mois, sinon des années, en privé et en public, les mêmes thèmes et ne faisaient nul mystère de leurs intentions. Pour ce qui me concerne, depuis 1956, dans cent réunions publiques, à la tribune du Parlement, par d'innombrables articles et déclarations, j'avais mis en garde l'opinion et les hommes politiques contre l'explosion qui ne manquerait pas de se produire en Algérie si la population européenne et l'armée se sentaient menacées par un abandon. Ces avertissements, tous les hommes responsables, y compris Robert Lacoste et les chefs militaires tels que Salan, Allard, Jouhaud, Auboyneau, les avaient prodigués au gouvernement et au Président de la République.

Il n'y avait pas besoin d'avoir reçu le don de prophétie pour se rendre compte qu'une chaudière à l'intérieur de laquelle la pression ne cesse de monter doit fatalement sauter si l'on en ferme hermétiquement les soupapes de sûreté. Or, le terrorisme F.L.N., l'incident de Sakiet et ses suites, la menace d'une défaite diplomatique analogue à celle de Suez, enfin l'assassinat, en Tunisie, de trois jeunes soldats enlevés par les rebelles, chauffèrent à blanc la chaudière. Dans le même temps, le départ de Robert Lacoste, l'insuccès de Georges Bidault, l'obstruction systématique opposée à Jacques Soustelle par les partis et par l'Elysée, enfin le programme de Pflimlin, qui envisageait de faire appel aux « bons offices » de la Tunisie et du Maroc et d'entrer en pourparlers avec le F.L.N., tout cela poussait au désespoir les Français d'Algérie.

L'appel lancé au général de Gaulle par Alain de Sérigny le 11 mai, la manifestation du 13 prévue pour protester contre le meurtre des trois prisonniers ne peuvent être assimilés à un complot que par une imagination trop fertile.

Il est d'ailleurs évident qu'à la suite de la soudaine percée de la foule s'emparant du building du Gouvernement général, la formation du Comité de Salut public présidé par Massu fut improvisée dans le désordre avec les premiers qui se trouvèrent là. On connaît la réplique célèbre: au général Massu qui lui demandait d'un ton rogue « D'abord, qui êtes-vous? » un des membres de ce Comité surgi du néant rétorqua: « Moi, je suis la foule! »

Pour ce qui me concerne, j'avais conçu tout autrement le déroulement du « scénario ». Selon toutes les règles et tous les précédents parlementaires, Pflimlin devait se voir refuser l'investiture. Alors et alors seulement Alger, c'est-à-dire la population, les anciens combattants et enfin les militaires, auraient respectueusement mais fermement invité le président Coty (qui, on le sait, avait fait prendre contact avec de Gaulle dès le 5 par le général Ganeval, chef de sa maison militaire) à faire appel au général de Gaulle pour dénouer la crise. Le tour imprévu pris par les événements dans l'après-midi du 13 mai sauva *in extremis* Pflimlin et compliqua considérablement la solution.

Pour ce qui me concerne, loin d'agir secrètement, je ne me trouvais que trop découvert, puisque la radio d'Alger et des dizaines de milliers d'Algérois réunis sur le Forum clamaient mon nom à tous les échos alors que je me trouvais encore à mon banc de député pour prendre part, comme il était normal, au débat et au vote d'investiture.

J'avais donné ma parole au peuple d'Alger, le 2 février 1956, quand une énorme multitude m'avait accompagné jusqu'au navire qui me ramenait en France, de me retrouver auprès de lui et avec lui au moment de la plus grande épreuve. C'est pour tenir cette promesse que j'avais décidé de gagner Alger le 13 mai. Je n'y parvins que le 17, après un détour par Genève d'où un avion frété par Bénouville nous emmena à Maison-Blanche avec La Tour du Pin, Charles Béraudier et René Dumont. J'ai raconté ailleurs (1) comment, en dépit d'une certaine tension initiale, j'y établis avec le général Salan et les comités de Salut public une collaboration étroite pour l'Algérie française et pour le retour au pouvoir du général de Gaulle, deux objectifs que nous étions alors très nombreux à considérer comme inséparables.

La propagande officielle du régime néo-gaulliste s'est attachée à répandre une contre-vérité manifeste, à savoir que le général de Gaulle lui-même avait tout ignoré de ce que préparaient et de ce que faisaient ceux qui s'étaient fixé pour but de le ramener à la tête du pays. Cette version peut être commode pour qui ne veut rien devoir à personne, mais elle est complètement fausse. Guichard et Foccart, pour ne mentionner que deux noms, tenaient le Général au courant de tout ce qu'ils savaient, et ils savaient tout puisqu'on ne leur cachait rien. Dès que nous fûmes installés à Alger, un code dit *Muscadet* et un plan d'émission dit *Violette* furent mis en œuvre entre Béraudier qui se trouvait avec moi à la villa des Oliviers, et Foccart demeuré à Paris. Son exécution était assurée à Alger par cinq sous-officiers du service des transmissions qui s'acquittèrent à merveille de leur tâche. D'autre part, bien que le gouvernement Pflimlin ait coupé les communications entre la métropole et l'Algérie, nous eûmes recours à deux moyens pour téléphoner à Paris. D'une chambre de l'hôtel Saint-Georges, Pierre de Bénouville appelait son hebdomadaire *Jours de France* (les communications des journalistes avec leurs rédactions étaient autorisées), où Debré, Malraux, d'autres encore se trou-

(1) *L'Espérance trahie*, Paris, Editions de l'Alma, 1962. Réédition à La Table Ronde.

vaient. Mais il y avait mieux: un excellent fonctionnaire corse du Gouvernement général, spécialiste des transmissions, me révéla qu'il existait un fil direct (que tout le monde avait oublié) entre le standard du « G.G. » et celui de la place Beauvau. Il savait également qu'à certaines heures ce dernier était confié à des téléphonistes originaires de l'île de Beauté. Mettant à profit ces périodes favorables, il appelait ses compatriotes, conversait avec eux en Corse, puis obtenait par leur intermédiaire tout numéro à Paris ou en province dont je pouvais avoir besoin. Jules Moch qui, à quelques mètres de là, fulminait des excommunications majeures contre les « factieux », ne se doutait pas que nos transmissions passaient par son propre ministère.

De Gaulle, je le répète, était donc tenu au courant. Nous ne lui demandions pas d'instructions, puisque le but de toute l'opération était de le faire désigner régulièrement par le Président de la République, et que, si elle avait échoué, nous ne voulions pas courir le risque de compromettre ses chances ultérieures. Mais, évidemment, un ordre de lui, ou un désaveu explicite, aurait tout arrêté net. On sait qu'il fit une déclaration le 15 mai, puis donna une conférence de presse le 19 et qu'il ne désavoua personne. Debré, Malraux, Michelet (1), qui se trouvaient à Paris, mêlés aux événements et approchant de Gaulle, ne me transmettaient que des encouragements.

(1) Roger Frey m'avait rejoint vers le 20 mai en traversant l'Espagne et en louant un bateau aux Baléares. A Alger, il se spécialisa avec Neuwirth dans les émissions radiophoniques vers la métropole. Ce fut lui qui eut la brillante idée de faire diffuser par la radio d'Alger de prétendus « messages personnels » dans le style de ceux de la B.B.C. pendant la guerre. Ces « messages » fantaisistes devaient faire croire qu'une vaste organisation secrète recevait ainsi ses consignes. Jules Moch et sa police, affolés, tombèrent dans le panneau tendu par le futur ministre de l'Intérieur.

Bien plus, quand le général Dulac, envoyé par Salan en liaison à Colombey, y rencontra le général de Gaulle le 28 mai, à quoi se ramène l'entretien? A trois points principaux:

1. De Gaulle estimait alors que la route du retour au pouvoir dans la légalité formelle lui était barrée par les partis, notamment par les socialistes.

2. Il se fit exposer en détails le plan « Résurrection », établi par les chefs militaires, et qui prévoyait l'envoi de parachutistes à Paris. Il le critiqua d'un seul point de vue: les moyens disponibles lui paraissaient à peine suffisants, et il demanda qu'on les renforçât.

3. Si les partis continuent à s'opposer avec succès à son retour, concluait-il, « alors, faites le nécessaire! »

Ayant assisté dans le bureau du général Salan au compte rendu de mission que fit Dulac dès son retour à Alger, je n'avance rien, ici, dont je ne sois sûr. Il est clair que de Gaulle n'avait pas encore découvert, à cette époque, que l'action menée pour lui rouvrir les portes du pouvoir était « une entreprise d'usurpation ». Non! Car, bien au contraire, il la définissait en ces termes:

« Il s'est développé dans cette grande ville française un grand événement: celui d'une rénovation et d'une fraternité. Puisse ce mouvement, à partir d'ici, embraser la France entière! »

Et encore:

« Il est parti de cette terre magnifique d'Algérie un mouvement exemplaire de rénovation et de fraternité. Il s'est levé de cette terre éprouvée et meurtrie un souffle admirable qui, par-dessus la mer, est venu passer sur la France entière... C'est d'abord à cause de vous qu'elle m'a mandaté (1). »

(1) La première de ces citations est extraite d'une allocution prononcée à bord du croiseur *De Grasse* ancré en rade d'Alger, le 4 juin; la seconde, du discours de Mostaganem le 6.

On connaît le déroulement de la crise finale. Tandis qu'en Algérie, depuis le 16 mai, se déroulaient d'immenses manifestations de fraternisation auxquelles les musulmans prenaient part massivement et que le F.L.N., réduit à l'impuissance, ne réagissait pas contre ce mouvement, à Paris le gouvernement, dont le ministre de l'Algérie ne pouvait pas mettre le pied en Algérie, le ministre du Sahara se rendre au Sahara, le ministre de la Guerre commander l'armée, le ministre de l'Intérieur se faire obéir de la police, s'enlisait progressivement. Le général Salan, dès le 15 mai, lança son appel à de Gaulle. Le 29, le président Coty demanda à de Gaulle de former le gouvernement. L'Assemblée lui accorda l'investiture le 1er juin (329 voix pour 224 contre, 32 abstentions) et vota dès le lendemain, à des majorités analogues, les projets de loi accordant des pouvoirs spéciaux au gouvernement et le chargeant de rédiger un texte constitutionnel destiné à être soumis au référendum.

Il est donc évident que, de même qu'il n'y eut pas de complot, il n'y eut pas de coup d'Etat, mais, devant la situation exceptionnelle découlant du 13 mai, la formation régulière d'un gouvernement dont le chef fut désigné par le Président de la République et investi par l'Assemblée nationale. Le gouvernement de Gaulle de juin 1958 n'a pas été le premier de la Ve République, mais le dernier de la IVe.

En assumant les fonctions de président du Conseil, de Gaulle, quoi qu'il ait pu prétendre par la suite, reconnaissait la légitimité du régime qu'il avait si longtemps combattu. Il a déclaré plus tard qu'il « n'avait pas eu de prédécesseur ». Il n'en accepta pas moins, pourtant, de siéger en Conseil des ministres sous la présidence de René Coty. En somme, grâce au 13 mai, grâce au mouvement qui avait entraîné la population et l'armée, grâce aux gaullistes qui avaient fait en sorte d'orienter ce mouvement vers lui, grâce à Salan qui

147

avait le premier prononcé son nom du haut du balcon au Forum, il réalisait ce que beaucoup d'entre nous avions toujours espéré, quelquefois même en dépit de son scepticisme: arriver au pouvoir, dans le cadre du régime, afin de le changer.

Mais qu'il dût à d'autres qu'à lui-même cette nouvelle élévation, voilà ce qu'il ne pouvait tolérer. Aussi René Coty devait-il être écarté, l'Algérie abandonnée, l'armée brisée, les partis politiques vilipendés, le Parlement abaissé, les gaullistes de toujours acculés au reniement comme Debré ou chassés comme moi-même, Salan enfin condamné au destin que l'on sait. Il fallait qu'il se dressât seul: seul à incarner la France, seul Guide, seul maître. Plus d'amis: des courtisans; plus de compagnons: des serviteurs. Par touches insensibles d'abord, puis par une transition de plus en plus rapide, on allait passer au néo-gaullisme, antithèse à bien des égards du gaullisme qu'il avait animé depuis 1940: c'est-à-dire le pouvoir pour le pouvoir; les impulsions diverses et souvent contradictoires d'un homme imposées à la place d'une doctrine librement acceptée; le patrimoine jadis jalousement défendu, dispersé aux quatre vents; la République, autrefois restaurée, réduite à un décor dérisoire pour une omnipotence personnelle.

Comme beaucoup d'interlocuteurs du Général, je l'ai entendu plus d'une fois, pendant les dernières années de la traversée du désert, évoquer dans un développement brillant ce qu'il appelait « les échecs de de Gaulle ». Il disait en substance: « Avant la guerre, j'ai voulu amener la France à se doter d'un corps cuirassé, et je n'ai pas été suivi. En 1940, je suis allé à Dakar pour essayer de remettre l'Afrique dans la guerre, et j'ai été repoussé. En 1946, je me suis opposé à la mainmise des partis, et j'ai échoué. Puis j'ai créé le Rassemblement, et j'ai échoué encore. »

Mais ces « échecs » qu'il se plaisait à énumérer n'étaient dus qu'à la résistance des hommes et des événements. Bien plus désastreux apparaît celui qu'il s'est infligé à lui-même en se démentant devant l'Histoire lorsque, revenu à la tête du pays et disposant de pouvoirs absolus, il a substitué au gaullisme, sans y être contraint par rien ni par personne, la funeste caricature du néo-gaullisme. C'est bien de ses propres mains en effet, qu'une fois mis en mesure de reconstruire selon les principes qu'il avait lui-même cent fois définis, il allait en dix années se livrer à une œuvre de destruction sans précédent, au détriment de sa propre image comme à celui de la France.

DEUXIÈME PARTIE

1

LE NÉO-GAULLISME ET LA RÉPUBLIQUE

Face au désastre de 1940 et à ses conséquences politiques, le gaullisme de guerre apparaît d'abord comme conservateur: contre la « révolution nationale », il entend maintenir, autant qu'il est possible dans le bouleversement général, les institutions et les lois de la République. Conduit par les circonstances à créer un pouvoir provisoire dans l'Empire et en exil, il s'engage à rendre compte à une représentation nationale librement désignée. La seule légitimité, c'est la République telle qu'elle existait avant Vichy; et même si l'on admet que ce régime pourra ou devra être modifié après la victoire, il est entendu que seule la nation régulièrement consultée pourra se donner des institutions nouvelles.

Dès le 27 octobre 1940, en constituant à Brazzaville le Conseil de Défense de l'Empire, de Gaulle prend « l'engagement solennel de rendre compte de (ses) actes aux représentants du peuple français dès qu'il lui aura été possible d'en désigner librement ». L'article premier de l'ordonnance de Brazzaville instituant le Conseil de Défense précise: « Aussi longtemps qu'il n'aura pu être constitué un gouvernement français et une représentation du peuple français réguliers et indépendants de l'ennemi, les pouvoirs publics dans toutes les parties de l'Empire libérées du contrôle de l'ennemi seront exercés sur la base de la législation française antérieure au 23 juin 1940. »

« Gérants provisoires mais résolus du patrimoine français... nous ne voulons pas modifier nous-mêmes les institutions françaises (1). » « La France sait que pour unir toutes les terres qui lui appartiennent et tous les Etats qu'elle protège, il n'existe comme liens que les justes lois de la légitime République (2) ».

On sait quelle âpre polémique s'engagea, après les débarquements anglo-américains en Afrique du Nord le 8 novembre 1942, entre le Comité national de Londres et le pouvoir installé à Alger sous la direction de Darlan, puis de Giraud. Au cœur de ce débat se trouvait précisément l'opposition irréductible entre deux conceptions: celle des Français Libres, qui exigeaient le rétablissement, en Afrique du nord comme dans tous les autres territoires d'outre-mer, des lois républicaines, et celle que soutenaient l'amiral Darlan, le résident général Noguès, le gouverneur général Boisson et à leur suite le général Giraud. Selon ces derniers, qui se considéraient, par une extraordinaire acrobatie mentale, comme les héritiers légitimes du Maréchal — lequel pourtant les accablait d'anathèmes — il convenait de maintenir en Afrique les principes et les lois de Vichy. Cette option capitale, Roosevelt, tout démocrate qu'il fût, affectait de ne lui accorder aucune importance: tout se ramenait pour lui à l'opportunité d'expédients provisoires qu'il se réservait, en chef suprême de guerre, de manipuler à sa guise. Quant à Eisenhower, attentif aux seules exigences de la situation militaire, il ne vou-

(1) Déclaration à l'agence « A.F.I. », 2 avril 1941.
(2) Discours radiodiffusé par Radio-Brazzaville et Radio-Beyrouth le 21 novembre 1942.

lait rien comprendre à ce débat sur les principes, sans se rendre compte que dans une guerre de libération les idées pour ou contre lesquelles on appelle les peuples à combattre ne sont pas d'une importance moins décisive que celle des canons.

L'influence intelligente de Jean Monnet réussit en mars 1943 à convaincre le général Giraud de se rallier à la thèse du gaullisme (1); ce qu'il fit dans un discours dont l'aboutissement normal devait être, après trois mois d'atermoiements, la constitution à Alger du Comité Français de la Libération Nationale, Gouvernement provisoire (il en prit le nom l'année suivante) soumis à la législation française antérieure à l'armistice.

En ouvrant à Alger, le 3 novembre 1943, la séance inaugurale de l'Assemblée consultative, le général de Gaulle résumait ainsi la thèse du gouvernement: « Il nous a fallu créer des pouvoirs provisoires, afin de diriger l'effort de guerre de la France et de soutenir ses droits. Ces pouvoirs sont, par avance, soumis au jugement de la nation et, en attendant, respectent et font respecter, partout où ils s'exercent, les lois qu'elle s'est données quand elle était libre. » Et, devant la même Assemblée, il déclarait le 25 juillet 1944: « Dans l'ordre politique, nous avons choisi. Nous avons choisi la démocratie et la République. Rendre la parole au peuple, autrement dit organiser dans le plus court délai possible les conditions de liberté, d'ordre et de dignité

(1) Avec, cependant, une exception significative: il maintenait en Algérie la discrimination raciale instaurée par Vichy, et se refusait à rétablir le décret Crémieux qui avait conféré aux Juifs, soixante-dix ans plus tôt, la pleine citoyenneté française. « Le Juif à l'échoppe, l'Arabe à la charrue », déclara-t-il, montrant par là son ignorance des conditions réelles en Algérie. Il fallut la formation du gouvernement provisoire et une lutte acharnée dans les coulisses pour que fût définitivement abrogée la législation antisémite. Les Arabes, objectait-on, se soulèveraient: ils ne bougèrent pas.

nécessaires à la grande consultation populaire d'où sortira l'Assemblée nationale constituante, voilà vers quoi nous allons. »

« Assemblée nationale constituante! » En lançant ces trois mots, de Gaulle n'annonçait-il pas clairement que, s'il avait tenu pour seule légitime la République telle qu'elle était, c'est-à-dire la IIIe, il n'en était pas moins convaincu qu'un régime nouveau devrait surgir de la victoire et de la libération?

Cette conviction, à vrai dire, n'était pas récente, et nombreux étaient ceux qui, en France et au-dehors, la partageaient depuis longtemps. De Gaulle avait condamné dès mars 1941 « les abus du régime parlementaire, devenus intolérables ». La déclaration de juin 1942, rédigée par lui et adoptée par les mouvements de résistance non communistes, condamnait, elle aussi, « un régime moral, social, politique, économique (qui avait) abdiqué dans la défaite après s'être paralysé dans la licence ». Les résistants de l'O.C.M. (Organisation Civile et Militaire) qu'orientait l'esprit original et subtil de Maxime Blocq-Mascart, ceux du C.G.E. (Comité Général d'Etudes) tels que Pierre-Henri Teitgen, Alexandre Parodi, les démocrates chrétiens du futur M.R.P., la plupart des socialistes, les résistants de gauche qui devaient fonder plus tard l'U.D.S.R., tous jugeaient inconcevable le retour pur et simple au système qui s'était effondré en 1940. La République, oui! La IIIe telle que nous l'avions connue entre les deux guerres, perpétuellement affaiblie et ridiculisée par les crises, cheminant péniblement entre les intrigues et les embûches, incapable — la terrible épreuve de 1940 l'avait assez démontré — de défendre le territoire et les libertés? Les hommes de courage et de sacrifice qui surgissaient des ténèbres, souvent pour s'y replonger et y disparaître à jamais comme Pierre Brossolette ou Cavaillès, étaient unanimes à répondre: Non!

Quant à moi, au fur et à mesure qu'à Londres, et

154

surtout à Alger, au contact quotidien avec la résistance intérieure, je prenais connaissance des projets, études et mémoires qu'élaboraient les mouvements clandestins, que je m'entretenais avec les délégués de la France occupée à l'Assemblée consultative, que je me liais d'amitié avec les chefs de la Résistance, je constatais que le sentiment général de ceux qui menaient le combat contre l'envahisseur les portait à vouloir édifier une nouvelle République sur les ruines de l'ancienne. Ce sentiment, bien sûr, n'allait pas sans arrière-pensées chez certains, chez les communistes naturellement, qui comptaient bien s'attribuer les atouts dans la redistribution des cartes. Il n'y avait guère que les anciens radicaux pour souhaiter qu'on remît en place une Assemblée nationale et un Sénat, et que ces deux Assemblées réunies en congrès constituant eussent à décider si des modifications devraient éventuellement être apportées aux vieilles lois constitutionnelles de 1875.

Il était bien naturel, au demeurant, qu'après cinq ans de guerre, une terrible occupation, d'innombrables arrestations et déportations, l'oppression et la faim, le peuple qui avait subi ces souffrances indicibles fût appelé à se donner des institutions nouvelles pour remplacer celles dont la débâcle lui avait infligé tous ces maux.

Ainsi l'élection d'une Constituante apparaissait-elle comme la conclusion logique d'une phase pendant laquelle, faute de pouvoir faire autrement, il avait bien fallu maintenir la seule légitimité existante.

La République nouvelle? Du pays écrasé par la domination hitlérienne, des réunions secrètes, du fond même des cachots, son image se projetait vers nous, et elle coïncidait avec celle que dès 1940, en exil, des hommes comme Hackin avaient commencé à former dans leur esprit. Tous la voyaient non pas moins démocratique que la IIIe, mais davantage; plus sociale; dérobée aux pressions des groupes de privilèges. Ils la voulaient aussi plus forte, mieux charpentée, ayant à sa

155

tête un Etat capable de faire face aux épreuves avec autorité et continuité, alors que la précédente, molle et divisée, avait été emportée par la bourrasque.

En 1945, la guerre terminée, les prisonniers et déportés revenus, de Gaulle et son gouvernement devaient, comme il avait été promis cinq ans auparavant, remettre leurs pouvoirs entre les mains de la représentation nationale régulièrement élue. Cette promesse fut tenue. L'Histoire portera à l'actif du général de Gaulle qu'il ait respecté cet engagement alors qu'il avait en main les moyens matériels et moraux de conserver tout le pouvoir en s'appuyant sur l'armée et sur une large adhésion populaire. Elle regrettera d'autant plus douloureusement que, revenu plus tard aux affaires, il ait, pour s'y maintenir à tout prix, adopté une ligne de conduite rigoureusement contraire.

De Gaulle a consacré plus d'une page de ses *Mémoires* (1) à expliquer pourquoi, entre juin et août 1945, il conçut et fit mettre en vigueur, par une ordonnance prise en Conseil des ministres, le référendum dont les deux questions furent soumises au corps électoral le 21 octobre. La première de ces questions avait pour but de trancher le problème du retour aux institutions anciennes: en répondant « oui », le pays déciderait que la nouvelle Assemblée aurait le pouvoir constituant, et qu'ainsi la IIIᵉ République, déjà morte, serait décemment enterrée, pour laisser la place à une autre. Par la seconde question, les électeurs étaient appelés à dire si la nouvelle Assemblée disposerait de tous les pouvoirs: pourrait-elle, en particulier, élaborer la Constitution de la future République entièrement à sa guise et sans aucun recours? Ou bien, au contraire, limitée dans sa durée à sept mois, devrait-elle soumettre à l'approbation du peuple le texte qu'elle aurait établi?

(1) *Mémoires de guerre*. T. III: Le Salut, Paris, Plon, 1959, p. 240-241, 256 à 266.

Répondre « oui » à la première question, c'était donc abolir la Constitution précédente. Répondre « oui » à la seconde, c'était réserver en dernier ressort aux citoyens le droit souverain d'accepter ou de rejeter les institutions nouvelles.

Le mécanisme était ingénieux, les principes sans trop de simplicité étaient clairs, la procédure démocratique. Etant donné que plus de deux mois devaient s'écouler entre la promulgation du projet de référendum par le gouvernement et le vote, on ne saurait prétendre que les diverses opinions n'aient pas eu le temps de s'exprimer. En fait, la polémique fut extrêmement vive, d'abord à l'Assemblée consultative, puis dans la presse et dans le pays.

Le général de Gaulle me paraît injuste, dans son récit, et d'une aigreur excessive, contre les partis politiques. Il est vrai que les communistes, voulant *à la fois* liquider la IIIe République et dominer la IVe par le moyen d'une Assemblée omnipotente et souveraine, se déchaînèrent pour le « oui » à la première question et pour le « non » à la seconde; et ils le firent, selon leur habitude, avec outrance et véhémentes invectives. Quant aux radicaux, ils préconisèrent le « non »: à la première question par attachement nostalgique à la vieille République que leur parti avait si longtemps dirigée; et à la deuxième, parce qu'ils ne pouvaient concevoir aucun frein aux volontés d'un Parlement élu. Mais le parti socialiste, le M.R.P., l'U.D.S.R., en dépit des manœuvres des communistes qui firent flèche de tout bois en utilisant tour à tour le C.N.R., les syndicats, la « délégation des gauches », se rallièrent en fin de compte à la thèse du Général et se firent les champions du « oui-oui » gaulliste contre le « oui-non » de l'extrême-gauche et le « non-non » des radicaux. Leur attitude pendant la campagne ne fut certainement pas pour rien dans le fait que la deuxième question, malgré l'opposition forcenée des communistes, obtint plus de 12 millions de « oui ».

Teintant rétrospectivement les événements de 1945 de l'animosité qu'il éprouvait en 1958 lorsqu'il en écrivait la relation, de Gaulle impute à tous les partis, comme à tous les journaux, sans exception, « la critique ou la hargne », la « réprobation déterminée » qui auraient accueilli toutes ses décisions. Cela, nous venons de le voir, n'est pas exact. Aussi, tandis qu'il s'étend longuement sur l'hostilité des partis, expédie-t-il en quelques lignes l'adhésion et le concours que lui apportèrent en fait toutes les formations politiques à l'exception du Parti communiste, des radicaux de stricte obédience et de quelques modérés. Etant donné qu'aux élections qui eurent lieu le même jour, le parti socialiste, le M.R.P., et l'U.D.S.R. obtinrent au total plus de 9 millions de suffrages, il est douteux que la deuxième question ait pu être votée si ces partis avaient fait campagne contre le « oui ».

Il est vrai qu'au cours des derniers mois précédant le référendum une tension croissante avait marqué les rapports entre de Gaulle, chef du gouvernement, et l'Assemblée consultative. Elle s'exaspérait de ne pouvoir émettre que des avis, dont le gouvernement tenait ou ne tenait pas compte; de Gaulle s'irritait du moindre coup d'épingle. Son esprit aiguisé par le soupçon était apte, tel un radar d'une extrême sensibilité, à déceler même au milieu des manifestations les plus chaleureuses « je ne sais quelle tonalité différente de l'enthousiasme, une sorte de dosage des applaudissements, les signes et les coups d'œil échangés entre les assistants, les jeux de physionomie... ». De ces réserves vraies ou imaginaires, il tirait cette conclusion: « Prendre appui dans le peuple plutôt que dans les « élites » qui, entre lui et moi, tendaient à s'interposer (1). »

(1) *Mémoires de guerre*, t. III, p. 8.

De ces « élites », aucune ne lui était plus suspecte que celle des « politiques », Georges Bidault disait un jour en parlant du Général: « Je n'ai jamais vu personne prendre autant de mouches avec du vinaigre. » Mais le fait est qu'entre les hommes politiques et lui on échangeait trop copieusement le vinaigre pour que les relations n'en fussent pas sérieusement affectées. Quand sa méfiance toujours en alerte trouvait en face d'elle la susceptibilité d'un Edouard Herriot, le heurt inévitable pouvait entraîner des conséquences d'une gravité disproportionnée. Une maligne intervention de Herriot à l'Assemblée nationale, le 16 janvier 1946, acheva de décider de Gaulle à brusquer son départ.

La Constitution de la IVe République ayant été adoptée dans les conditions que j'ai retracées plus haut, le gaullisme devait prendre pendant douze ans la figure d'un mouvement révisionniste. Si ample que fût sa doctrine à mesure qu'elle se précisait au long des travaux de congrès et de conseils, l'essentiel demeura la réforme des institutions, le changement de régime. Il fallait donc définir en quoi consisterait ce changement, en d'autres termes, quelle Constitution de Gaulle et ceux qui le soutenaient (le R.P.F. à partir de 1947) entendaient proposer au pays. Les discours de Bayeux (16 juin 1946) et d'Epinal (29 septembre) définirent à grands traits, mais déjà avec beaucoup de précision, les institutions que de Gaulle estimait nécessaires.

D'abord, trois notions de base: séparation des pouvoirs, équilibre des pouvoirs, arbitrage. « Tous les principes et toutes les expériences exigent que les pouvoirs publics: législatif, exécutif, judiciaire, soient nettement séparés et fortement équilibrés, et qu'au-dessus des contingences politiques soit établi un arbitrage national qui fasse valoir la continuité au milieu des combinaisons. »

Maintenant, les pièces maîtresses des structures à établir: un « Parlement, composé de deux Chambres et exerçant le pouvoir législatif » ; un exécutif dont le chef, « élu par un collège qui englobe le Parlement mais beaucoup plus large », nomme le Premier Ministre « qui devra diriger la politique et le travail du gouvernement ». Le chef de l'Etat aura pour attribution « de servir d'arbitre au-dessus des contingences politiques, soit normalement par le conseil, soit, dans les moments de grave confusion, en invitant le pays à faire connaître par des élections sa décision souveraine ». Enfin, une justice « indépendante de toutes influences extérieures, en particulier des influences politiques ».

Le schéma est classique: c'est celui d'un régime démocratique et parlementaire à deux Chambres, avec un président possédant le droit de dissolution. L'Assemblée élue au suffrage universel « contrôle le gouvernement » et peut le renverser, elle peut être elle-même dissoute par le Président. La seconde Assemblée, « élue par les conseils généraux et municipaux, (doit compléter) la première, notamment en faisant valoir, dans la confection des lois, les points de vue financier, administratif et local qu'une Assemblée purement politique a fatalement tendance à négliger ». La justice doit s'administrer elle-même par le moyen d'un conseil de la magistrature « fermé aux interventions des partis ». Quant au chef de l'Etat, c'est sa fonction d'arbitrage qui est le plus fortement mise en valeur. Afin de pouvoir l'exercer pleinement, il n'est pas élu par le seul Parlement, donc par les partis, mais par un collège élargi en métropole et dans l'Union française. Il est aussi doté d'une attribution très importante: « S'il devait arriver que la patrie fût en péril », il serait « le garant de l'indépendance nationale et des traités conclus par la France », ainsi que de « l'intégrité du territoire ». Cette dernière disposition visait évidemment une situation encore présente à toutes les mémoires, celle de 1940, où l'infortuné président Lebrun n'avait pu transporter avec sa personne les sceaux et l'autorité de l'Etat en Afrique du Nord.

Le régime que nous appellerons pour la commodité « régime de Bayeux » est parlementaire. Le gouvernement n'est-il pas « responsable de ses actes devant la représentation nationale (1) »? La séparation des pouvoirs doit y être rigoureuse: elle est « à la base de toute démocratie ». Ou encore: « Le pouvoir exécutif, le pouvoir législatif et le pouvoir judiciaire (doivent être) séparés dans leurs attributions, leurs hommes et leurs responsabilités, afin qu'il y ait un vrai gouvernement, un vrai parlement, une vraie justice (2); « la base de la Constitution telle que nous la voulons pour la République, c'est la séparation des pouvoirs (3) ».

Dès Bayeux, de Gaulle complète sur deux points sa thèse sur la deuxième Assemblée: élue « pour l'essentiel » par les conseils généraux et municipaux, elle comportera aussi « des représentants des organisations économiques, familiales, intellectuelles »; en outre, réunie aux élus des territoires d'outre-mer, elle formera « le grand Conseil de l'Union française », union conçue elle-même comme « une organisation de forme fédérative ».

Il serait fastidieux de reprendre ici les innombrables déclarations, motions et résolutions émises par de Gaulle lui-même, par ses collaborateurs les plus proches, par les Conseils et Congrès du R.P.F., puis des républicains-sociaux. De 1946 à 1958, la ligne fixée dès le début en matière constitutionnelle n'a pas dévié d'un pouce. On pourrait même dire que tous, depuis de Gaulle jusqu'au dernier des militants, nous n'avons cessé de revenir à tout propos, *ad nauseam*, sur cette exigence première de la réforme de l'Etat. Quel-

(1) De Gaulle: conférence de presse du 24 avril 1947.
(2) De Gaulle: discours de Bayonne, 7 septembre 1947.
(3) Conférence de presse, 12 novembre 1947.

ques orientations doivent cependant être mentionnées ici.

D'abord celle-ci: les gaullistes, accusés à cent reprises d'être « contre la République » et « contre la démocratie » rétorquaient que, bien au contraire, le régime qu'ils préconisaient était au premier chef une forme démocratique de la République. « Parce que nous voulons, écrivait par exemple Pierre de Gaulle, rétablir la notion même de République, on nous accuse d'être contre le régime... Nous sommes *contre* le régime des partis, *pour* le régime républicain. Celui-ci n'a jamais reposé que sur l'existence, d'abord, sur la séparation, ensuite, des pouvoirs (1). »

Nous insistions sur le fait que, dans ce régime, le renforcement de l'Etat irait de pair avec la garantie des libertés publiques. Cet Etat, en effet, serait « concentré sur les tâches qui lui sont propres... plus cet Etat sera fort, et plus vous, Français, vous serez libres (2) ». Au premier rang de ces libertés à protéger ou à restaurer, nous placions celles des collectivités locales, des conseils généraux et des conseils municipaux. Les Assises nationales de Paris (juin 1950) votèrent sur la proposition de Michel Debré une motion tendant à « libérer les organismes locaux de l'emprise excessive du pouvoir central »; et celles de Nancy en novembre 1951, sur le rapport du même Debré, se prononcèrent pour la défense des libertés communales et départementales, le renforcement de l'autorité des conseils généraux, l'allégement de la tutelle des Préfets sur les communes.

Dès lors que les gaullistes attachaient tant de prix à ces corps intermédiaires que sont les conseils élus

(1) Article publié par *I.D.*, service hebdomadaire d'information et de documentation (du R.P.F.), 27 décembre 1951.
(2) Discours de Jacques Soustelle au Vél' d'Hiv' le 2 juillet 1947.

162

par les communes et les départements, il était naturel que la deuxième Assemblée, issue de ces conseils, dût à leurs yeux obtenir des pouvoirs plus larges. La motion adoptée à Nancy va jusqu'à préconiser « l'égalité d'attributions *et de décision* des deux Assemblées ». René Capitant, présentant son rapport à la Xe section des Assises de Paris, écrivait: « La démocratie, qui repose tout entière sur l'idée de l'autonomie des individus et des groupes, exige la reconnaissance des libertés communales et départementales. Or, la garantie de ces libertés doit nécessairement être recherchée dans la participation de ces collectivités à l'œuvre législative. C'est ainsi que se justifie et se définit la fonction du Conseil de la République... d'autant plus importante qu'apparaît mieux à notre époque la nécessité de libérer les communes de la tutelle envahissante et paralysante de l'Etat... Le Conseil de la République doit voir ses pouvoirs accrus. » Capitant proposait, à cet effet, de donner à la deuxième Assemblée une sorte de droit de veto ou plutôt d'appel contre les décisions de l'Assemblée nationale, notamment en les déférant soit au Conseil constitutionnel, soit même au pays par voie de référendum. Il suggérait aussi de faire discuter les projets de loi d'abord par elle, de manière que l'Assemblée nationale fût déjà éclairée et orientée par le débat et le vote du Conseil de la République.

Il est à remarquer que le R.P.F., tout en réclamant l'élection du Président de la République par un collège plus large que le Parlement, et représentant non seulement la métropole mais toute l'Union française, n'était pas favorable à son élection au suffrage universel. « Le Président de la République lui-même ne doit pas être l'élu du Parlement. La séparation des pouvoirs exige que les modalités de son élection le rendent nettement indépendant du pouvoir législatif. Est-ce à dire qu'il faille prévoir son élection au suffrage universel? Nullement. Nous écartons, au contraire, nettement, *cette solution plébiscitaire dont notre histoire politique a révélé le danger* (1). »

On pourrait sans peine multiplier les citations destinées à montrer qu'il existait au Rassemblement un état d'esprit profondément libéral, hostile à la centralisation excessive, méfiant à l'égard des formules « plébiscitaires » et favorable à tout ce qui pouvait renforcer les libertés individuelles ou collectives. Debré, dans son rapport au Congrès de Nancy sur la réforme de l'Etat, affirme vigoureusement: « Une démocratie où la magistrature n'est pas indépendante du pouvoir politique, n'est pas une démocratie. »

Dans un ordre d'idées voisin, la motion votée par la XVIᵉ section du Congrès de Paris en juin 1950 condamne en termes catégoriques les « pressions intolérables » exercées par le gouvernement sur la presse et dénonce « la déformation systématique poursuivie tant en matière d'information que de commentaires » par la radiodiffusion, qui « a perdu tout caractère de service public pour tomber au rang d'un instrument ». Et cette motion ajoute: « Le Rassemblement est fermement décidé à rétablir, par une refonte totale du statut et des méthodes, la notion de service public honnêtement et impartialement assuré. »

A la veille des élections de 1951, *Le Rassemblement*, organe officiel du R.P.F., publia ce qu'on appellerait en Amérique la plate-forme du mouvement. On y trouve énumérés les quatre points suivants: « Un Etat vigoureux et républicain. Un gouvernement responsable et cohérent. Deux Assemblées qui s'équilibrent. Un pouvoir judiciaire indépendant. »

Ces positions ont été inlassablement affirmées jusqu'aux événements de mai 1958. Le 14 février 1958,

---

(1) René Capitant. *Rapport sur la révision de la Constitution*. Adopté par le Conseil national tenu à Levallois-Perret, 27 septembre-2 octobre 1948, puis par les Assises nationales.

le Comité directeur des républicains-sociaux, dans un communiqué, « constate que l'aggravation de la situation sur le plan intérieur et sur le plan extérieur (il s'agit notamment de l'incident de Sakiet et de ses conséquences diplomatiques) confirme tragiquement la critique gaulliste du système ». Et il appelle de ses vœux « une vraie réforme de l'Etat inspirée des principes de Brazzaville et de Bayeux », afin d'assurer, entre autres, « la sauvegarde de l'Algérie française et le maintien d'une communauté indissoluble entre la métropole et les territoires d'outre-mer ».

Un mois plus tard, le 23 mars, le Conseil national réuni à Saint-Mandé « renouvelle son appel à tous les défenseurs du régime républicain en faveur d'une refonte profonde du système actuel et de l'établissement d'une Constitution nouvelle fondée sur: la séparation et l'équilibre des pouvoirs; le maintien de l'unité et de l'intégrité territoriale de la République; l'organisation des rapports entre la métropole et l'outre-mer sur une base fédérale; ... un véritable arbitre national en la personne d'un Président de la République élu par un collège électoral élargi ».

Si donc on peut faire un reproche aux gaullistes, ce n'est certes pas celui d'avoir manqué de ténacité ou de suite dans les idées pendant douze ans. Ils ont littéralement tympanisé le pays de 1946 à 1958 en répétant, pour ne pas dire en rabâchant, les mêmes critiques et les mêmes thèmes.

Aussi, quand de Gaulle reprit le pouvoir en juin 1958, personne ne pouvait douter que la Constitution à établir et à soumettre au vote du pays ne dût être le reflet fidèle des conceptions exposées à Bayeux, reprises et précisées mille fois pendant ces douze ans d'attente. Il en fut d'ailleurs ainsi, au moins dans les grandes lignes. Les années d'attente avaient été aussi des années de lutte et d'amertume. A la fin, pour franchir l'ultime obstacle et obtenir régulièrement l'investiture de l'Assemblée, de Gaulle dut déclencher une opération « séduction ». Aux députés stupéfaits et ravis, il vanta « l'honneur et le plaisir » que lui procurait le fait de se trouver parmi eux — lui qui ressentait comme un « malaise physique » (l'expression est de lui) en face d'une Assemblée parlementaire! Mais, trop heureux de voir s'estomper l'épouvantail des parachutistes d'Algérie, les élus du Palais-Bourbon nagèrent dans l'euphorie. Certes, il y eut bien la voix métallique de Georges Bidault pour lancer: « Aujourd'hui, musique de Chambre... demain, musique militaire! » mais ce bon mot se perdit dans le soulagement général. D'ailleurs Bidault se trompait sur un point: ce n'était pas l'orchestre de l'armée, mais celui de la police qui allait bientôt jouer.

De Gaulle, pendant le débat d'investiture, avait dû s'engager à ce que, dans la Constitution future, le gouvernement fût responsable devant l'Assemblée, qui pourrait le renverser. Les augures de la IVe République s'imaginèrent qu'ils avaient obtenu là une importante concession. Or, cette disposition était prévue dès Bayeux. Elle ne gênait en rien de Gaulle, qui pouvait la rendre inopérante, comme on l'a vu, par le jeu de la dissolution et du référendum.

Qu'il y ait eu chez lui en 1958, avec la profonde conviction qu'une réforme totale du régime s'imposait pour le bien public, un désir de revanche à l'égard des partis et des hommes qui lui avaient barré la route pendant si longtemps sans lui ménager les critiques et même les outrages, c'est ce qui me paraît évident. Je me souviens de l'impression assez sinistre que j'éprouvai le 4 ou le 5 juin à Alger. Au Palais d'Eté, où ma femme et moi prenions le café dans le patio, de Gaulle vint s'asseoir auprès de nous. Il pétillait d'une sorte de gaieté espiègle plutôt rare chez lui: de l'air de quelqu'un qui va raconter une bonne histoire, il dit: « Savez-vous ce que je vais inscrire dans la Constitution? » Et, s'esclaffant presque, il reprit: « Désormais, tout parlementaire qui deviendra ministre devra renoncer à son siège de député! » C'était la fameuse incompatibilité qui lui a permis, depuis, de tenir à sa merci les ministres au caractère trop faible pour courir le risque de se trouver, en quittant le gouvernement sans son accord, privés à la fois de toute fonction et de tout mandat. Il y aurait beaucoup à dire pour et contre cette disposition, mais ce qui me parut ce jour-là fâcheux et inquiétant, c'est le rire sardonique dont il ponctua ses propos. Il se réjouissait visiblement, moins d'avoir introduit dans la Constitution une heureuse disposition que d'avoir tendu un piège bien monté. Sa jubilation me laissa en proie à un véritable malaise.

Je me trouvai associé, en tant que membre du gouvernement, à la préparation du projet de Constitution. Après avoir promis au général Salan que je serais chargé des affaires algériennes avec le titre de ministre d'Etat, de Gaulle se les attribua lui-même, en désignant comme secrétaire général à l'Algérie René Brouillet, choisi à n'en pas douter pour la raison qu'il ignorait tout de la question. On sait que les ovations dont j'étais sans cesse environné à Alger et à Oran avaient provoqué de sa part de violentes réactions de colère; bien qu'il affectât de ne pas m'en tenir rigueur, sa rancune, née probablement quatre ans plus tôt comme je l'ai raconté à l'occasion de mon « tour de piste » en qualité de président du Conseil pressenti, le poussait à ne pas m'inclure dans le cabinet. Mais en même temps il jugeait sans doute dangereux, dans la conjoncture, de me laisser en dehors du ministère. Après plusieurs semaines de tergiversations, et alors que je bouclais mes valises pour aller faire de l'ethnographie en Amérique centrale, il me confia, sans que je lui aie rien demandé, le portefeuille mineur de l'Information que j'avais déjà détenu en 1945 dans son gouvernement. Je pris part, de ce fait, aux débats constitutionnels, et ma signature figure au bas de la Constitution de 1958.

Au cours des années précédentes, mes réflexions m'avaient rendu de plus en plus favorable au système présidentiel à l'américaine. J'y voyais en effet trois avantages: la stabilité, puisque le Congrès ne peut renverser le Président, ni celui-ci dissoudre le Congrès; une garantie démocratique, car les attributions du Président, de la Chambre et du Sénat, le jeu du veto et des majorités, sont calculés de telle sorte qu'aucun des pouvoirs ne peut empiéter sur l'autre, et qu'en outre la Cour suprême peut s'opposer efficacement à toute décision arbitraire; enfin et peut-être surtout, la possibilité d'instaurer une organisation fédérale. J'étais convaincu, en effet, que l'Union française, groupant sous une même autorité mais de façon souple et diversifiée la métropole et l'outre-mer, ne pouvait subsister que dans le cadre d'une fédération.

Certes, la plupart des hommes politiques et des partis demeuraient attachés à la conception parlementaire de la démocratie. Mais Léon Blum lui-même, après la guerre, n'avait-il pas reconnu et écrit (dans son livre *A l'échelle humaine*) que le parlementarisme n'était pas la seule forme concevable de démocratie, et qu'un régime présidentiel pouvait fort bien donner autant de solidité à l'Etat et de garanties aux citoyens?

Cette issue, malheureusement, était fermée, puisque la dernière assemblée de la IVe République avait obtenu du général de Gaulle, avant de disparaître, l'engagement dont j'ai parlé plus haut. Dès lors, le Parlement pouvant refuser sa confiance au gouvernement et le forcer à se retirer, il fallait admettre en contrepartie — à moins de renoncer à toute stabilité et de retomber dans le cycle infernal des crises — que l'exécutif eût le droit de dissolution. Le régime parlementaire nous était donc imposé. Mais, en outre, de Gaulle ne voulait pas du système présidentiel, pour la raison

168

aujourd'hui évidente qu'il lui serait plus facile de tout régenter à sa guise du haut de son Olympe, chef de l'Etat politiquement irresponsable, tandis qu'un Premier Ministre fantoche feindrait de gouverner en servant de plastron et de souffre-douleur.

Le travail de préparation et de rédaction du texte constitutionnel avança rondement en juillet et en août. Debré, garde des Sceaux, jouait le rôle de rapporteur général devant le Conseil de cabinet que présidait de Gaulle. Une discussion préalable avait lieu entre celui-ci et les ministres qui représentaient les diverses formations politiques: Guy Mollet (S.F.I.O.), Berthoin (radical), Pflimlin (M.R.P.), Pinay (indépendants). Debré, inlassable, et d'ailleurs, comme on dit, fort à son affaire, proposait des formules, raturait et ravaudait sans trêve. En Conseil, la discussion était fort libre et quelquefois vive. Ce fut le cas notamment lorsqu'on aborda l'article 16. On sait comment cet article, qui concentre dans les mains du Président les pouvoirs les plus étendus et les plus exceptionnels et lui permet en fait de suspendre toutes les règles et toutes les garanties constitutionnelles, a été mis en œuvre en 1961: nous y reviendrons. L'idée qui le sous-tend se trouve déjà dans les discours de Bayeux et d'Epinal. C'était pour ainsi dire l'ombre portée du désastre de 1940. Certes, en cas d'invasion brusquée, de bombardements massifs, de guerre atomique, on doit prévoir que l'Etat puisse être dirigé, malgré le bouleversement général, la panique, peut-être d'immenses massacres, par le seul homme responsable qui en ait le pouvoir et la charge, c'est-à-dire le chef de l'Etat. Et il est également clair que, dans une telle tragédie, les procédures des temps normaux doivent être provisoirement écartées.

D'un autre côté, insérer dans une Constitution démocratique ce qui équivaut à une dictature, même temporaire, voilà ce qui ne peut être consenti à la légère. Les lois de la République romaine prévoyaient de telles dispositions, qui l'ont quelquefois sauvée, mais n'at-elle pas fini par en périr à force de dictatures « provisoires » indéfiniment prorogées? Dix-huit ans seulement après la débâcle qui avait eu pour résultat la liquidation de la IIIe République, on ne pouvait sérieusement nier le danger: on le pouvait d'autant moins qu'à l'arsenal déjà terrifiant des blindés et des avions était venue s'ajouter la bombe thermonucléaire. Mais, tout en reconnaissant la nécessité de faire face à des situations de drame national impliquant pour la France des décisions de vie ou de mort, plusieurs membres du Conseil répugnaient à fournir d'avance à quelque ambitieux futur (on ne pensait pas au général de Gaulle) l'arme absolue de l'usurpation.

De Gaulle, quant à lui, tenait plus fort à cet article qu'à aucun autre. Déployant toutes les ressources de la rhétorique, il se fit persuasif et pathétique, évoquant les ruines et les morts, la débandade des administrations, l'impossibilité évidente de respecter les usages des temps paisibles dans un pays envahi ou ravagé, parmi un peuple décimé. Les ministres, notamment Guy Mollet, crurent trouver une garantie suffisante dans les conditions restrictives expressément édictées par l'article 16 lui-même afin que son application devînt possible: pour en arriver à cette *ultima ratio*, le texte précise que « les institutions de la République, l'indépendance de la nation, l'intégrité de son territoire ou l'exécution de ses engagements internationaux » doivent être « menacés d'une manière grave et immédiate ». Il faut en outre que « le fonctionnement régulier des pouvoirs publics constitutionnels » soit « interrompu ». Alors, et alors seulement, dans ce cas de péril suprême, le Président de la République consulte le Premier Ministre, les présidents des Assemblées et le Conseil constitutionnel et « prend les mesures exigées par ces circonstances ».

Mais quelles mesures? Elles ne peuvent évidemment

être définies d'avance par leur contenu. Mais le texte leur fixe un but qui doit les orienter et aussi les limiter. « Ces mesures doivent être inspirées par la volonté d'assurer aux pouvoirs constitutionnels, dans les moindres délais, les moyens d'accomplir leur mission. » Il ne s'agit donc pas, on le voit, de permettre au chef de l'Etat d'ordonner n'importe quoi, mais seulement, si la Constitution ne peut pas fonctionner normalement, de faire ce qu'il faut pour qu'on en revienne le plus tôt possible à son application régulière. En d'autres termes, le Président intervient, même en dehors des formes légales, pour rétablir la légalité. Et il est évident que, ce but une fois atteint, ces mesures exceptionnelles doivent cesser en même temps que la situation anormale qui les a provoquées et justifiées. C'est du moins ce que pensait et espérait le Conseil en édifiant contre l'arbitraire du pouvoir personnel une fragile barrière de papier (1).

Laissons de côté pour le moment les dispositions qui concernent les territoires d'outre-mer; la Constitution, telle qu'elle sortit des travaux au Conseil des ministres, puis de ceux du Comité constitutionnel que présida Paul Reynaud, répondait pour l'essentiel aux conceptions maintes fois exposées depuis Bayeux par de Gaulle et les gaullistes: séparation des pouvoirs, qui s'équilibrent sous l'arbitrage du chef de l'Etat. Le pouvoir législatif appartient à un Parlement composé de deux Chambres: l'Assemblée nationale, élue au suffrage universel, vote les lois en dernier ressort, contrôle le gouvernement et peut le renverser en votant une motion de censure; le Sénat, élu au suffrage indirect, repré-

(1) L'article 16 prévoit aussi que le Parlement se réunit de plein droit et que l'Assemblée nationale ne peut être dissoute pendant l'exercice des pouvoirs exceptionnels: disposition évidemment nécessaire, mais qui pourrait être inapplicable en cas de guerre et d'invasion.

171

sente les collectivités locales. Le Président de la République est élu, lui, par un collège d'environ 80 000 personnes: parlementaires, conseillers généraux, délégués des communes de la métropole et des territoires d'outre-mer. Il peut dissoudre l'Assemblée nationale. Il désigne le Premier Ministre, qui « dirige l'action du gouvernement » (art. 21); et le gouvernement « détermine et conduit la politique de la nation » (art. 20). La Constitution se réfère dans son préambule à la Déclaration des droits de l'homme, elle garantit l'indépendance de la justice et les libertés des citoyens.

Le recours suprême, dans ce système, demeure le peuple, qui peut être consulté de deux manières: d'abord par les élections, soit aux dates régulières, soit comme suite à la dissolution de l'Assemblée nationale; ensuite par le référendum. Il est important de noter que le référendum, pièce maîtresse sans doute, n'est cependant pas destiné à intervenir n'importe quand sur n'importe quoi. Son domaine est strictement précisé: ou bien (art. 11) le pays est appelé à voter pour ou contre des projets de loi relatifs à l'organisation des pouvoirs publics ou à la ratification de certains traités, ou bien (art. 89), il doit se prononcer pour ou contre une révision de la Constitution déjà votée par les Chambres.

Michel Debré, défendant l'avant-projet gouvernemental devant le Comité constitutionnel, pouvait dire avec raison que ce texte établissait un régime parlementaire, au sens exact du terme, et distinct par là du régime d'assemblée mis en place en 1946. Il en soulignait particulièrement les aspects vraiment démocratiques. Il insistait sur l'indépendance de la justice, sur les garanties conférées aux libertés individuelles, et s'écriait dans un beau mouvement oratoire: « C'est faire injure à la justice que de détenir un prévenu plus de vingt-quatre heures sans le présenter à un magistrat! »

Telle qu'elle était, cette Constitution représentait un immense progrès par rapport aux lois de 1875 et au régime de 1946. Je la contresignai sans regret et fis de mon mieux, comme ministre de l'Information, pour bien la faire connaître et pour stimuler le débat dans le pays. De Gaulle lui-même la présenta solennellement à l'opinion, le 4 septembre 1958, place de la République (date et lieu choisis pour évoquer la chute du Second Empire et la naissance de la IIIe République). Il fit ce jour-là un de ses meilleurs discours: c'était comme si, après douze ans de frustration, voyant enfin triompher ce révisionnisme qui avait été l'essentiel d'une lutte épuisante et souvent apparemment perdue, il s'épanouissait pour prendre devant la France et l'Histoire la figure d'un législateur à l'antique, Solon ou Lycurgue que les générations futures béniraient d'avoir donné à son pays des lois justes et humaines. Et il est de fait que si de Gaulle, ayant réussi à fonder cette République, s'était attaché avant tout à en respecter et à en consolider les institutions, la France aurait eu un puissant motif de vénérer sa mémoire.

Comment oublier, en effet, qu'aucun Etat ne peut, à long terme, prospérer ni même vivre, aucun régime se maintenir, si entre gouvernants et gouvernés n'est tendu le lien invisible d'une légitimité acceptée par tous? Depuis que la Révolution française a anéanti chez nous le principe du droit divin, la source de la légitimité ne peut plus résider dans la continuité d'une dynastie. Le pouvoir, afin d'être reconnu comme tel, ne peut procéder que d'un contrat librement approuvé et clairement respecté. Que le contrat soit tourné ou violé, et les bases mêmes de la légitimité se dérobent. C'est pourquoi une Constitution écrite, précise, adoptée dans des conditions honnêtes et loyalement appliquée — toutes exigences dont se gaussent bien à tort les esprits superficiels qui se disent « réalistes » ou les thuriféraires des puissants du jour — est vitalement nécessaire à un pays comme le nôtre, qui a connu en cent soixante-dix-neuf ans tant de régimes, de coups d'Etat, d'insurrections et de dictatures. Si donc de Gaulle, s'étant acquitté de cette mission de législateur et de fondateur, avait consacré son pouvoir à faire jouer régulièrement les clauses du contrat, et par là à affermir, à faire entrer dans le réel quotidien de la nation les principes que celle-ci avait adoptés à son appel, de quel bienfait la France ne lui aurait-elle pas été redevable!

Qui pouvait prévoir, le 4 septembre, tandis que les ovations déferlaient en rafales vers lui et vers cette République nouvelle dont il amorçait la naissance, que bientôt ce même homme, déchirant de ses propres mains et le contrat et sa propre image historique, s'acharnerait à démolir l'édifice qu'il avait construit? Comment soupçonner qu'il allait engager contre son œuvre, contre ceux qui l'avaient entouré de leur dévouement, et en définitive contre lui-même, le perpétuel assaut d'un inconcevable nihilisme? Encore un peu de temps, et le pouvoir absolu d'un seul régnera sur les ruines de ce qui aurait pu être la Ve République.

Mais je n'ai que trop anticipé. Reprenons.

★

Le référendum eut lieu le 28 septembre. Et à ce propos on peut se demander s'il s'agissait bien d'un référendum ou d'un plébiscite. Tout bien pesé, on peut conclure que, même si la personnalité du Général, ses appels, son discours du 4 septembre, ont joué un rôle très important dans la campagne du « oui », la consultation garda le caractère d'un référendum, c'est-à-dire d'une décision, non pour ou contre un homme, mais pour ou contre une certaine solution. Non seulement le texte de la Constitution avait été partout répandu, et distribué naturellement à tous les électeurs, mais encore l'avait-on assorti d'innombrables explications, discussions, réfutations, le tout sans aucune restriction et en pleine liberté. Les divers partis avaient pris position, tous en faveur du projet, à la seule exception du Parti communiste. En Algérie le F.L.N., outre-mer les partis ou les hommes d'obédience communiste, firent campagne pour le « non », et en métropole certains groupes d'extrême-droite adoptèrent la même attitude négative.

Pour l'ensemble des départements français de la métropole et de l'Algérie, sur 25 796 000 suffrages exprimés, il y eut 21 millions de « oui ». Pour la seule métropole, les abstentions ne dépassèrent pas 15 %, pourcentage très bas qui reflète le vif intérêt que le pays, cette fois-là, ressentait pour la question posée. Les « oui » représentaient 79,26 % des suffrages exprimés, les « non » (4 625 000 voix, 20,74 %) correspondaient aux voix du parti communiste, de quelques « compagnons de route » à gauche et des éléments de la droite extrême que j'ai mentionnés.

Outre-mer, tous les territoires donnèrent au « oui » des majorités massives, sauf la Guinée, qui, entraînée par Sékou Touré et son organisation totalitaire, vota « non ».

Au total, pour l'Union française, il y eut 36 millions et demi de voix dont 31 millions de « oui ».

Ainsi se trouvait atteint, et brillamment, l'objectif premier des gaullistes. Pendant toute la « traversée du désert », ils n'avaient pas un seul jour cessé de diriger leurs pas vers ce but qui plus d'une fois avait semblé, mirage inaccessible, s'éloigner toujours davantage à l'horizon. La Ve République était fondée. Je tiens que ce fut un honneur pour tous ses fondateurs — sauf, bien évidemment, pour ceux qui depuis se sont associés, par faiblesse, sottise ou calcul, à sa destruction.

Les élections générales étaient fixées au 23 et au 30 novembre. Quelques semaines plus tôt, je pris l'initiative de réunir dans mon bureau, avenue de Friedland, les dirigeants des républicains-sociaux, de l'Union pour le Renouveau français que je présidais, et de la

Convention républicaine animée par Léon Delbecque. Ces trois organisations fusionnèrent pour former l'Union pour la Nouvelle République, en s'adjoignant des représentants des comités ouvriers issus de l'ancien R.P.F. et du C.I.A.N.A.S., émanation des Comités de Salut public d'Algérie.

Le premier Comité central de l'U.N.R. fut composé de Chaban-Delmas, Roger Frey, Debré, Michelet, Pierre Picard, Delbecque, Marie-Madeleine Fourcade, Marcenet, Veyssière, Ali Mallem et moi-même. Les cadres républicains-sociaux et ex-R.P.F. nous permirent de jeter en toute hâte les bases de notre organisation, et l'on procéda dans un désordre inévitable au choix et à l'investiture des candidats.

Restait à décider du mode de scrutin. Il ne pouvait être question de maintenir la loi électorale des « apparentements » que nous avions toujours dénoncée comme obscure et malhonnête. Depuis la fondation du Rassemblement, les gaullistes n'avaient cessé de réclamer le scrutin majoritaire sur des listes départementales et avec deux tours. Ce système permet en effet, quelquefois au premier tour et en tout cas au deuxième, des regroupements capables de battre les communistes. De Gaulle lui-même l'avait solennellement préconisé le 25 novembre 1951 dans le discours de clôture de notre congrès à Nancy. Les socialistes, les radicaux, les indépendants voulaient le scrutin d'arrondissement, favorable aux partis structurés et aux notables locaux. De Gaulle, qui n'avait témoigné d'aucun enthousiasme lors de la création de l'U.N.R., ne souhaitait pas, au fond, renforcer une formation, dévouée certes à sa personne, mais qui aurait pu se révéler incommode si elle s'était avisée de formuler une doctrine et de s'y tenir, et d'avoir au Parlement une existence autonome. Il aurait préféré une pseudo-unanimité dans la confusion. Afin de retenir les socialistes déjà rétifs et d'amadouer les notables modérés, il se révéla soudainement, en Conseil, partisan du scrutin d'arrondissement, contrairement à ses prises de position antérieures.

L'U.N.R., fort marrie, ne s'attendait qu'à un succès mitigé. De Gaulle exigea de nos candidats qu'ils s'abstinssent de le mettre en cause et de se dire « gaullistes »: il entendait demeurer au-dessus de la mêlée. A la surprise générale, et d'abord à la nôtre, les candidats de l'U.N.R. remportèrent un éclatant succès, avec 28,1 % des voix, devançant les communistes (20,5), les modérés (18,5), les socialistes (13,8), le M.R.P. (9,11), les radicaux (5,7). La vague poujadiste refluait (1 % des voix contre 13,3 % en 1956).

Si l'on essaie d'analyser les causes de ce succès de l'U.N.R., on en trouve, à mon sens, trois principales: malgré le détachement voulu du Général, son nom, alors au sommet de la popularité, aida puissamment les candidats U.N.R. qui se réclamèrent de lui plus ou moins discrètement; beaucoup d'électeurs, venant à peine de se prononcer en faveur de la Constitution, votèrent tout naturellement pour ceux qui l'avaient prônée; enfin, à cette époque, le maintien de l'Algérie dans la République, l'« Algérie française », était un point essentiel du programme gaulliste et le slogan mille fois répété de l'U.N.R. C'est tellement vrai que seuls de tous les gaullistes furent battus à plate couture ceux qui, se disant « de gauche » (comme si tous les autres avaient été « de droite »!) affichaient quelque complaisance pour les solutions baptisées, par ironie sans doute, « libérales », consistant à livrer l'Algérie à la féroce dictature d'une minorité de terroristes.

L'Assemblée nationale réunie, Chaban-Delmas élu président malgré l'opposition du général de Gaulle qui avait promis son appui à Paul Reynaud (1), il restait

(1) J'ai raconté ailleurs (*L'Espérance trahie*, p. 72-73) comment de Gaulle nous chargea, Michel Debré et moi, de faire une démarche auprès de Chaban pour l'amener à se retirer

à mettre en place les autres pièces de la machinerie constitutionnelle. De Gaulle fut élu le 21 décembre président de la République (et de la Communauté) par 62 394 voix contre 10 354 au sénateur communiste Marrane et 6 722 au professeur Châtelet présenté par divers groupes de gauche. Michel Debré, déjà officieusement désigné comme Premier Ministre, avait commencé ses consultations en décembre. Aussi, quand de Gaulle, le 8 janvier, s'installa à l'Elysée tandis que René Coty s'éloignait avec dignité mais non sans inquiétude, Debré avait-il sa liste en poche. Elle fut approuvée officiellement dès le lendemain.

J'entrai à regret dans ce ministère. Déjà, l'équivoque et le doute régnaient quant aux intentions du Président de la République à propos de l'Algérie. Je me sentais et me savais tenu systématiquement à l'écart de tout ce qui se tramait dans l'entourage à ce sujet. Alors que j'étais, de tous les ministres, le seul qui connût à fond, par une expérience directe de plusieurs années, les problèmes complexes et douloureux de l'Algérie, je me trouvais aussi le seul à n'être jamais consulté. Mes relations avec de Gaulle s'espaçaient, de son fait, de plus en plus et se ramenaient à de rares audiences destinées à traiter les affaires urgentes. Je n'ignorais pas que les furieuses attaques dont j'étais la cible dans la presse provenaient neuf fois sur dix de ses proches, tels que Pompidou et Guichard, lesquels, tout en me couvrant de boue par personnes interposées, affectaient encore une cordialité mensongère à mon égard. Un mot du Général aurait suffi pour qu'il fût mis fin à ces campagnes de diffamation et d'outrages, mais, ce mot, il ne le prononça jamais.

Debré m'avait proposé le portefeuille des Armées en

devant Paul Reynaud. Chaban refusa, prétextant que nombre de députés s'étaient déjà engagés envers lui. Elu contre Reynaud, Chaban reçut du Général, dans l'heure suivante, une lettre de félicitations chaleureuses.

faisant valoir que j'aurais par ce biais une responsabilité majeure dans les affaires algériennes. Un mystérieux mot d'ordre l'amena à retirer cette offre. J'allai dîner un soir au ministère de la Justice avec Michel Debré, Charles Béraudier, Roger Frey et Guichard. Les deux derniers nommés étaient déjà dans la confidence. Je me souviens qu'une discussion assez vive nous opposa Debré et moi, à propos du ministère de la Construction: j'avais mis en avant, pour ce portefeuille, le nom de Marcel Dassault, car je savais que cet ingénieur de grande classe était capable de construire en série non seulement des avions, mais des maisons; il avait sur ce point des idées originales qu'on aurait dû lui donner l'occasion de mettre en pratique. Debré se récria avec aigreur, excipa d'un veto, vrai ou supposé, du Général contre l'industriel, et, s'emportant, alla jusqu'à dire qu'après tout on pourrait bien procéder à de nouvelles nationalisations, dont celle de l'industrie aéronautique. Pour ce qui me concerne, toujours en vertu d'inspirations tombant des sphères supérieures, on me proposait le Sahara, les départements et les territoires d'outre-mer, avec la recherche atomique comme une sorte de prime; ce bric-à-brac d'attributions disparates était coiffé par le titre de « ministre délégué auprès du Premier Ministre » qui faisait de moi, m'assurait-on, une sorte de vice-Premier Ministre étroitement associé à la marche du gouvernement.

Le Sahara me passionnait, l'outre-mer également et la recherche atomique m'intéressait. Mais il me déplaisait de me sentir appelé dans ce cabinet beaucoup moins comme ministre que comme otage. Le jour même où de Gaulle s'installa à l'Elysée, ayant appris qu'on s'apprêtait, sur son ordre, sinon à libérer Ben Bella, tout au moins à modifier sa détention dans un sens qui annonçait sa transformation en « interlocuteur valable », je fis porter un mot à Debré pour lui faire savoir que je me retirais.

179

Il fallut des heures de discussion passionnée, l'intervention de Chaban-Delmas et de Roger Frey, enfin une démarche amicale que fit auprès de moi, à la demande de Frey, Alain de Sérigny, pour m'amener à accepter le portefeuille ou plutôt la collection que Debré m'offrait. L'argument qui me décida fut celui de l'Algérie: je pourrais mieux en suivre les affaires, me disait-on, « en étant dedans que dehors ». Comme preuve de sa bonne volonté, Debré consentit à modifier sa déclaration ministérielle dans le sens que je lui indiquai par téléphone. Ce fut donc moi qui donnai lecture de cette déclaration au Sénat tandis que Debré la lisait au Palais-Bourbon. Il va sans dire que, de ces paroles solennelles auxquelles j'avais la naïveté d'attacher une grande importance, il n'y en a pas une que Debré n'ait contredite par la suite dans ses propos ou dans ses actes.

A l'époque, en 1958, où de Gaulle était président du Conseil et René Coty président de la République, il y avait eu chaque semaine un Conseil de cabinet présidé par le premier et un Conseil des ministres sous la présidence du deuxième. A Matignon, on discutait assez librement des affaires en cours comme de la Constitution, et à l'Elysée, autour de Coty, qui n'intervenait que rarement, toujours avec bon sens et courtoisie, on se bornait à entériner les décisions prises la veille. Debré, Premier Ministre, s'imagina qu'ayant en vertu de l'article 21 de la Constitution la mission de « diriger l'action du gouvernement », il allait maintenir cette pratique. Il nous réunit donc en Conseil de cabinet: ce fut la première et la dernière fois. De Gaulle ne pouvait admettre que les ministres se réunissent autrement que sous sa propre présidence. Il prit de plus en plus l'habitude de convoquer à l'Elysée des Conseils interministériels où il faisait siéger, avec les ministres, des fonctionnaires et des membres de son cabinet présidentiel. Auprès de lui, des commis peu connus ou inconnus du public, tels que Foccart, Burin des Roziers, Tricot, conseillers auliques et ministres secrets, sans responsabilité devant le Parlement, suivaient les affaires, évoquaient les dossiers, coiffaient les ministères. Une telle organisation est soigneusement calculée pour vider de son contenu la fonction de Premier Ministre. Celui-ci, d'ailleurs, ne peut pas réellement coordonner la politique de son gouvernement, puisque chaque ministre individuellement reçoit de l'Elysée des consignes qui ne passent pas par l'Hôtel Matignon. Enfin, bien que la Constitution pose formellement le principe de la solidarité de tout le cabinet, cette solidarité en fait n'existe pas, battue en brèche par le Président de la République lui-même.

Les Conseils des ministres tels que je les ai connus ne sont qu'une figuration. Il n'y a pas de débat. Chacun parle à son tour, comme dans la petite classe. Le magister conclut d'un mot, quelquefois fronce le sourcil, ou daigne détendre l'atmosphère par une plaisanterie, généralement aux dépens de quelqu'un, absent ou présent. Le rituel exposé de politique internationale était débité d'une voix blanche, avec un effet soporifique des plus marqués, par Couve de Murville. « Ecoutez, messieurs! Monsieur le ministre des Affaires étrangères, veuillez parler plus fort. » D'ailleurs cet exposé se bornait généralement à nous répéter avec des airs de mystère ce que nous avions lu dans *Le Monde* la veille. Je vois encore le visage stupéfait et déçu de Wilfrid Baumgartner à l'issue du premier Conseil auquel il assista. « Alors, c'est comme cela que ça se passe? murmura-t-il. — Eh oui, lui dis-je, c'est bien ainsi. » J'allais d'ailleurs m'en aller au moment où il arrivait.

Je répète que selon la Constitution, conformément à l'usage de toutes les démocraties et au bon sens, le gouvernement forme un tout solidaire et solidairement responsable. C'est tellement vrai que, si sa politique est désapprouvée par une motion de censure du Parlement, portant sur un point particulier tel que par exemple les impôts ou une mesure sociale, ce n'est pas le ministre

181

incriminé qui démissionne, mais le Premier Ministre et tout le cabinet. Cette responsabilité commune (et Dieu sait si le général de Gaulle a critiqué âprement les gouvernements de la IVe république au sein desquels chaque ministre ne se faisait pas faute de contrecarrer ses collègues) a sa contrepartie nécessaire: c'est que chaque membre du gouvernement, personnellement engagé par les décisions de chacun des autres et de l'ensemble, a le droit d'intervenir et de défendre son point de vue, non seulement sur les problèmes de son département, mais sur toute la politique. Autrement dit, le ministre des P. et T. ou des Territoires d'outre-mer a le droit, et le devoir, de donner son avis sur un problème financier ou diplomatique. Si cet avis n'est pas écouté par le Conseil, de deux choses l'une: ou bien il s'incline devant la majorité, ou bien il donne sa démission. Telle est la saine pratique d'un gouvernement digne de ce nom. Autrement, il n'y a plus de ministres, mais des commis, des directeurs de ministères; plus d'hommes politiques, mais des fonctionnaires. Toute l'action du général de Gaulle depuis son entrée à l'Elysée a tendu avec continuité et subtilité à faire en sorte que le gouvernement ne soit plus un gouvernement, mais la juxtaposition d'administrations, lui et lui seul se réservant ce qui est cependant la fonction essentielle du gouvernement, c'est-à-dire la décision politique.

Rien n'illustre mieux cette décadence voulue de l'institution ministérielle que les conditions dans lesquelles Antoine Pinay quitta le gouvernement. Ministre des Finances, il avait mené à bien en décembre la délicate opération de dévaluation du franc. Mais il entendait dire son mot sur d'autres sujets que ceux de sa compétence administrative, notamment sur la politique étrangère. D'où des escarmouches assez vives, à propos de l'O.T.A.N. en particulier, et enfin ce dialogue: « Monsieur le ministre des Finances, cette question n'est pas de votre ressort. — Monsieur le Président, je suis solidaire de mes collègues et de tout le gouvernement. J'estime avoir le droit d'exposer mon point de vue. — Non, moi seul détermine la politique. » Sur quoi Pinay prit son fameux chapeau et s'en alla.

Ainsi, dès les premiers mois, de Gaulle vida de sa substance un des éléments les plus importants du système constitutionnel qu'il avait créé, le gouvernement, pour en absorber et en ramener à lui les attributions et les pouvoirs. Il y parvint grâce à Michel Debré. C'est lui qui imprima d'emblée une déviation néfaste au fonctionnement du régime en consentant à ce que le Président de la République, sortant de son rôle d'arbitrage, se substituât en fait à lui. Quand je relis les lettres que Debré m'adressa à plusieurs reprises pour essayer de m'expliquer l'inexplicable ou de me faire accepter l'inacceptable, je suis frappé d'y trouver à tout instant des expressions telles que: « le Général engage une politique », « le Général veut faire ceci ou faire cela »: le malheureux ne paraissait pas se douter que c'était lui, Debré, qui avait la charge et le devoir d'engager et de faire telle ou telle politique, et qu'en tolérant qu'un autre, fût-il chef de l'Etat, le fît à sa place, il se rendait coupable d'une grave violation de sa mission constitutionnelle. Il était dès lors condamné à parcourir jusqu'au bout la voie des palinodies et des reniements.

Il va de soi que dans un système où le Premier Ministre ne se conforme pas à ses obligations, il est bien difficile aux autres membres du gouvernement de s'acquitter des leurs. Pour peu qu'ils prennent au sérieux leurs fonctions, ils ne peuvent que se trouver contrecarrés par le cabinet occulte de l'Elysée, réduits à contresigner les oukases qu'on fabrique en dehors d'eux: d'ailleurs c'est par la radio ou les journaux, ou en assistant à une conférence de presse, qu'ils sont informés des décisions les plus importantes que le « gouvernement » est censé avoir prises.

Tandis que d'entrée de jeu la structure du pouvoir exécutif était ainsi faussée, la mise en place des autres institutions se poursuivait. Le Conseil constitutionnel fut inauguré en février. Son rôle aurait pu être capital mais, on le verra, se réduisit bien vite à la démission permanente devant le chef de l'Etat. Quant au Sénat, élu en avril, sa composition ne différa guère de celle du Conseil de la République. Gaston Monnerville en garda la présidence. Il devenait de ce fait le deuxième personnage de l'Etat, puisqu'en cas de démission ou de disparition du Président de la République c'est à lui qu'incomberait la charge d'assurer l'intérim et de faire procéder à une nouvelle élection présidentielle.

Voilà donc assemblée la machinerie de la Ve République. Le Parlement est constitué. Le gouvernement travaille. Au sommet, le chef de l'Etat arbitre. Reste, et c'est là sa plus haute mission, à faire fonctionner harmonieusement les rouages. Or, c'est là que va apparaître l'échec du gaullisme mué en néo-gaullisme: il suffira de quatre ans pour que, de ce grandiose appareil, il ne reste plus qu'un décor. Et cela, par la volonté de celui-là même qui l'a créé.

★

J'ai déjà montré que la subversion de la loi constitutionnelle a commencé dès le premier jour du nouveau régime, par touches insensibles et invisibles au public, grâce à la complicité du Premier Ministre, Michel Debré. La mise au pas du gouvernement se poursuivit pendant tout le ministère Debré, puis sous le ministère Pompidou, jalonnée par le départ d'Antoine Pinay, de Cornut-Gentille, de Pierre Sudreau et par le mien. Peu importe que l'un soit parti en raison d'un désaccord sur la politique internationale, d'autres à propos de l'Algérie ou de l'application de la Constitution. Ce qui compte, c'est le nouveau principe explicitement admis, selon lequel le Président de la République définit seul et dirige seul toute la politique, et révoque à son gré les ministres qui osent prendre au sérieux leurs devoirs et leurs responsabilités. Dans cette optique, les membres du gouvernement et son chef ne sont que des exécutants, des employés sans autre droit que l'obéissance passive et révocables *ad nutum*.

Relisons la Constitution :

« Le Président de la République assure, *par son arbitrage*, le fonctionnement régulier des pouvoirs publics. » (art. 5). Or, il est patent que le chef de l'Etat s'est arrogé le droit de se comporter, non plus en arbitre, mais en unique dépositaire et seul chef du pouvoir exécutif.

« Le Président de la République nomme le Premier Ministre. Il met fin à ses fonctions sur la présentation par celui-ci de la démission du gouvernement. *Sur la proposition du Premier Ministre*, il nomme les autres membres du gouvernement et met fin à leurs fonctions. » (art. 8). Or, tout le monde sait que de Gaulle renvoie à son gré les Premiers Ministres (Debré et Pompidou peuvent en témoigner) et qu'il révoque les ministres sans que le Premier Ministre lui ait proposé quoi que ce soit. En janvier 1960, par exemple, je remis ma démission à Michel Debré. J'appuyais cette démission d'une lettre sévère sur les erreurs commises en Algérie ; « n'ayant été en rien associé aux décisions prises, écrivis-je, j'en repousse la responsabilité et je me retire du gouvernement ». Debré, qui était alors, à la suite des événements d'Alger et des « barricades », au comble de l'épuisement nerveux, refusa ma démission : j'ai donc tout lieu de croire qu'il ne proposa point au général de Gaulle de mettre fin à mes fonctions. Pourtant, après une dernière entrevue où de Gaulle liquida en cent cinquante secondes une collaboration qui avait duré dix-neuf ans et sept mois, un communiqué de l'Elysée annonça que le Président avait « donné son approbation » à mon départ « sur proposition du Premier Ministre ». Il n'est pas inutile de préciser que ledit Premier Ministre ignorait tout de la « proposition » qu'il était censé avoir faite: c'est moi qui lui appris, par téléphone, que je quittais le gouvernement, et je l'entends encore s'écrier: « Mais... j'ai vu le Général il y a une heure, et il ne m'en a rien dit! »

Mais poursuivons. « Le gouvernement détermine et conduit la politique de la nation. Il dispose de l'administration et de la force armée. » (art. 20). « Le Premier Ministre dirige l'action du gouvernement. Il est responsable de la Défense nationale. » (art. 21). Or, nul n'ignore que le gouvernement ne détermine et ne conduit rien, qu'il ne dispose de rien; que le Premier Ministre ne dirige rien et n'est responsable de rien. C'est avec une dérision attristée qu'on relit ces articles constamment violés par le Président de la République depuis l'aube du nouveau régime. Il y a un abîme entre le droit et le fait: en droit, il existe un gouvernement qui gouverne, en fait une collection de figurants, dessaisis de leur fonction légale au profit du chef de l'Etat.

Or, cette transgression de la charte fondamentale, déjà très grave en elle-même, en entraîne d'autres par un enchaînement fatal. C'est tout le système qui est vicié de proche en proche. Si le gouvernement, responsable devant le Parlement, n'est en réalité qu'un décor et un alibi, l'Assemblée peut tempêter et censurer tout à son aise: le vrai responsable ne comparaît pas devant elle et ne lui rend pas de comptes. Comme le torero manie la cape, le Président de la République agite devant le Parlement un chiffon sans consistance, et les coups ne l'atteignent pas. La qualité principale, sinon la seule, requise d'un ministre, c'est de savoir « encaisser » tout en sachant que les décisions qu'il a signées, il ne les a pas prises lui-même, si même il n'en a pas été informé, comme tout le monde, par la presse ou la télévision.

186

Cette supercherie fondamentale suffit à priver de toute validité un régime qu'on voulait parlementaire. Tout régime parlementaire repose avant tout sur le jeu de la responsabilité et de la confiance: responsabilité des gouvernements, confiance accordée ou retirée par les élus. La représentation nationale ne trouve devant elle que le vide, une apparence, un fantôme sans pouvoir. Quant à celui qui détient le pouvoir, il n'est « responsable des actes accomplis dans ses fonctions qu'en cas de haute trahison » constatée par un vote des deux Chambres à la majorité absolue (art. 68): autant dire qu'il échappe pratiquement à toute contestation politique. Pour peu qu'il trouve en nombre suffisant des hommes de paille prêts à jouer le rôle qu'il attend d'eux en échange des honneurs, des résidences et des voitures à cocarde, il peut tout ordonner et tout faire sans entrave ni discussion: et il semble bien que le monde politique d'aujourd'hui lui offre un réservoir inépuisable de comparses dociles.

A l'appui de cette pratique illégale et vicieuse est venue une théorie: il se trouve toujours des esprits ingénieux pour corriger le droit et, au besoin, pour l'inventer. Cette théorie, c'est celle des « secteurs réservés », imaginée ou tout au moins présentée par Chaban-Delmas au premier congrès de l'U.N.R. qui eut lieu à Bordeaux en novembre 1959.

Louis Terrenoire a avoué candidement, dans son livre *De Gaulle et l'Algérie* publié en 1964, qu'un peu avant ce congrès le Général avait réuni à la dérobée, dans son cabinet de l'Elysée, un certain nombre d'inconditionnels pour leur donner ses consignes. Il s'agissait, en bref, de saboter le Congrès, de berner les militants fidèles au gaullisme tel qu'ils l'avaient connu depuis 1940 et d'éliminer de la direction de l'U.N.R. tous ceux qui se refusaient à l'obéissance passive. Voilà qui fait rêver: le général de Gaulle, chef de l'Etat, s'abaissant à manigancer les astuces subalternes d'un congrès de parti! Toujours est-il que les affidés, résolus selon ses ordres à nous imposer la *Gleichschaltung* à la mode fasciste ou soviétique, n'avaient pas la tâche facile. Les gaullistes, les vrais, en majorité au Congrès, leur donnèrent du fil à retordre. L'équipe dirigeante entraînée par Roger Frey, Albin Chalandon, Jacques Richard, Terrenoire eut fort à faire pour exécuter les ordres. Obstruction, manœuvres, bourrage des urnes et falsifications, tout fut employé, et l'on assista pour la première fois à ce spectacle inouï pour le gaullisme d'une salle déchaînée huant copieusement le nouveau Comité central « pré-fabriqué » par les hiérarques. C'est dans cette ambiance que Chaban-Delmas, avec l'autorité qui s'attache au titre de président de l'Assemblée nationale, lança la théorie des « secteurs réservés » : l'Algérie, la Défense nationale, les Affaires étrangères, disait-il, voilà ce qui formait le domaine propre au Président, celui où il décidait et tranchait seul de tout. Depuis, les secteurs réservés se sont étendus pratiquement à toute la politique sans exception.

Il va de soi qu'on peut relire et étudier ligne par ligne tout le texte de la Constitution sans y trouver un mot qui justifie, si peu que ce soit, cette étrange conception. « La politique de la nation » que le gouvernement est chargé — sous peine de forfaiture — de « déterminer et de conduire » forme un tout. Nulle part il n'est indiqué ni suggéré qu'on puisse en détacher tel ou tel morceau pour le faire passer sous une autorité autre que celle du Premier Ministre et de ses collègues. Admettre une telle théorie équivaut à dessaisir non seulement le gouvernement mais l'Assemblée : car comment exercerait-elle le droit de contrôle qui, depuis Bayeux, lui est reconnu et que concrétise le titre V de la Constitution, si des fractions aussi importantes de l'action politique sont soustraites à ce droit en passant du gouvernement responsable au Président irresponsable ? L'étonnante doctrine exposée par Chaban-Delmas est sans doute neuve, mais n'est pas raisonnable. Il s'agit en réalité d'une violation grossière de la Constitution. Or, il faut reconnaître que, depuis 1959 et 1960, c'est bien cette doctrine qui est devenue officielle, sapant les bases mêmes de la Ve République.

Si l'on considère le Parlement, on s'aperçoit que les problèmes les plus graves à chaque moment y ont été rarement discutés. Quand la Chambre des Communes ou le Bundestag ouvrent de grands débats, l'Assemblée française demeure muette. Elle traite de sujets mineurs ou reste en vacances. L'exemple le plus récent de cette aphonie parlementaire nous a été fourni à l'occasion de la crise internationale déclenchée par l'invasion soviétique en Tchécoslovaquie. Ni le gouvernement n'a jugé à propos de convoquer l'Assemblée, ni celle-ci n'a eu la hardiesse de mettre à profit l'article 29 de la Constitution pour demander une session extraordinaire. Ainsi un pays ami est submergé par la force, la guerre froide repart, un danger de conflit mondial surgit — MM. les députés sont aux champs. La représentation nationale élue n'a rien à dire dans de telles circonstances.

Il est vrai qu'une fois, en 1960, l'Assemblée, qui croyait encore, sans doute, que la Constitution était faite pour être appliquée, avait osé faire usage de son droit. Deux cent quatre-vingt-sept députés, alors que la majorité était de deux cent soixante-dix-sept, avaient contresigné la demande de convocation d'une session extraordinaire. De Gaulle refusa de réunir l'Assemblée, sous le prétexte vague autant que péremptoire que cette session ne serait pas « compatible avec le fonctionnement régulier des pouvoirs publics ». Il s'agissait d'ouvrir un débat sur la question algérienne et sur les problèmes agricoles; ces derniers suscitaient alors une vive agitation dans les milieux ruraux. En quoi était-il contraire au fonctionnement régulier des pouvoirs publics que le Parlement en discutât? Mystère. Les articles 29 et 30 de la charte ne disent pas que le Président a la faculté d'accepter ou de refuser la convocation d'une session extraordinaire. Ils affirment simplement que le Parlement « est réuni en session extraordinaire » si la majorité de l'Assemblée le demande, et que les sessions extraordinaires sont ouvertes par décret du Président. Nulle part il n'est indiqué que le Président puisse, selon son bon plaisir, signer ou non ce décret. N'importe, l'Assemblée s'inclina devant ce refus.

L'abaissement du Parlement, réduit au rôle dérisoire d'une chambre d'enregistrement, découle à la fois de la volonté déterminée du chef de l'Etat et de la complaisance des majorités inconditionnelles. Bien que la Constitution stipule que « tout mandat impératif est nul », les députés U.N.R. (aujourd'hui U.D.R.) se comportent en toutes circonstances comme s'ils avaient reçu le mandat, non point de s'acquitter de leur devoir légal, mais de voter sans réserve et sans discussion tout ce qu'il plaît à l'exécutif de leur faire entériner. Ils ne forment pas une représentation nationale au sens propre de cette expression, mais un simple reflet du pouvoir, approuvant un jour ce qu'ils repoussaient la veille et vice versa. Le scrutin d'arrondissement, système des « mares stagnantes », conduit chaque député à s'occuper uniquement de satisfaire sa clientèle locale; quant aux affaires de l'Etat, dont ces élus sont responsables sous la double forme de la législation et du contrôle, ils n'en ont cure. Le gouvernement, c'est-à-dire en réalité le Président, n'a besoin que de leur vote, qu'ils donnent en robots sans explication.

Les mêmes députés U.N.R. qui se sont opposés tenacement à l'amnistie pendant plusieurs années et qui ont repoussé tous les amendements ou projets de l'opposition, ont voté cette même amnistie en juillet 1968 quand le chef de l'Etat a jugé utile à ses plans qu'elle fût adoptée. Ce qui était inacceptable trois mois plus tôt est devenu par un coup de baguette magique un pieux

190

devoir. On mesure par là quelle valeur il convient d'accorder, tant sur le plan politique que dans le domaine moral, à ces palinodies.

L'emploi abusif que fait le gouvernement de certains articles de la Constitution, s'ajoutant aux effets d'un règlement draconien par lequel l'Assemblée s'est ligotée elle-même (*in servitudinem ruunt* (1), concourt à maintenir le Parlement en tutelle. Amendements et propositions sont rejetés comme irrecevables sous prétexte qu'ils aggraveraient les charges publiques (art. 40) ou qu'ils ne sont pas du domaine de la loi (art. 41). Surtout, le pouvoir exécutif, avec la complicité du président de l'Assemblée et de la majorité à sa dévotion, fait en sorte de renvoyer aux calendes grecques toute proposition émanant de l'opposition. L'article 48 dispose en effet que « l'ordre du jour des assemblées comporte par priorité... la discussion des projets de loi déposés par le gouvernement et des propositions de loi acceptées par lui ». Cette stipulation est en elle-même judicieuse, car il serait inadmissible qu'un projet jugé indispensable et urgent par le gouvernement puisse être enterré indéfiniment. Mais l'abus astucieux consiste en ceci que l'on inonde l'Assemblée de projets sans importance de façon à encombrer son ordre du jour et à l'empêcher de mettre en discussion les propositions de ses membres qui n'appartiennent pas à la secte dominante.

La Constitution de Bayeux, reprise par celle de 1958, devait reposer — l'a-t-on assez répété? — sur l'équilibre des pouvoirs. Elle avait pour but de mettre fin à la liquéfaction de l'exécutif face à un Parlement tout-puissant mais d'ailleurs incapable d'exercer ce pouvoir absolu. Nous en sommes maintenant à l'extrême opposé: le pouvoir législatif est dominé, absorbé par l'exécutif. Cela ne vaut pas mieux. On ne guérit pas la peste en ino-

(1) « Ils se précipitent dans l'esclavage. »

culant le choléra. Le gaullisme, c'était la séparation et l'équilibre des pouvoirs; le néo-gaullisme, c'est la confusion et le déséquilibre des pouvoirs, confisqués par l'exécutif, lui-même concentré en un homme. Il n'est pas besoin d'être prophète pour prédire que ce système, aussi vicieux que le précédent quoique pour des motifs inverses, conduira, conduit déjà l'Etat et la République à une profonde dégénérescence.

Au sein même de l'équilibre général des pouvoirs, la doctrine gaulliste authentique prévoyait, comme je l'ai montré, l'équilibre entre les deux Assemblées parlementaires. Elle conférait au Sénat un rôle éminent, en tant qu'expression et garant des libertés locales.

Deux conceptions assez différentes se juxtaposaient pourtant dans la pensée gaulliste au sujet de la composition du Sénat. De Gaulle, dès le discours de Bayeux, avait esquissé une réforme de cette Assemblée: elle devrait représenter non seulement les départements et les communes, mais encore les activités sociales et économiques. A Nancy, le 25 novembre 1951, il précisait: « Un Parlement votant les lois et contrôlant l'exécutif, par deux Chambres qui se fassent équilibre et dont l'une — le Sénat — représente en trois sections respectivement les entités administratives de la métropole, les territoires de l'Union française, les éléments économiques, sociaux, moraux de notre vie nationale. » Brodant sur le même thème, le Conseil national du R.P.F., dans sa session de février-mars 1953, préconisa « la modification de la composition de la seconde Assemblée, de façon que celle-ci représente les différentes collectivités territoriales, y compris celles d'outre-mer, et les travailleurs des différentes professions actuellement représentées imparfaitement au Conseil économique ». Michel Debré développa à maintes reprises cette conception. Il importe de souligner que, selon lui, cette réforme ne devait pas avoir pour but de diminuer les pouvoirs du Sénat, mais au contraire de les élargir: « L'égalité de décision et d'attributions doit être rétablie entre les deux Assemblées (1). »

Cependant certains dirigeants gaullistes n'adoptaient pas cette thèse. Tel fut notamment le cas de René Capitant. « On a fréquemment proposé d'introduire dans la seconde Chambre, à côté des représentants des départements et des communes, les représentants des forces économiques, sociales, familiales et intellectuelles. On réaliserait ainsi la fusion du Conseil de la République et du Conseil économique. Mais cette terminologie (c'était celle, remarquons-le, du général de Gaulle lui-même) nous semble dangereuse. Il est dangereux de parler de « forces » et de vouloir représenter des forces dans une assemblée démocratique. Le seul fondement légitime de la seconde Chambre est la représentation des collectivités autonomes. C'est donc à cette notion qu'il faut s'en tenir. C'est donc seulement dans la mesure où apparaîtront, à côté des collectivités locales, des collectivités économiques ou sociales décentralisées, investies de pouvoirs autonomes, dans la mesure également où celles-ci se prêteront à une procédure d'élection démocratique, qu'il sera légitime de les représenter au Conseil de la République (2). »

Capitant mettait ici le doigt sur les trois difficultés qui s'opposent à la conception « de Bayeux » relative à la composition du Sénat, à savoir: qu'est-ce exactement que l'on veut faire représenter? Comment seront désignés ces représentants? Leur place est-elle dans une assemblée politique?

On voit facilement comment pourvoir à la représentation de collectivités telles que la commune, le dépar-

(1) Michel Debré. *Rapport sur la réforme de l'Etat et la révision constitutionnelle*. Assises nationales de Nancy, 23-25 novembre 1951 (brochure), p. 7.
(2) René Capitant. *Rapport sur la révision de la Constitution*. Assises nationales de Paris, 1948, p. 5.

tement, le territoire d'outre-mer. Mais les « forces » ou « activités » économiques et sociales, les familles, l'intelligence? Créera-t-on par décision d'Etat des collectivités autoritaires à la façon du corporatisme fasciste? Ou bien, pour amener dans une assemblée politique les représentants de syndicats ouvriers ou patronaux, d'associations familiales, d'universités, devra-t-on les politiser à leur tour?

Comment, d'autre part, établir des procédures d'élection vraiment démocratiques? Les membres du Conseil économique sont désignés, et non élus. Faudra-t-il donc introduire au Sénat, à côté des sénateurs élus au suffrage universel quoique indirect, des sénateurs élus au suffrage restreint au sein de petites collectivités particulières? Observons en passant qu'une telle disposition violerait l'article 3 de la Constitution de 1958.

Enfin, n'est-il pas illogique et dangereux de mêler aux élus, membres d'une assemblée politique, les délégués d'intérêts, respectables certes, mais d'un tout autre caractère? Ne risque-t-on pas de créer une confusion préjudiciable au prestige et à l'influence du Sénat, dès lors que ses décisions pourraient dépendre du vote, par exemple, d'une fraction représentant une certaine industrie?

Je confesse que j'ai moi-même souvent et beaucoup hésité devant le problème. De loin, l'idée d'introduire dans une assemblée les « forces » économiques et sociales séduit. Plus on s'en rapproche, plus on en scrute les divers aspects, et plus elle paraît difficile à réaliser *à moins de porter atteinte à l'autorité du Sénat et, par conséquent, à l'équilibre des pouvoirs*. Car, au fond, c'est bien de cela qu'il s'agit: veut-on, oui ou non, « l'égalité de décision et d'attributions des deux Chambres », ou au contraire ravaler le Sénat au rôle d'une assemblée simplement consultative, et revenir par là, sous une forme dissimulée, au système de la Chambre unique, sans frein et sans contrepoids?

Capitant avait proposé de renforcer le Conseil économique, de pourvoir autant que possible à une véritable élection de ses membres par les Chambres de commerce, des métiers, d'agriculture, etc., et d'étendre ses pouvoirs. Cette conception paraît plus raisonnable et plus féconde que celle du discours de Bayeux. Je m'y suis rallié moi-même (1) en proposant que le Conseil économique et social puisse déléguer à l'Assemblée et au Sénat des rapporteurs pour avis dans tous les débats sur les sujets de sa compétence, qu'il puisse soumettre des amendements et demander, par le vote d'une motion motivée, une deuxième lecture qui ne pourrait être refusée.

Quand le Conseil présidé par le général de Gaulle discuta de ce problème en juillet 1958, une opposition très large et très forte à l'introduction des « forces » économiques et sociales au Sénat se fit jour. De Gaulle n'insista pas.

Un fait crève les yeux: il n'est question de réforme du Sénat qu'en raison de l'indépendance manifestée par cette Assemblée présidée par Gaston Monnerville. En vérité, on ne veut pas « réformer » le Sénat, mais le réduire à l'impuissance et l'abaisser. Il faut le punir d'avoir osé tenir tête au pouvoir; il faut châtier son président parce qu'il a eu l'audace de dénoncer en 1962 la violation de la Constitution. Truffé de « sénateurs » non pas élus mais en fait désignés, le Sénat ne pourrait plus être que consultatif: c'est précisément le but recherché — à l'inverse des positions doctrinales du gaullisme authentique.

Le premier référendum organisé sous la Ve République eut lieu le 8 janvier 1961.

Je passe ici sur les innombrables illégalités dont le gouvernement se rendit coupable pendant la campagne qui le précéda. J'avais créé en octobre 1960 le Regroupement national, mouvement politique déclaré, démo-

(1) *Sur une route nouvelle*, Paris, Ed. du Fuseau, 1964, p. 177.

cratiquement organisé, qui fut représenté à l'Assemblée nationale par un groupe parlementaire régulier. Or, de façon scandaleusement arbitraire, le Regroupement et ses députés se virent interdire de prendre part à la campagne et n'eurent pas accès à la radiodiffusion. A moi-même, président d'une formation à laquelle appartenait la majorité des parlementaires algériens, il me fut interdit par oukase de me rendre en Algérie pour y défendre notre point de vue: on m'empêcha même d'expédier à Alger une bande magnétique sur laquelle avait été enregistrée mon allocution. Tandis que l'opposition était ainsi réduite au silence par les méthodes typiques de l'Etat totalitaire et policier, un raz de marée ininterrompu de mensonges grossiers déferlait sur les ondes. Il s'agissait de « mettre en condition » les malheureux électeurs pour les conduire aux urnes en troupeau afin d'y voter « oui », en les persuadant que ce vote, comme un coup de baguette magique, allait ramener la paix en Algérie et rendre à leurs foyers nos soldats. Si, au contraire, le corps électoral répondait « non », ce serait, disait-on, le départ du général de Gaulle et par suite le « chaos ». Rien de tout cela n'était démontré, rien de tout cela n'était vrai, mais relevait purement et simplement de la technique totalitaire de l'intoxication et du viol des consciences.

La question posée était double. On demandait aux Français de répondre par un seul « oui » ou un seul « non » à deux demandes non seulement distinctes, mais contradictoires. Il s'agissait en effet, d'une part d'approuver le fameux principe d'autodétermination posé par de Gaulle en vertu de sa seule décision en septembre 1959, décision suivie de quinze mois d'échecs et d'une aggravation effroyable de la situation en Algérie; et, d'autre part, de donner au gouvernement un blanc-seing pour établir outre-Méditerranée les institutions de l'« Algérie algérienne », la plus récente des chimères chevauchées par le chef de l'Etat. La première

196

partie de la question concernait l'autodétermination, la deuxième une prédétermination. En répondant « oui » à l'une, il aurait fallu répondre « non » à l'autre.

D'ailleurs, la propagande déchaînée à cette occasion par tous les moyens dont disposait l'Etat, en particulier par une radiodiffusion serve, ne traita ni l'un ni l'autre de ces aspects. Tout l'effort porta sur une question qui n'était pas posée, celle de la paix: voter « oui », c'était voter pour la paix. Les événements ont apporté un sanglant démenti à cette prétention: la guerre devait continuer et devenir de plus en plus atroce pendant un an et demi.

L'article 11 de la Constitution, que de Gaulle invoquait pour consulter le pays, était-il applicable dans ce cas? C'est au moins douteux. La double question n'avait trait ni à un accord de communauté, ni à un traité, ni à l'organisation des pouvoirs publics. Bien que ce dernier point fût mentionné pour la forme, il s'agissait en fait, non pas d'organiser les pouvoirs publics de la République française, mais d'y ouvrir une brèche en distendant, avant de les rompre complètement, les liens qui unissaient la métropole et les départements nord-africains.

Si l'on prenait au sérieux le statut nouveau octroyé aux départements algériens (notons en passant que, des institutions ainsi solennellement approuvées par le référendum, aucune ne fut jamais mise en place), alors il fallait évidemment réviser les articles 72 et suivants de la Constitution. Faute de procéder à cette révision, la décision proposée au pays était clairement anticonstitutionnelle et donc illégale.

Je ne puis invoquer à l'appui de cette thèse une meilleure autorité que celle du Premier Ministre, Michel Debré. Celui-ci, répondant par la voie du *Journal officiel*, en mars et en mai 1959, à des questions posées par deux députés, Vinciguerra et Le Pen, déclarait: « Il résulte, non seulement du texte de l'article 72 de la

Constitution, mais des travaux préparatoires, et notamment de l'exposé préliminaire du garde des Sceaux, ministre de la Justice (c'était Debré lui-même), prononcé le 27 août 1958 devant l'Assemblée générale du Conseil d'Etat appelée à délibérer sur le projet de Constitution, que les départements d'Algérie et ceux des Oasis et de la Saoura font partie de la République au même titre que les départements métropolitains... La Constitution n'a jamais prévu la possibilité pour ces départements de se transformer en territoires d'outre-mer ni, à plus forte raison, de devenir Etats membres de la Communauté ou Etats indépendants... Aucune transformation en Etats de la Communauté, aucune sécession de la République ne sont donc constitutionnellement possibles pour les départements et territoires faisant actuellement partie de la République française. »

Or, le référendum du 8 janvier 1961 avait précisément pour objet de faire l'« Algérie algérienne », c'est-à-dire une sorte d'Etat, et de préparer la sécession.

Que ce fût politiquement souhaitable ou non est une autre question. La seule qui se pose ici est de savoir si l'on pouvait, loyalement, procéder à une telle mutation sans avoir, au préalable, révisé la Constitution. Les choses étant ce qu'elles étaient alors, le référendum, par sa seule formulation, violait la Constitution, car il aurait fallu, pour le rendre légal, modifier non seulement l'article 72, mais l'article 2, selon lequel « la France est une République indivisible » : le référendum avait tout justement pour but de la diviser.

Anticonstitutionnel, le référendum de janvier 1961 fut en réalité un plébiscite, car de Gaulle, intervenant lourdement, inaugura alors la méthode du « chantage au départ » en faisant croire aux électeurs terrifiés par sa propagande que son échec, déterminant sa retraite, plongerait le pays dans des convulsions d'autant plus redoutables qu'il se gardait de les décrire, se bornant à de sombres sous-entendus. Ainsi, ce n'était pas au texte ambigu que l'on devait répondre « oui » ou « non », mais à de Gaulle lui-même, qui jetait dans la balance le poids de son autorité et la peur de l'avenir que lui-même s'appliquait à fomenter.

Il est étonnant, dans ces conditions, que le scrutin n'ait pas donné au pouvoir des résultats plus satisfaisants. En métropole, 55,91 % des électeurs votèrent « pour », 39,14 % seulement en Algérie. Dans les départements nord-africains, 2 685 000 électeurs avaient repoussé le projet ou s'étaient abstenus, 1 750 000 l'avaient approuvé. Dans toutes les villes d'une importance quelconque, à Alger, Blida, Oran, Bel-Abbès, Mostaganem, Constantine, Bône, les votes négatifs dépassaient les « oui » et souvent très largement. Ce fiasco n'empêcha pas la propagande officielle de vanter à grand fracas le « triomphe » que le pouvoir était censé avoir obtenu.

C'est encore à propos de l'Algérie que fut décidé le deuxième référendum, celui du 8 avril 1962. Il s'agissait, on s'en souvient, d'approuver les « accords » d'Evian. On observera d'abord que ce référendum allait directement à l'encontre des dispositions proclamées par le premier, puisque, au lieu de reconnaître aux Algériens le droit de « s'autodéterminer », on leur imposait par avance une seule solution: la prise du pouvoir par l'organisation totalitaire et terroriste du F.L.N. Mais en outre il était clairement contraire à la Constitution de la Ve République: d'abord parce qu'il avait pour objet avoué la sécession de quinze départements en violation des articles 2, 5 et 72; ensuite, parce qu'il excluait du vote les électeurs, citoyens français, résidant en Algérie. Cette exclusion exorbitante et scandaleuse est d'abord contraire au bon sens et à l'équité: car comment admettre qu'un Français de Nantes ou de Tourcoing puisse disposer, par son suffrage, du sort des Français d'Alger ou de Bône, alors que ceux-ci ne sont même pas consultés? En outre, elle viole l'article 3 de la Constitution. Selon cet article, « la souveraineté nationale appartient au peuple... aucune section du peuple ni aucun individu ne peut s'en attribuer l'exercice... Le suffrage... est toujours universel, égal et secret ». Or, les Français d'Algérie, qu'ils fussent musulmans, juifs ou chrétiens, faisaient partie, selon de Gaulle lui-même, du peuple français en tant que « citoyens à part entière »: la preuve, c'est qu'ils avaient été appelés en 1958 à voter la Constitution. En les écartant du suffrage dont dépendait leur propre destin, on ne commettait pas seulement une affreuse injustice: on attribuait aux Français de la métropole, c'est-à-dire à « une section du peuple », l'ensemble de la souveraineté nationale; on déléguait à un « individu » l'exercice de cette souveraineté en lui conférant le pouvoir exorbitant de rejeter un territoire et ses habitants hors de la communauté nationale; enfin on portait atteinte au principe du « suffrage égal », puisqu'un Français de Marseille conservait le droit de vote, un Français d'Oran en était dépouillé.

Que 64,87 % des inscrits dans la métropole aient répondu « oui » ne change rien au caractère fondamentalement illégal de ce référendum. En démocratie, la majorité a beaucoup de droits, mais elle ne les a pas tous; elle n'a pas, notamment, celui de priver une minorité de ses garanties constitutionnelles. Les Français d'Algérie, livrés comme un bétail aux macabres dirigeants du terrorisme qui semaient dans leurs rangs depuis sept ans l'incendie, le pillage et l'assassinat, ont été victimes d'un déni de justice. La Constitution a été cyniquement violée à leur détriment. Toute la propagande du monde ne peut pas modifier cette évidence fondamentale.

Aucune opposition organisée n'avait pu se faire entendre lors de la consultation d'avril 1962. Quiconque osait élever la voix se retrouvait, depuis un an, en prison ou en exil, tandis qu'une propagande obsessionnelle envahissait les consciences. Beaucoup de Français crurent de bonne foi qu'en négociant les « accords » d'Evian avec les fellagha le chef de l'Etat avait découvert la pierre philosophale et ouvert à la France et à l'Algérie associées un avenir serein. On sait quelle a été la suite. Quant aux partis politiques, ils approuvaient ou se taisaient. Les communistes, partisans de la sécession, exultaient en voyant de Gaulle se rallier à leur thèse. Ils espéraient, non sans raison, que l'Algérie abandonnée se tournerait vers l'Est et qu'ainsi la Méditerranée occidentale s'offrirait à la pénétration diplomatique et militaire des Soviets: c'était fort bien raisonné. D'autres, raisonnant beaucoup moins justement, imaginaient que de Gaulle leur rendrait le service de liquider le problème algérien dont ils ne savaient comment se dépêtrer, et qu'ensuite eux-mêmes le liquideraient pour reprendre avec délices les positions et les jeux d'antan. Bref, la Constitution et le Droit furent piétinés dans l'indifférence générale, et, tandis qu'un million de déracinés, dépouillés de tout, fuyaient leurs villes et leurs villages, que massacres, enlèvements, tortures et exactions de toutes sortes s'abattaient sur les infortunés qui n'avaient pas pu s'échapper, la métropole, hilare et soulagée, partit en vacances.

Vint l'automne, et un troisième projet de référendum: cette fois, il s'agissait de réviser la Constitution de manière que le Président de la République fût désormais élu, non point par le collège de 80 000 électeurs prévu par le texte de 1958, mais au suffrage universel.

J'ai déjà montré que le gaullisme, depuis le discours de Bayeux jusqu'à 1958, en passant par les Conseils nationaux et les Congrès, avait écarté ce mode d'élection, jugé « plébiscitaire » et par là dangereux. De Gaulle, Capitant, Debré, bien d'autres encore, avaient toujours estimé que le chef de l'Etat ne devait être désigné ni par les Assemblées, collège trop restreint et exclusivement dominé par les partis, ni par le suffrage universel, ce qui l'obligerait à assumer lui-même un rôle politique et à devenir le chef d'un parti.

Quand Michel Debré, garde des Sceaux et rapporteur général de la Constitution, présenta le projet gouvernemental au Conseil d'Etat le 27 août 1958, il commença par souligner que le régime prévu était d'essence parlementaire: le Président de la République « n'a pas d'autre pouvoir que celui de solliciter un autre pouvoir: il sollicite le Parlement, il sollicite le Comité constitutionnel, il sollicite le suffrage universel ». « Arbitre entre les partis membres du Parlement », il ne peut être élu par ce seul Parlement. Mais le suffrage universel « ne donne pas un corps électoral normal dans un régime parlementaire... recourir au suffrage universel, c'est recourir à la constitution présidentielle, qui a été écartée... »

En conclusion, on est conduit « par la force des choses, à un collège composé d'élus politiques qui ne soient pas seulement des parlementaires: conseillers généraux, conseillers municipaux ». Et Debré d'ajouter que le « mécanisme » prévu établissait « l'élection du Président de la République sur des bases telles qu'il réponde aux nécessités de notre siècle (1) ».

On peut se demander à bon droit si « les nécessités de notre siècle » ont changé aussi profondément en quatre ans. A la vérité, en 1962, c'est le caractère du régime qui avait changé. Il devenait de jour en jour plus autoritaire et plus concentré sur la personne du chef de l'Etat. Il prenait aussi chaque jour plus de liberté avec les libertés et s'enfonçait dans l'arbitraire. Un gaulliste

(1) Michel Debré. *La Nouvelle Constitution.* Texte des déclarations du garde des Sceaux devant le Conseil d'Etat, 27 août 1958, p. 17, 18, 19.

aussi convaincu, et souvent même violent, que M. de Saint-Robert n'écrivait-il pas (*Combat*, 7 novembre 1962) : « Les atteintes qu'il (de Gaulle) a déjà portées à l'indépendance de la justice... son intention connue de mettre fin à un siècle et demi de bicaméralisme, son recours continuel à la raison d'Etat en un temps où l'Etat n'est menacé que par ses propres abus... tout cela annonce trop que nous sommes engagés sur une pente irréversible... » ?

C'est bien en effet de cela qu'il s'agissait pour le général de Gaulle : renforcer son pouvoir en le puisant à la source du suffrage universel. En changeant cette disposition de la Constitution, et seulement celle-là, il gagnait sur tous les tableaux : il pouvait en effet cumuler les avantages du régime présidentiel avec ceux du régime parlementaire, par exemple conserver le droit de dissolution dont le Président des Etats-Unis est privé.

Pour atteindre ce but, il lui fallait trouver un prétexte et brandir un faux-semblant. Le prétexte qui fut fourni par l'attentat du Petit-Clamart, qui lui permit d'exciper des « menaces qui pesaient sur sa vie » (discours du 26 octobre 1962 (1). Le faux-semblant consistait à prétendre que le nouveau mode de scrutin ne s'appliquerait pas à lui, mais à ses successeurs : « Il s'agit de décider si, *après moi*, ... les futurs présidents auront à leur tour, grâce à l'investiture directe de la nation, le moyen et l'obligation de porter comme elle est cette charge si lourde. » Il parlait plus loin, dans

(1) La question reste ouverte de savoir si cet attentat avait pour but la mort ou l'enlèvement du Président de la République. Le colonel Bastien-Thiry, pendant son procès, soutint avec une sincérité impressionnante la deuxième thèse, à l'appui de laquelle vient, de toute évidence, le fait que des tireurs d'élite, utilisant des armes modernes, ont systématiquement concentré leur feu sur les roues et sur les parties basses de la voiture présidentielle.

le même discours, des « présidents successifs qui seraient investis par la confiance du peuple ».

Ce stratagème permettait de faire croire que de Gaulle, désintéressé pour lui-même, n'avait en vue que l'intérêt national dans l'avenir et qu'il voulait renforcer non son propre pouvoir, mais celui de ses successeurs.

Cependant, il usait en même temps de la menace: « Si la nation française... en venait à renier de Gaulle ou même ne lui accordait qu'une confiance vague et douteuse, sa tâche historique serait aussitôt impossible et par conséquent terminée. » C'était toujours la même alternative faussée: « Moi ou le chaos. »

Sous l'angle constitutionnel, le problème était simple. Réviser la Constitution suppose une procédure, et cette procédure a été prévue par la Constitution elle-même, dans son article 89. Que dispose cet article? D'abord que la révision peut être proposée soit par le Président de la République soit par les membres du Parlement. Ensuite, qu'une fois l'initiative prise, deux voies sont ouvertes, deux méthodes sont possibles. Ou bien les deux Assemblées votent le nouveau texte dans les mêmes termes; il est alors soumis au référendum et devient définitif après avoir été approuvé par le pays. Ou bien les deux Assemblées se réunissent en congrès; dans ce cas, le projet de révision n'est approuvé que s'il réunit la majorité des trois cinquièmes des suffrages exprimés par les deux Chambres.

Si l'on adopte la première voie, le référendum n'a lieu qu'après la délibération et le vote des deux Assemblées siégeant séparément; si l'on a recours à la deuxième, il n'y a pas de référendum du tout. Telle est la loi constitutionnelle.

Or, à cette loi, établie par lui-même, de Gaulle voulait à tout prix se dérober. Dans le premier cas, il pouvait redouter à juste titre qu'en raison de l'opposition du Sénat le texte finalement soumis au référendum ne fût amendé contrairement à ses vœux (le Sénat aurait pu exiger, par exemple, que les nouvelles dispositions ne soient appliquées qu'à ses successeurs, ce qu'il prétendait vouloir mais en réalité craignait); dans le deuxième cas, la majorité des trois cinquièmes n'aurait pas été atteinte. La pierre d'achoppement, ce n'était pas l'Assemblée à majorité inconditionnelle, mais le Sénat demeuré indépendant: *inde irae.*

Le chef de l'Etat, tournant l'obstacle qu'il ne pouvait surmonter, imagina donc de faire voter la révision constitutionnelle par un référendum simple, sans aucun débat ni vote au Parlement, en vertu de l'article 11 de la Constitution. Personne ne peut prétendre de bonne foi que l'article 11 s'applique à la révision constitutionnelle, d'abord parce que celle-ci est minutieusement organisée par l'article 89, ensuite parce que le référendum selon l'article 11 ne peut concerner que l'organisation des pouvoirs publics ou certains accords et traités. Le mode d'élection du chef de l'Etat n'entre pas dans la rubrique « organisation des pouvoirs publics »; fixé par un article (n° 7) de la Constitution, il ne peut être révisé que selon la procédure exposée plus haut.

D'ailleurs nul ne s'y trompa: juristes, spécialistes du droit constitutionnel, Conseil d'Etat, tous jugèrent qu'en déférant au seul référendum la révision du mode d'élection présidentiel, de Gaulle transgressait la Charte. La condamnation du Conseil d'Etat fut unanime. Quant au Conseil constitutionnel, saisi le 2 octobre de ce projet, et le président Coty ayant exigé une discussion sur le fond, il décida, par sept voix contre deux et une abstention, que le référendum était contraire à la Constitution.

De Gaulle, néanmoins, passa outre. Il comptait, pour emporter la décision, sur l'indifférence et l'ignorance de la plupart des électeurs en matière constitutionnelle, sur la peur qu'il s'acharnait à susciter, sur les moyens massifs de la propagande officielle, sur la coercition qu'il pouvait exercer grâce à l'« état d'urgence » maintenu en France un an et demi après le « putsch » d'Alger qui avait duré quatre jours.

La réaction des parlementaires non conformistes fut vive et courageuse. Le président du Sénat, Gaston Monnerville, dénonça dans un discours irréfutable et passionné la « forfaiture » que constituait la violation de la Constitution. Le sénateur Emile Hugues accusa le Président de la République de « manquer au serment de défendre la Constitution ». Le 6 octobre, même l'Assemblée nationale, secouant pour un jour la tutelle des inconditionnels, vota par 280 voix une motion de censure et renversa le gouvernement Pompidou.

Le vote eut lieu le 28 octobre. Avec 28 millions d'inscrits et 22 millions de votants, le « oui » l'emporta par 13 millions de voix, soit 46,4 % des inscrits, contre 8 millions de « non » (28,3 %). Plus de 14 millions d'électeurs sur 28 avaient repoussé le projet ou s'en étaient désintéressés. De Gaulle n'en estima pas moins que l'adhésion du pays n'était ni « vague » ni « douteuse » et bientôt les trompettes de sa radio-propagande entonnèrent des chants de triomphe.

Dans cette atmosphère, les partisans du « non », démoralisés, ne purent empêcher l'U.N.R. de revenir en force (229 sièges) à l'Assemblée comme résultat des élections qui eurent lieu en novembre « dans la foulée » du référendum.

Quant au Conseil constitutionnel, mis en demeure par le président Monnerville de se prononcer sur le caractère anticonstitutionnel de la disposition adoptée, il se réfugia piteusement dans une déclaration d'incompétence. Par ce geste à la Ponce Pilate, il se discréditait définitivement. Il n'avait en aucune manière joué le rôle protecteur qu'il aurait dû assumer. Loin de fermer la porte à l'illégalité et à l'arbitraire, il les avait docilement entérinés.

C'est la résistance du président Monnerville et du Sénat à la violation de la Constitution qui explique les mesures à la fois odieuses et ridicules prises contre cette Assemblée et son président. Dorénavant, les ministres reçurent l'ordre de ne pas paraître au Palais du Luxembourg. Gaston Monnerville, deuxième personnage de l'Etat et successeur désigné du Président de la République, ne fut plus invité à aucune manifestation officielle, et l'on médita dans les hautes sphères du pouvoir une prétendue « réforme » du Sénat destinée en fait à le détruire.

La démolition déjà très avancée de la Ve République avait été grandement facilitée à partir d'avril 1961 par l'application abusive de l'article 16 de la Constitution. On se rappelle que le général Challe (1), ancien commandant en chef en Algérie, avec les généraux Jouhaud, Salan et Zeller, s'était efforcé de donner un coup d'arrêt à la politique d'abandon qui devait aboutir aux événements tragiques de 1962 et à l'annihilation de l'œuvre de la France en Afrique du Nord. Cette tentative dura quatre jours. Tandis que Debré, perdant la tête, lançait des appels aux Parisiens en les exhortant à se rendre « à pied et en voiture » (des plaisantins ajoutèrent: « à cheval ») au-devant des parachutistes qui étaient censés devoir descendre d'un instant à l'autre, tandis que Roger Frey distribuait des godillots et des chapeaux de brousse, dans la cour du ministère de l'Intérieur, à de valeureux volontaires, tandis que Terrenoire excitait, sur les ondes, à la guerre civile, de Gaulle saisissait le prétexte de s'arroger des pouvoirs dictatoriaux. Qu'on se reporte au texte de l'article 16 tel qu'il a été mentionné plus haut: il est évident que ni les institutions de la République, ni l'indépendance de la nation, ni l'intégrité de son territoire (qui donc

(1) Voir Maurice Challe. *Notre révolte*, Presses de la Cité, 1968.

lui portait atteinte sinon celui qui se préparait à démembrer le territoire national en livrant 15 départements français à un ennemi en armes?) ni l'exécution de nos engagements internationaux n'étaient « menacés d'une manière grave et immédiate ». Le « fonctionnement régulier des pouvoirs publics constitutionnels » était-il « interrompu »? Non point: le Président de la République siégeait à l'Elysée, le gouvernement gouvernait ou feignait de le faire, les deux Assemblées étaient en session, le Conseil constitutionnel sommeillait au Palais-Royal. On ne se trouvait pas en face d'une invasion, encore moins d'une guerre atomique. Il serait dérisoire de comparer la situation d'avril 1961 à celle de juin 1940. Le régime n'était pas en cause, mais seulement une certaine politique, d'ailleurs elle-même contraire à la Constitution comme à l'intérêt de la nation. Aucune des conditions requises pour l'application de l'article 16 n'était présente.

Par une véritable *subversion* au sens propre du terme, l'article 16 a été mis en vigueur non point pour rétablir des pouvoirs publics momentanément détruits ou entravés, mais pour suspendre leur fonctionnement normal. On s'en est servi notamment pour instaurer tout l'arsenal de l'Etat policier: arrestations arbitraires, perquisitions sans mandat, gardes à vue prolongées, internements administratifs, camps de concentration; pour suspendre des journaux et publications et emprisonner des journalistes; pour créer des tribunaux d'exception en rupture de la loi républicaine; pour destituer illégalement officiers et fonctionnaires; pour légiférer en toutes matières par ordonnances par-dessus la tête du Parlement. Alors que le mouvement d'Alger avait pris fin le 26 avril 1961, la dictature « provisoire » se prolongea sous le régime de l'article 16 puis par l'« état d'urgence » jusqu'au 31 mai 1963, c'est-à-dire pendant plus de deux ans! Ces deux années de pouvoir absolu, de répression aveugle et de chasse aux opposants achevèrent de faire table rase de ce qui demeurait encore comme vestiges de la Ve République.

A mesure que s'affirmait une autorité sans frein et sans limites, de Gaulle s'enhardissait à formuler plus nettement la conception qu'il avait de sa mission. Dans son discours radiodiffusé du 20 septembre 1962, il déclara: « La Constitution lui confère (au chef de l'Etat) la charge insigne du destin de la France et de la République, si bien qu'il est de son droit et de son devoir d'inspirer, d'orienter, d'animer l'action nationale. »

Or, de tout cela, la Constitution ne dit mot. Elle dit même tout justement le contraire: elle établit des pouvoirs équilibrés dont le Président assure « par son arbitrage » (art. 5) le fonctionnement régulier.

Dans sa conférence de presse du 31 janvier 1964, de Gaulle a précisé comme il l'entend le pouvoir du Président de la République: « L'autorité indivisible de l'Etat est conférée tout entière au Président... il n'en existe aucune autre, ni ministérielle, ni civile, ni militaire, ni judiciaire, qui ne soit conférée et maintenue par lui. » Fort bien! Voilà qui a le mérite de la clarté. Mais ce propos exorbitant n'a qu'un défaut: c'est que le régime ainsi défini n'est pas celui de la Constitution de 1958. Ce n'est pas la Ve République. Ce n'est même aucune forme connue de la République. Sous la Constitution proposée par de Gaulle depuis Bayeux jusqu'au discours du 4 septembre 1958 à travers cent allocutions et votée par le pays, il existe une autorité ministérielle chargée de conduire la politique de la nation, et qui ne se confond pas avec celle du Président. Il existe un pouvoir judiciaire dont l'indépendance est garantie. Avoir fait campagne pendant douze ans pour la séparation et l'équilibre des pouvoirs, contre leur confusion dans les mains du Parlement, pour aboutir en fin de course à leur confusion entre les mains du Président, voilà qui résume le passage du gaullisme au néo-gaullisme: la plus éclatante palinodie de notre histoire politique.

★

De Gaulle ayant affirmé en 1962 que l'élection présidentielle au suffrage universel n'était prévue que pour ses successeurs, j'étais quant à moi convaincu qu'il voudrait en bénéficier lui-même. Je ne doutais pas qu'il briguerait un second septennat, et même, Dieu aidant, un troisième. Il était facile de prévoir, en tout cas, que le collège d'élus qui l'avait aisément désigné en 1958 serait beaucoup moins bien disposé à son égard en 1965. Il avait donc tout avantage à écarter les représentants des corps intermédiaires, communes et départements, qui s'étaient détournés de lui au cours des dernières années. Il comptait, pour obtenir un plébiscite massif, sur les moyens illimités de sa propagande, notamment sur le petit écran dont lui et ses partisans détenaient le monopole depuis sept ans.

C'est précisément dans ce domaine jusqu'alors réservé que l'irruption, pour quelques heures, de la liberté d'expression, faillit mettre en péril l'opération plébiscitaire. Certes, de Gaulle est un grand acteur à la télévision. Mais le seul fait qu'aient pu apparaître sur les écrans, dans chaque foyer, d'autres candidats, parlant, critiquant, exposant leurs idées, provoqua une véritable mutation dans l'esprit public. Cette opposition inexistante, elle existait donc? Ces hommes tant de fois raillés, ridiculisés ou anathématisés, on les voyait enfin: Marcilhacy, honnête et convaincant, Tixier-Vignancour incisif, Barbu souvent émouvant, Lecanuet hier pratiquement inconnu, soudain affirmant une présence, Mitterrand un peu contracté au début, puis persuasif, la voix chaude. Qu'on fût d'accord ou non, totalement ou en partie, avec tel ou tel d'entre eux, ce n'était pas l'essentiel. La révélation, c'était le fait tout simple que pour des millions de Français et de Fran-

210

çaises il y avait tout soudain d'autres voix que La Voix, d'autres images que l'Image Unique, l'image du Père tour à tour coléreux, optimiste, majestueux.

Entre le 19 novembre et le 3 décembre, la cote du général de Gaulle ne cessa de baisser. Les sondages de l'I.F.O.P., ceux des Renseignements Généraux, donnèrent des pronostics de plus en plus faibles: 51 %, puis 45 %. Le ballottage devenait possible, probable, certain. Dans le camp du pouvoir, à l'inquiétude succédait un début de panique: déjà certains hiérarques recherchaient des contre-assurances. Le scrutin du 5 décembre confirma leurs appréhensions: de Gaulle était mis en ballottage avec 44,64 % des suffrages exprimés (37,45 % des inscrits), suivi de Mitterrand (31,72 % des suffrages exprimés), de Lecanuet (15,57), de Tixier-Vignancour (5,19), de Marcilhacy (1,71) et de Barbu (1,15).

Conformément à la loi approuvée par le référendum d'octobre 1962, seuls de Gaulle et Mitterrand demeuraient en lice. Ce fait favorisait la réélection du Président de la République: parmi les 3 700 000 électeurs de Jean Lecanuet, bon nombre de modérés, redoutant le « Front Populaire » que la propagande du régime dépeignait sous des couleurs effrayantes, ne pouvaient se résoudre à transférer leurs voix à François Mitterrand. Une partie de ceux qui avaient voté pour Tixier-Vignancour (1 250 000) préférèrent s'abstenir au deuxième tour. Il faut observer aussi que, soumis à des pressions de signes contraires, les uns l'engageant à prendre position clairement pour Mitterrand devenu seul candidat de l'opposition, les autres, par exemple Pflimlin, se déclarant pour de Gaulle par peur de la gauche, Jean Lecanuet, tout en réitérant sa profession de foi « européenne » et en affirmant qu'il ne voterait pas pour le Président sortant, n'alla pas jusqu'à préconiser formellement le vote pour Mitterrand.

Quant à moi, n'ayant point de prise sur les événe-

211

ments, de l'exil auquel j'étais réduit depuis quatre ans, je me bornai à expliquer dans des articles publiés par *Combat* pourquoi je préconisais de voter pour Lecanuet au premier tour et pour Mitterrand au deuxième. J'estimais en effet que, le 5 décembre, 13 millions d'électeurs sur 24 avaient choisi entre les diverses tendances de l'opposition, et refusé en même temps à de Gaulle le blanc-seing qu'il demandait. « Au premier tour on choisit. Au deuxième tour on élimine. » Or, il s'agissait « avant tout d'éliminer le pouvoir personnel ». Des deux candidats demeurés en présence, quel est celui qui, une fois élu, garantirait le plus sûrement le respect de la Constitution? Telle était, à mes yeux, la question essentielle.

Dans un autre article, publié par l'hebdomadaire *Aux Ecoutes*, j'écrivais notamment que, le 5 décembre, les citoyens avaient eu à répondre en fait à la question suivante: « Etes-vous d'accord pour que le général de Gaulle conserve tous les pouvoirs pendant sept ans? » Sur 100 Français en âge et en droit de voter, 48 avaient répondu « non », 37 avaient répondu « oui », 15 n'avaient pas jugé utile de se déranger. Mais, le 19 décembre, la question posée pouvait se formuler ainsi: « Etes-vous d'accord pour que le général de Gaulle exerce pendant sept ans le pouvoir absolu que vous lui avez refusé il y a quinze jours? » Les électeurs qui avaient voté pour l'un quelconque des candidats de l'opposition allaient-ils faire volte-face et se déjuger?

Au total, le 19 décembre, sur 5 700 000 électeurs qui avaient voté pour Lecanuet, Tixier, Marcilhacy ou Barbu, 2 200 000 apportèrent leurs voix au Président sortant, près de 3 millions à Mitterrand. De Gaulle fut donc réélu avec 55,19 % des suffrages exprimés et 45,26 % du corps électoral.

Bien entendu, après cette chaude alerte, le régime reprit son cours comme si rien ne s'était passé. Rien ne fut changé, bien au contraire, à la concentration de tous les pouvoirs entre les mains du chef de l'Etat. S'estimant désormais investi par toute la nation et oubliant qu'il n'avait triomphé que par une faible majorité, le général de Gaulle n'en persista que davantage à excommunier tout opposant, tenu par lui pour un mauvais Français. Si la rude secousse de mai-juin 1968 lui arracha l'amnistie, il la mit néanmoins à profit pour déchaîner dans l'opinion publique la peur, son alliée favorite. Le pays abusé, terrorisé par l'épouvantail habilement brandi du communisme, envoya une fois de plus à l'Assemblée nationale une majorité massive de députés inconditionnels. On vit alors revenir à la surface le projet déjà vingt fois annoncé de « réforme » du Sénat. A vrai dire, le but recherché n'est pas de réformer le Sénat, mais de le tuer. On lui tient rigueur d'être demeuré, envers et contre tout, une véritable Assemblée démocratique (1). On tient rigueur à son président d'avoir dénoncé sans faiblesse les abus du régime. D'où l'idée de le remplacer par un pseudo-Sénat consultatif, où siégeraient pêle-mêle des élus et des délégués nommés et qui, sous prétexte de prendre la suite du Conseil économique et social, se bornerait comme celui-ci à émettre des avis. Or, l'expérience prouve que ces avis, même s'ils sont excellents comme c'est souvent le cas, ne sont presque jamais écoutés par une Assemblée politique.

La doctrine gaulliste, comme on l'a dit, a hésité quelque peu sur l'opportunité et sur la façon de faire représenter au Sénat les « forces » économiques et sociales. En revanche, elle a énergiquement réclamé un Sénat politique capable de faire contrepoids à l'Assemblée nationale. C'est Michel Debré qui, obéissant proba-

(1) Cf. Gaston Monnerville. *Le Sénat, institution fondamentale d'une République démocratique*, Paris, Ed. Serpic, 1965.

blement comme à l'ordinaire à des directives venues de haut, a lancé l'offensive contre le Sénat dans son livre *Au service de la nation*, publié en 1963. Quel prétexte invoquer pour priver le Sénat de son rôle normal en démocratie? Debré, faute de mieux, découvre que les sénateurs ne représentent qu'imparfaitement la population des divers départements et que leur mode d'élection favorise les régions les moins peuplées, les plus rurales. Ainsi, selon lui, « le Sénat est condamné par la trop grande inégalité dans la représentation des départements ». Il serait aisé de répondre à notre intrépide réformateur que ce défaut est facile à redresser: il suffit de modifier le découpage des circonscriptions et de conférer un plus grand nombre de sièges aux régions urbaines. Mais la vraie raison de la « réforme » projetée se dévoile un peu plus loin: le Sénat a eu surtout le tort « de réaliser l'union des partis, de la droite à la gauche » contre la politique du chef de l'Etat. C'est pour cela, et non pour des motifs techniques, qu'il doit disparaître.

De Gaulle lui-même, dans sa conférence de presse du 9 septembre 1968, a dénoncé l'« opposition systématique » du Sénat. A l'entendre, la conception (gaulliste cependant) du Sénat-contrepoids ne répond plus à une nécessité, « car le chef de l'Etat lui-même a la charge et les moyens d'empêcher les dépassements et de maintenir l'équilibre »: savoureuse ironie, quand on observe que, dans le système actuellement pratiqué, c'est précisément le chef de l'Etat qui rompt l'équilibre et s'arroge tous les pouvoirs.

On va donc soumettre au référendum, selon la même procédure qu'en 1962 et tout aussi illégalement, la « réforme » destinée à mettre en place une caricature de Sénat consultatif. Une seule Assemblée, bien tenue en main par le pouvoir, votera la loi. L'autre donnera des avis. « D'avis, le pouvoir n'en manque pas: les commissions créées par douzaines en remplissent les armoires. Seule fait défaut la volonté de les suivre (1). »

Sénat en trompe-l'œil, assemblées régionales en trompe-l'œil : la « réforme » annoncée a pour but et aura pour résultat de stériliser l'idée même de la région autonome, car les prétendues assemblées régionales ne seront qu'un décalque des C.O.D.E.R., dont l'expérience s'est révélée décevante. Dans son livre déjà cité, Michel Debré s'en prend fougueusement aux régions, « centres actifs de revendications, centres puissants et bientôt insupportables... (se livrant à des) récriminations d'ordre intellectuel, religieux, linguistique ». A l'en croire, l'existence de régions vraiment décentralisées porterait atteinte à l'unité nationale et au patriotisme français. Ce serait « la destruction de la nation et l'effondrement de l'Etat ».

Il faut donc s'attendre à ne voir se réaliser qu'une caricature d'autonomie régionale, car le pouvoir personnel, centralisateur par nature, n'admettra pas que des décisions d'une importance quelconque puissent être prises, à quelque niveau que ce soit, en dehors de lui.

En même temps sévissait l'épuration à la radio et à la télévision contre les journalistes qui, d'ailleurs un peu tard, avaient enfin osé secouer la tutelle du pouvoir et réclamer une information objective. Pompidou, soupçonné de tiédeur peut-être, ou portant ombrage par son assurance, dut céder la place à Couve de Murville, plus effacé et moins disert.

Le régime tel qu'il existe aujourd'hui est « un je ne sais quoi qui n'a de nom dans aucune langue ». Ce n'est pas ce que le gaullisme avait inlassablement réclamé depuis Bayeux. Ce n'est pas la Ve République, dont la Constitution a été démantelée. Ce n'est pas le régime parlementaire. Ce n'est pas non plus le

(1) Ludovic Tron, *Le Monde*, 4 septembre 1968.

régime présidentiel, puisqu'il ne comporte aucun des freins et des contrepoids qui, à Washington par exemple, limitent les pouvoirs du Président. Par une longue suite d'empiétements, d'illégalités graduées, de transgressions feutrées, coup d'Etat au compte-gouttes administré par petites doses au long de six années, la France intoxiquée en est arrivée à tolérer de s'en remettre de toutes ses affaires à un seul homme. Elle est le seul pays d'Occident aujourd'hui à avoir ainsi abdiqué.

Sans doute les formes et le vocabulaire de la République subsistent, semblables à ces façades de maisons brûlées derrière lesquelles il n'y a plus rien. On parle du gouvernement: de Gaulle gouverne. Il y a, dit-on, un Parlement: mais de Gaulle impose sa loi. On affirme qu'il y a une justice: c'est de Gaulle qui juge.

Qui se souvient du temps où le chef de la France combattante condamnait « l'ignominie du pouvoir personnel »?

2

LE NÉO-GAULLISME, LES LIBERTÉS ET LA JUSTICE

Le gaullisme, je crois l'avoir montré, s'était formé dans un esprit de lutte contre l'illégalité et l'arbitraire, il avait combattu pour la restauration et le maintien des libertés. Pendant la guerre, il s'était dressé contre l'oppression que l'envahisseur faisait régner en France occupée, contre les agissements de la police et des milices de Vichy. En tant que Rassemblement du Peuple Français, il eut à faire face aux provocations et machinations policières telles que le « Plan Bleu » ou le « complot de la Pentecôte », et les dénonça avec indignation.

Notre réprobation envers toute mesure arbitraire dans les domaines de la justice et de la police s'appuyait sur une conception classique de la loi.

« La loi est juste, déclarait par exemple René Capitant (1), elle ne mérite son nom que si elle est générale, c'est-à-dire si les droits et les obligations qu'elle comporte s'imposent ou bénéficient à l'ensemble des citoyens. A cette condition seulement ceux-ci sont

(1) Rapport présenté à la XIe section des Assises nationales du R.P.F., 23-25 juin 1950 à Paris.

égaux devant la loi. Alors seulement, le règne de la loi peut s'identifier à la République et s'opposer aux régimes d'arbitraire ou de privilège. Le législateur, dans le régime que nous voulons instaurer, sera donc tenu, constitutionnellement, de ne voter et de ne discuter que des lois générales... Sa souveraineté sera limitée par cette obligation d'être juste, qui lui imposera de ne statuer que par voie générale et lui interdira toute disposition discriminatoire ou exceptionnelle. »

La Constitution de 1958 affirme l'indépendance de l'autorité judiciaire, dont le Président de la République est le garant (art. 64). Les magistrats, selon le même article, sont inamovibles, c'est-à-dire qu'ils ne peuvent être déplacés sans leur accord: il en est ainsi en France sous tous les régimes démocratiques, afin de préserver les magistrats des pressions du pouvoir. « Nul ne peut être arbitrairement détenu », prescrit l'article 66. D'autre part, c'est à la loi, donc au Parlement, qu'il appartient, selon l'article 34 de la Constitution, de fixer les règles concernant « les droits civiques et les garanties fondamentales accordées aux citoyens pour l'exercice des libertés publiques... la détermination des crimes et délits...; la procédure pénale; l'amnistie, la création de nouveaux ordres de juridiction ». Enfin il faut rappeler que le préambule de la Constitution « proclame solennellement » l'attachement du peuple français aux droits de l'homme définis par la Déclaration de 1789.

Or, le régime, en peu d'années, a bousculé et anéanti tous les garde-fous juridiques, toutes les garanties offertes aux citoyens. On a vu se développer, contre la Constitution et contre l'humanité, une série de pratiques judiciaires et policières, dont les traits principaux sont les suivants:

— en violation du principe de la généralité de la loi et de l'égalité des citoyens, la création de tribunaux d'exception ne présentant aucune des garanties norma-

218

les dans le droit des pays civilisés, émettant des décisions le plus souvent sans recours, bref: instruments d'aveugle répression au service du pouvoir et non point cours de justice telles qu'on les entend en démocratie;

— le foisonnement de polices dites « parallèles », dotées de moyens illimités, jouissant de l'impunité quelque illégales et même criminelles que fussent leurs méthodes, utilisant l'assassinat et la provocation;

— le déchaînement d'une répression sans frein, marquée par une brutalité inhumaine, la fusillade de civils désarmés, les brimades et les sévices infligés à toute une population par manière de représailles collectives, les arrestations et perquisitions arbitraires, les humiliations et les tortures auxquelles ont été soumis les « suspects »;

— une chasse aux sorcières sans précédent organisée hors de France contre les opposants en exil, quelquefois avec le consentement plus ou moins extorqué de gouvernements étrangers, parfois à leur insu ou malgré eux en violation du droit international, le tout s'accompagnant d'enlèvements ou de tentatives d'enlèvement, de sévices et de persécutions de toute nature, y compris de campagnes de diffamation et de calomnies;

— le refus obstiné de l'amnistie et l'atteinte constante, dans ce domaine, aux prérogatives du Parlement;

— les restrictions imposées à la liberté d'expression par toute une série de moyens allant de la censure à l'épuration en passant par la saisie illégale et l'intimidation;

— le tout couronné par l'hypocrisie avec laquelle le régime, tout en saccageant les libertés publiques, ne cessait de s'en proclamer à tue-tête le défenseur.

Qu'une grande partie de ces illégalités et de ces atteintes aux principes démocratiques aient eu pour prétexte le drame qui se déroulait en Algérie pendant les premières années de la Ve République n'est en réalité qu'incident. Toute autre « secousse », toute autre tragédie auraient été mises à profit de la même manière. Le problème de l'Algérie sera traité plus loin quant au fond. Ce qu'il importe d'examiner ici, c'est comment, à propos de ce problème, le pouvoir a saisi l'occasion de s'affranchir de toute limitation et de mettre en place des structures oppressives qui subsistent encore aujourd'hui alors que l'affaire algérienne a été liquidée il y a six ans.

Rien n'est plus significatif, rien ne permet mieux de jeter un regard indiscret sur les rouages cachés du régime que la manière dont il a systématiquement dégradé la justice pour en faire un instrument de vengeance politique.

C'est pour avoir refusé, au Conseil des ministres qui suivit, en janvier 1960, les « barricades » d'Alger, de m'associer à une répression implacable, que je quittai le gouvernement. Certes, je l'ai toujours pensé et toujours dit, Lagaillarde et Ortiz, en imaginant de constituer au centre d'Alger un réduit pour faire reculer le pouvoir, avaient commis une erreur tactique et politique. Mais ce n'était pas une raison pour refuser de comprendre pourquoi une population entière, alarmée à juste titre, avait fait bloc autour d'eux. Il n'était que trop clair qu'une politique ambiguë, des déclarations contradictoires, l'inquiétude profonde suscitée par le départ du général Massu (1) avaient créé l'ambiance

(1) Il est maintenant indéniable, comme en font foi les souvenirs du général Challe (*Notre révolte*, p. 152-153), que le journaliste allemand Kemski fut littéralement imposé à Challe et à Massu par le Quai d'Orsay. Le ministère des Affaires étrangères harcela le général Challe jusqu'à ce que, de guerre lasse, il se décidât à recevoir Kemski et à l'envoyer auprès de Massu. A peine parue l'interview-bombe, où les propos déjà peu diplomatiques de Massu avaient été fortement « arrangés » par le journaliste, Debré téléphona à Challe sur un ton tragique en pleine nuit. Le démenti immédiat donné

psychologique favorable à l'éclatement du drame. Il y avait eu fusillade le 24 janvier en fin d'après-midi: or, dès le lendemain, sur la base des renseignements fragmentaires dont on disposait alors, les conditions dans lesquelles cette fusillade s'était déclenchée paraissaient étranges, suspectes, en tout cas irrégulières (1). Tout cela, je l'avais déclaré à l'Elysée, en Conseil, sous l'œil irrité du général de Gaulle en proie à une fureur contenue qu'il dissimulait sous l'impassibilité d'un visage aussi pâle que le marbre.

Que l'épreuve de force ait été ou non provoquée sciemment, il est certain que de Gaulle s'en saisit

par les deux généraux ne parvint pas à mettre fin à l'incident, car évidemment « on » avait voulu l'incident et Massu était tombé dans un traquenard.

(1) On relevait des anomalies inexplicables dans les mouvements des unités chargées de maintenir l'ordre. Le feu fut ouvert sur la foule sans qu'il y ait eu de sommations, contrairement à la loi: Guillaumat, ministre des Armées, en convint en plein Conseil. Aucune enquête ne fut ouverte, à ma connaissance, sur ces circonstances troublantes; si enquête il y eut, on l'étouffa en tout cas.

Après la publication en 1962 de mon livre *L'Espérance trahie*, je reçus chez mon éditeur une note manuscrite mais non signée que je reproduis néanmoins ici à titre documentaire. Elle avait pour titre: « Information complémentaire et véridique pour le livre de Jacques Soustelle *L'Espérance trahie.* » On y lisait: « Vérité sur le premier coup de feu du 24 janvier 1960: vers 18 heures, un retraité, M. Mœbs, descendait l'avenue Pasteur et arrivait au droit de l'hôtel Albert Ier quand y arrivait la charge des gendarmes. Un grand gendarme s'est jeté sur ce passant inoffensif, l'a brutalisé, envoyé à terre. Relevé par des témoins et protestant, le grand gendarme l'a mis en joue et a tiré, mais, par suite d'un réflexe, M. Mœbs s'était baissé et la balle a atteint un officier du service d'ordre qui se trouvait derrière. Suivant M. Mœbs, *aucune détonation n'avait été entendue auparavant.* Ces faits devaient être rapportés au procès des barricades par un colonel qui avait demandé à être entendu et que l'on n'a pas fait citer. »

comme d'une bonne occasion. Il s'employa d'abord à rassurer les Français d'Algérie en affirmant, dans son discours du 29 janvier, qu'il souhaitait « la solution la plus française » (formule que j'avais employée quelques mois plus tôt pour définir l'intégration de l'Algérie dans la République). Puis il autorisa le général Challe et les colonels Godard et Gardes à promettre aux insurgés des barricades qu'il n'y aurait pas de sanctions: s'ils se rendaient sans effusion de sang, ils pourraient former une unité de commando pour se battre contre le F.L.N. En même temps, il donnait l'ordre au général Crépin, nommé à la place de Massu, d'enlever le réduit de vive force. Le dimanche 31 janvier, une demi-heure avant l'heure fixée par de Gaulle pour cet assaut fratricide, Crépin, angoissé, téléphona au général Grout de Beaufort qui était alors, à l'Elysée, le chef de la maison militaire du Président. Il lui dit en substance: « J'ai l'ordre d'attaquer les barricades et je l'exécuterai, mais mon devoir est de vous dire que cet assaut coûtera des flots de sang et des centaines de morts. Le drame de conscience de l'armée sera terrible. » Ni le général Challe, encore commandant en chef, ni Beaufort, ni le Premier Ministre nominal Debré n'avaient connu les consignes que de Gaulle donnait directement au général Crépin. Beaufort ayant alerté Debré, celui-ci courut à l'Elysée; l'ordre d'assaut fut rapporté cinq minutes avant l'heure fatale.

Les barricades ayant été évacuées sur la foi des promesses faites, dont aucune ne fut tenue, un flot de délations et d'arrestations s'abattit sur Alger. Non seulement furent emprisonnés et inculpés de complot des hommes comme Lagaillarde et le colonel Gardes, mais même des personnalités auxquelles on ne pouvait reprocher qu'un délit d'opinion: tel fut notamment le cas d'Alain de Sérigny, directeur de *L'Echo d'Alger*. Menacé d'incarcération s'il refusait de céder son journal à des hommes de paille du gouvernement, il repoussa avec indignation ce chantage, ce qui lui valut neuf mois d'emprisonnement arbitraire, à l'issue desquels, d'ailleurs, on lui vola tout de même *L'Echo*.

Dès le 3 février, l'Assemblée nationale vota une loi conférant des pouvoirs spéciaux au gouvernement et l'autorisant à légiférer par ordonnances pendant un an. Pour justifier ces mesures exorbitantes, on agita l'épouvantail de l'insurrection des « ultras », terme commode par lequel on flétrissait quiconque n'acceptait pas la politique d'abandon dans laquelle de Gaulle s'engageait de plus en plus ouvertement. C'est une lourde faute que commirent les membres des partis démocratiques du Parlement en s'associant à l'U.N.R. pour approuver un texte visiblement destiné à porter atteinte aux libertés publiques. De Gaulle en fit usage, par exemple, pour décréter qu'aucune personne inculpée — je dis bien: seulement inculpée — ne pourrait poser sa candidature aux élections cantonales qui devaient avoir lieu en Algérie (il suffisait donc de faire inculper quelqu'un pour lui ôter ses droits de citoyen!) et pour s'octroyer la faculté de proclamer l'« état d'urgence » sans le contrôle de l'Assemblée. Une ordonnance du 13 février porta à trois jours le délai de « garde à vue » pendant lequel un suspect peut être détenu au secret par la police, sans contact avec le monde extérieur, sans recours à un avocat, sans défense contre les pressions morales ou physiques auxquelles il peut être soumis. Cette ordonnance contraire au droit de tous les pays démocratiques portait la signature de Michel Debré: le même Debré qui, deux ans plus tôt, avait qualifié d'« injure à la justice » le fait de détenir un prévenu plus de vingt-quatre heures sans le déférer à un magistrat!

Ainsi avait-on mis le doigt dans l'engrenage de l'arbitraire et du bon plaisir.

L'année suivante, à la suite des événements d'avril, de Gaulle ayant déclenché, en violation du texte même de la Constitution, le dispositif de l'article 16, en tira parti pour prendre toute une série de décisions: il proclama l'état d'urgence, porta de trois à quinze jours la durée de l'ignominieuse « garde à vue », autorisa les préfets à interner administrativement « les personnes dangereuses pour la sécurité publique », c'est-à-dire tout opposant, et surtout créa le Haut Tribunal militaire, tribunal d'exception dont la seule existence est un défi à la Constitution et à la Déclaration des droits de l'homme. On n'en finirait pas d'énumérer toutes les atteintes portées à cette époque à l'impartialité de la justice: l'inamovibilité des juges est suspendue, le Conseil de l'Ordre des avocats d'Alger est dissous, et, couronnement de cet édifice, la peine de mort en matière politique est rétablie.

L'histoire des tribunaux d'exception est typique du régime tel qu'il s'est progressivement durci à partir de 1960 et de 1961 par un véritable processus de fascisation. Le Haut Tribunal militaire, ayant condamné à mort le général Jouhaud, recula au moment suprême du verdict dans le procès du général Salan: il le condamna à la prison perpétuelle. Ce verdict sauvait par ricochet la vie d'Edmond Jouhaud, qui attendait chaque nuit dans la cellule des condamnés à mort le moment de partir pour le voyage dont on ne revient pas. De Gaulle se vengea du Tribunal, qui par exception ne s'était pas montré assez exceptionnel, en le dissolvant et en lui substituant le 1er juin 1962, toujours par ordonnance, une « Cour militaire de justice » tout aussi anticonstitutionnelle et antidémocratique.

Le chef de l'Etat s'appuyait, pour créer ce nouveau monstre juridique, sur le référendum du 8 avril 1962, qui l'avait autorisé à prendre par ordonnances toutes mesures « relatives à l'application des déclarations d'Evian ». Les braves gens qui avaient voté « oui » s'apercevaient-ils que, ce faisant, ils conféraient à de Gaulle le pouvoir de violer la Constitution (pouvoir qui cependant n'appartient à personne) et, entre autres énormités, de faire fusiller « légalement » ses adversaires sous prétexte d'appliquer les « accords » d'Evian? (1)

Consultée conformément à la loi, la Commission permanente du Conseil d'Etat émit un avis défavorable: elle s'élevait en particulier contre le fait que les verdicts de ce singulier tribunal n'étaient susceptibles d'aucun recours, ce qui va directement à l'encontre de la tradition et du droit de tous les pays civilisés. De Gaulle passa outre.

La Cour militaire de justice prit péniblement le départ. Nommé président, le général de Larminat se suicida, ne pouvant pas, selon les termes des lettres qu'il laissa avant de se donner la mort, « physiquement et mentalement accomplir son devoir ». Larminat, que j'avais bien connu pendant la guerre, soldat intrépide qui avait puissamment contribué à libérer nos territoires d'Afrique, fanatiquement dévoué à de Gaulle, s'était vu écrasé entre ce dévouement et l'affreuse fonction qu'on lui imposait: il ne trouva pas d'autre issue que sa propre mort.

Entre le 28 juin et le 17 septembre 1962, le tribunal d'exception prononça six verdicts, dont deux fois la peine de mort: contre le lieutenant Roger Degueldre, arrêté à Alger, et contre André Canal, accusé d'avoir été le chef d'une mission envoyée en France par le général Salan. Degueldre périt le 6 juillet au fort d'Ivry; son exécution fut une véritable boucherie, son agonie atroce.

Mais, le 20 octobre, un coup de théâtre retentissant

(1) En invoquant ce motif, de Gaulle, fera-t-on observer, reconnaissait implicitement que les « accords » d'Evian ne pouvaient être appliqués que grâce à une répression implacable exercée contre toute une fraction de la nation: voilà qui donne une haute idée de ces accords eux-mêmes.

fit chanceler sur ses bases le système d'iniquité et d'arbitraire établi par l'ordonnance de juin: André Canal allait être fusillé le lendemain matin; saisi par lui et par deux autres condamnés, ainsi que par cinq sénateurs (1), le Conseil d'Etat, reprenant et complétant l'avis de sa Commission permanente, mais cette fois en assemblée plénière sous la présidence d'Alexandre Parodi, annula l'ordonnance du 1er juin et proclama l'illégalité de la Cour militaire de justice. Dans les attendus de son arrêt, le Conseil dénonçait « l'importance et la gravité des atteintes que l'ordonnance portait aux principes généraux du droit pénal en ce qui concerne notamment la procédure qui est prévue et l'exclusion de toute voie de recours » et la déclarait « entachée d'illégalité ». L'ordonnance était annulée.

Le gouvernement, c'est-à-dire de Gaulle, Pompidou étant alors le Premier Ministre nominal, réagit avec fureur par un communiqué jugeant « anormale » la sentence du Conseil d'Etat, qualifiée d'« encouragement à la subversion », et affirmant rageusement qu'il n'en continuerait pas moins à « poursuivre et frapper les auteurs de menées criminelles ».

Néanmoins, dans l'immédiat, il ne pouvait faire autrement que de s'incliner, toute l'opinion publique, y compris la presse la plus favorable au pouvoir, ayant accueilli qui avec satisfaction, qui au moins avec respect, la sentence du Conseil d'Etat. Du reste, cet événement surgissait en pleine campagne du référendum sur l'élection du Président de la République au suffrage universel, ce qui obligeait le gouvernement à une certaine prudence.

La Cour militaire de justice ayant été déclarée illé-

_____

(1) Les condamnés étaient le lieutenant Godot et l'adjudant Robin (vingt ans de réclusion chacun); les sénateurs, MM. Bonnefous, Lafay, Plait, Jager et André s'étaient associés au pourvoi d'André Canal.

gale, les jugements qu'elle avait rendus ne l'étaient pas moins. Sur les six condamnés de cette juridiction, les cinq qui étaient encore en vie auraient dû être soumis à un nouveau jugement devant une instance régulière. Degueldre, lui, était bien mort. Mais de Gaulle préféra gagner du temps, gracia Canal — décision qui revenait à reconnaître et à confirmer la validité de sa condamnation, cependant cassée par l'arrêt du Conseil d'Etat — et attendit qu'une nouvelle Assemblée nationale inconditionnellement à ses ordres lui fît cadeau d'un troisième tribunal d'exception non moins anticonstitutionnel que les deux premiers.

Cette fois, on descend d'un degré dans la dégradation de la République: c'est le pouvoir législatif lui-même qui s'abaisse à fournir au pouvoir l'instrument d'une violation délibérée de la charte fondamentale. S'il est grave que le chef de l'Etat et le gouvernement transgressent la Constitution et les droits de l'homme, que dire d'un Parlement qui vote avec complaisance une loi liberticide? La Cour de Sûreté de l'Etat contrevient aux principes permanents du droit. Tribunal d'exception, elle porte atteinte à l'égalité des citoyens devant la loi. Certes, l'on n'a pas osé maintenir la plus scandaleuse des dispositions contre lesquelles s'était élevé le Conseil d'Etat: le droit de recours est rétabli. Mais il reste qu'un citoyen se voit refuser le droit de comparaître devant la justice régulière et d'être jugé par un jury: les garanties reconnues même aux pires criminels sont refusées aux accusés que le pouvoir considère comme des adversaires politiques. Les magistrats qui siègent à ce tribunal ne sont pas inamovibles: les voilà donc soumis à toutes les pressions gouvernementales. La « garde à vue » — c'est-à-dire, répétons-le, la période pendant laquelle un suspect est détenu au secret, sans défense, aux mains de la police — est autorisée pendant quinze jours. Au cas où l'« état d'urgence » est déclaré, ces dispositions sont encore aggravées. François Mitterrand pouvait, résumant le texte, déclarer: « Qui décide de l'état d'urgence? Le gouvernement, par décret, pour douze jours. Et sans délai si l'article 16 de la Constitution est invoqué.

« Qui décide de mettre un suspect en garde à vue? La police.

« Combien de temps dure la garde à vue?... Quinze jours.

« Qui saisit la Cour de Sûreté? En résumé, c'est le ministre de la Justice.

« Qui qualifie les faits imputés à l'accusé? Le ministre de la Justice.

« Combien de temps peut-il se passer entre l'interrogatoire de l'inculpé et sa comparution devant la Cour? Cinq jours.

« De combien de temps peut disposer le Conseil pour arrêter la défense de l'inculpé? Trois ou quatre jours.

« Voilà ce qu'il peut advenir de tout citoyen français, réputé innocent tant qu'il n'est pas condamné: quinze jours dans les mains de la police, cinq jours à la disposition de la justice, et d'une justice simplifiée! (1) »

On notera en passant que cette analyse de Mitterrand fut accueillie par les protestations de l'U.N.R. et en particulier par celles d'un député nommé Lemarchand qui s'écria: « Il a témoigné pour Salan! » Il n'est pas inutile de rappeler que Lemarchand fut, en Algérie, un des organisateurs de la police « parallèle » communément connue sous le nom de « barbouzes », et qu'il parvint ensuite à une certaine notoriété dans l'affaire Ben Barka.

Mais l'épisode le plus significatif fut sans doute le débat qui s'instaura au Palais-Bourbon à propos de l'article 49 de la nouvelle loi. Cet article a pour objet — tout simplement! — de valider *rétroactivement* l'or-

(1) *J.O.* du 5 janvier 1963, p. 284.

donnance du 1er juin 1962 cassée par le Conseil d'Etat. Autrement dit, en le votant, l'Assemblée, prenant à son compte les décisions « entachées d'illégalité » de la Cour militaire de justice, annulait à son tour l'arrêt du Conseil d'Etat; elle affirmait que les sentences rendues par la Cour étaient régulières; en somme, elle exécutait la vengeance du pouvoir contre le Conseil d'Etat.

Il est difficile de concevoir une atteinte plus nette et plus grave aux principes de la légalité républicaine. La rétroactivité a toujours été bannie de nos lois. De plus, il est évident que, dans ce débat, il s'agissait avant tout, non point d'une disposition générale, mais d'un cas particulier: l'affaire Canal. Qu'allait en penser René Capitant, héraut passionné, comme nous l'avons vu, de la généralité de la loi?

Eh bien! René Capitant, oubliant ce qu'il avait proclamé si énergiquement quelques années plus tôt, se déclarait d'accord — que dis-je? son intervention avait pour but de renforcer encore le texte proposé par le gouvernement. Après avoir évoqué (*J.O.* du 5 janvier 1963, p. 291) les « difficultés juridiques » nées de l'arrêt du Conseil d'Etat, il poursuivit: « (L'article en question) a pour but de nous permettre de surmonter ces difficultés *sans manquer à nos principes...* Nous devons aujourd'hui *racheter* l'annulation » de l'ordonnance qui avait créé la Cour militaire. « Il faut valider l'ordonnance du 1er juin. Il faut lui rendre sa force. » A cette fin, l'Assemblée doit décider que l'ordonnance, bien qu'annulée, est pour ainsi dire ressuscitée, et qui plus est, avec le caractère contraignant d'une loi. Le Conseil d'Etat lui-même sera obligé d'en reconnaître la validité. D'un coup de baguette magique, l'Assemblée fera en sorte que ce qui était illégal redevienne légal, non seulement par la suite, mais dans le passé.

La majorité inconditionnelle devait, naturellement, se conformer à cette thèse aberrante. La loi créant la

Cour de Sûreté ne peut être qualifiée autrement que de « loi scélérate ».

Avec cette décision, qui n'est plus temporaire mais permanente dans ses effets, on a introduit à titre définitif dans le droit français l'existence de tribunaux d'exception. Cette cascade de créations, de dissolutions, de validations, toute cette jonglerie juridique, ces tours de passe-passe sans autre but que de permettre au pouvoir d'écraser toute opposition, le tout mené avec une désinvolture inouïe et un mépris évident de la légalité, montrent à l'évidence que la Ve République ne se conforme ni à l'idéal du gaullisme pour lequel tant des nôtres ont combattu depuis 1940, ni à celui de la République.

Pas davantage les « barbouzes ». On a longtemps nié, de façon officielle, l'existence de polices parallèles. C'est ainsi que Léon Delbecque, député du Nord, posa au ministre de l'Intérieur, Roger Frey, la question suivante le 7 décembre 1961, par la voie du *Journal Officiel*:

« M. Delbecque expose à M. le ministre de l'Intérieur que l'ensemble de la presse, et principalement de la presse dite gouvernementale, fait état et affirme, sans recevoir de démenti, que le gouvernement utilise à son tour contre l'O.A.S. des brigades anti-O.A.S. qui ont déjà démontré qu'elles étaient pourvues, elles aussi, de plastic, de services d'action psychologique et de *public relations*. Il lui demande dans quel cadre et sur quel budget sont inscrites ces organisations secrètes, et quelles sont les directives qu'elles ont reçues. »

Réponse de Roger Frey au *Journal Officiel* du 10 janvier 1962: « Le ministre de l'Intérieur précise qu'il n'existe aucun personnel chargé de la lutte anti-O.A.S. en dehors des cadres normaux des forces du maintien de l'ordre. »

Cependant, un député U.N.R., M. Sammarcelli, dans son rapport du 9 novembre 1961, N° 1513, rendant compte de la mission qu'il avait exécutée en Algérie, en octobre, avec sept de ses collègues (dont 2 U.N.R., 1 socialiste, 1 M.R.P., etc), écrivait, page 6, que des « violences inadmissibles », « portant atteinte à l'intégrité physique de l'homme », étaient exercées sur les détenus soupçonnés d'activisme par des « individus appartenant à des équipes très spéciales sur les agissements desquels la mission a attiré l'attention des autorités de police et a saisi le Parquet général, qui a ouvert immédiatement une information judiciaire ».

Il va de soi que l'on n'a jamais eu de nouvelles de cette information « immédiate »; quant aux services de police, ils ont dû sourire quelque peu de la naïveté de l'excellent M. Sammarcelli: en effet, ce qui caractérise l'action des polices parallèles ou supplétives en 1961 et 1962, c'est qu'elles sont imbriquées avec la police officielle, qui leur fournit des moyens et couvre leurs exactions.

Le mot « exactions » n'est pas excessif, puisqu'on peut compter au nombre des exploits de ces organisations non seulement de très nombreux plasticages: destruction par explosifs de cafés, brasseries, magasins censés servir de lieu de réunion à des « activistes », mais encore des enlèvements, séquestrations, tortures et assassinats. C'est ainsi que l'ingénieur Camille Petitjean, officier de réserve, ancien Français Libre, décoré de la Légion d'honneur et du D.S.O. britannique, fut enlevé de son bureau aux usines Berliet à Rouiba le 26 février 1962. On retrouva son corps criblé de balles près d'Orléansville en mars.

L'hebdomadaire *France-Observateur* a publié le 8 mars 1962 une interview, présentée de façon très favorable, d'un membre des équipes de « barbouzes ». L'interviewé, dont le nom est demeuré naturellement secret, revendique à l'actif de ces équipes de nombreux plasticages, en particulier ceux de la brasserie « Tantonville » et du café dit des « Sept Merveilles ». Il explique que les « barbouzes » se recrutaient parmi « les gars de Dauer », c'est-à-dire dans le « Mouvement pour la Coopération », organisation gaulliste étroitement liée avec certains services de police d'une part, avec le F.L.N. et le Parti communiste d'autre part, chez l'« Association pour le soutien au général de Gaulle » que dirigeait Yves Le Tac; il y avait aussi dans ces équipes des « petits gars gonflés » du contingent, recrutés par la Sécurité militaire, et une trentaine de Vietnamiens.

Le même personnage affirme que Dominique Ponchardier avait repris le contact avec des anciens du service d'ordre du R.P.F. « Quand il est allé trouver Frey pour lui proposer ses services, on lui a donné la bénédiction. Frey ne voyait que de l'intérêt à cette opération. »

Il est d'ailleurs certain que les hommes de main recrutés sur place ou en métropole jouissaient de la protection et du soutien actif du ministère de l'Intérieur. Ils étaient munis de cartes de police (dos vert, liséré tricolore) portant de faux noms, signées par le « professeur Hermelin », pseudonyme d'un haut fonctionnaire de la Sûreté. Un autre « professeur », sous le faux nom de « Lapeyrusse », était chargé à Alger de coordonner l'action de la police officielle et celle des « parallèles ». Les équipes spéciales disposaient de villas ou d'hôtels réquisitionnés, de voitures, d'armes et d'explosifs, de postes émetteurs et récepteurs qui leur permettaient de communiquer avec le Haut-Commissariat installé au Rocher Noir et avec l'Ecole de police de Hussein-Dey. Leurs membres percevaient des soldes et des indemnités élevées. Outre les métropolitains et les Vietnamiens, on signale parmi eux un certain nombre de musulmans, ex-F.L.N. ou F.L.N. tout court. Ces équipes étaient en liaison étroite avec la Sécurité militaire du colonel Rivière (aujourd'hui député U.N.R.) et avec la gendarmerie du colonel Debrosse (aujourd'hui général du cadre de réserve), dont le poste de

commandement était installé à la caserne des Tagarins. « Debrosse... on ne dira jamais assez ce qu'il a
fait pour la République », a déclaré sentencieusement
l'interviewé de *France-Observateur.*

Les équipes spéciales étaient implantées principalement à Alger et dans la banlieue (Aïn-Taya), à Orléansville et à Oran. Dans un long télégramme du 10 février
1962 adressé au délégué général Morin, le préfet
d'Oran protesta avec force contre la mise en place des
« barbouzes » dans son département : leurs « actions
incontrôlées et illégales », exposait-il, ne pouvaient
« qu'accroître le trouble général et attirer les haines
raciales ». Ce haut fonctionnaire pouvait à bon droit
s'alarmer, car si la police parallèle s'articulait, au sommet, avec les services officiels et en recevait subsides
et moyens matériels avec la « bénédiction » de Roger
Frey, à la base elle plongeait dans les eaux troubles
de la pègre et de la trahison. Ses hommes de main
recrutés à tort et à travers dans les milieux les plus
louches ne voyaient dans l'action répressive qu'une
occasion de fructueux trafics ou le moyen de satisfaire
des instincts sadiques. Certains d'entre eux, Vietnamiens et Arabes notamment, étaient volontaires pour
torturer les suspects, s'acharnant en particulier sur les
femmes.

Il semble, à la lumière des renseignements fragmentaires dont on peut disposer actuellement, que nombre
de « barbouzes » aient appartenu à l'« Organisation
Clandestine du Contingent » (O.C.C.), ou au « Mouvement pour la Coopération » (M.P.C.), ou aux deux à
la fois. L'O.C.C. avait été créée après la tentative de soulèvement d'avril 1961 afin de noyauter les milieux militaires, de mettre en fiches les officiers et de dénoncer
les « activistes » ; c'était donc un service de délation,
théoriquement secret, en fait protégé par la Sécurité
militaire dépendant du ministère des Armées. Des
tracts émanant de cette organisation « clandestine »

étaient même affichés quasi officiellement dans les casernements de certaines unités. Forte du soutien qu'elle obtenait en haut lieu, l'O.C.C. avait créé des réseaux dans les bases militaires, notamment à la base aérienne de La Réghaïa. Certains civils du voisinage faisaient partie de ces réseaux, tel un instituteur d'Aïn-Taya, qui cumulait avec cette activité celles de représentant du M.P.C. et de membre du Parti communiste algérien.

Le 25 janvier 1962, à la suite d'un accrochage entre une patrouille française et une bande rebelle, un des fellagha prisonniers déclara « qu'un groupe composé de membres du F.L.N. et du M.P.C., auxiliaires de police chargés plus spécialement de la lutte anti-O.A.S. et mieux connus sous le terme de « barbouzes », était en cours de formation à Mouréoua, qu'il comprenait un chef du F.L.N. récemment arrivé dans la région (ce chef est d'ailleurs connu et fiché) et un instituteur, chef du M.P.C. pour la région d'Aïn-Taya... Il ajouta que ce groupe attendait pour entrer en action les ordres du M.P.C. et qu'un certain nombre d'Européens de la région devaient être abattus ». Un autre prisonnier affirma avoir reçu son arme, un fusil Mauser, « de ce même instituteur fiché depuis plus de six mois comme membre du Parti communiste algérien ».

Les révélations qui précèdent furent faites par un député d'Alger-banlieue, Robert Abdesselam, dont l'honnêteté intellectuelle et la modération sont connues. Il ajoutait, dans une question écrite posée au ministre des Armées: « Il ressort au surplus des documents saisis et notamment d'une « directive concernant le M.P.C. » datée du 2 janvier 1962 et émanant du conseil de la wilaya IV, zone 6, que « les membres du M.P.C. ont fait des propositions d'armes et de munitions » au F.L.N. (1). »

(1) Cette question de M. Abdesselam est demeurée sans réponse.

234

Il y avait donc, on le voit, une imbrication très poussée entre les « barbouzes » et les terroristes arabes, la liaison étant assurée par certains éléments européens d'obédience communiste: le tout avec la bénédiction de Roger Frey, ministre de l'Intérieur auprès de qui Alexandre Sanguinetti s'était spécialisé dans la lutte « contre la subversion » et se faisait appeler « Monsieur Anti-O.A.S. ». J'avais connu Sanguinetti en 1956-1957, quand il avait adhéré à l'Union pour le Salut et le Renouveau de l'Algérie Française (U.S.R.A.F.); il lui apportait le concours de diverses associations d'anciens combattants. C'est lui qui organisa, à Alger, une imposante manifestation au cours de laquelle de nombreux anciens combattants, ayant à leur tête le colonel Bourgouin (depuis et encore aujourd'hui député U.N.R.), prononcèrent solennellement le serment de ne jamais abandonner l'Algérie. « L'Algérie française? Oui! De Gaulle? Non! »: tel était le leitmotiv de Sanguinetti, qui ajoutait volontiers: « Votre Général, faites-lui faire une statue en bronze, ou bien faites-le empailler. »

Quoi qu'il en soit, l'action des policiers supplétifs en Algérie leur valut de sérieux déboires. Vite repérés par la population, leurs voitures connues, leurs villas et hôtels attaqués à la bombe ou au bazooka, la plupart se replièrent sur la métropole. Certains, ayant trouvé la mort dans leurs repaires détruits (dans un cas au moins, au moment même où, dans une chambre de tortures spécialement aménagée, ils exerçaient leurs talents sur des « suspects »), furent enterrés clandestinement dans des cimetières de campagne non loin de Paris.

Les survivants de cette équipée n'en demeuraient pas moins à la disposition du pouvoir. C'est sans doute à eux qu'on peut attribuer un certain nombre de provocations: attentats au plastic, bombes à retardement, dont les auteurs ne furent jamais découverts. C'est ainsi que, le 10 mars, une camionnette piégée explosa à Issy-les-Moulineaux: il y eut trois morts et de nombreux blessés. Le gouvernement s'empressa d'imputer à l'O.A.S. la responsabilité de ce crime; la « Mission III » d'André Canal répondit, par un manifeste, qu'il s'agissait d'une provocation. Le 31 mars, le bruit courut que trois individus avaient été appréhendés pour avoir participé à cet attentat, et un député algérien, Marc Lauriol, demanda par question écrite au ministère de l'Intérieur quelle était leur appartenance politique. Fait troublant, le ministre, Roger Frey, non seulement nia ces arrestations dont tout le monde, au Palais-Bourbon, était informé, mais alla jusqu'à poursuivre pour « diffusion de fausses nouvelles » le quotidien parisien *L'Aurore* qui avait fait état de la question écrite de Marc Lauriol.

Fait plus troublant encore, un tract dénonçant avec indignation l'attentat « activiste » d'Issy-les-Moulineaux fut répandu par un mouvement gaulliste: mais il avait été imprimé la veille de l'explosion.

Enfin, comme on le verra plus loin, les polices parallèles ont trouvé un champ d'action à l'étranger, où elles se sont livrées à des enlèvements ou tentatives d'enlèvement contre des exilés politiques. Les mœurs ainsi introduites chez nous avec la connivence et le soutien de l'Etat (« juste et fort »!) ont persisté bien après les événements d'Algérie: la disparition de Ben Barka, avec son cortège de faux témoignages, « suicides », etc., en est un exemple.

Mais l'action des « policiers supplétifs », pour condamnable qu'elle soit, n'est encore qu'un aspect mineur d'une réalité tragique du régime: la violence de la répression. Il faudrait un volume pour en exposer toutes les formes. Je me bornerai ici à une sèche énumération.

En Algérie, c'est le blocus de Bab-el-Oued en mars 1962, tout un quartier populaire livré à des représailles collectives sans précédent, mitraillé indistinctement par les blindés et par l'aviation; des enfants tués dans leurs maisons ou à leur balcon, comme la fillette Ghislaine Grès; les appartements mis à sac, pillés, les meubles détruits, les magasins vidés de leurs stocks; les vivres, le lait des enfants, les secours médicaux refusés pendant une semaine. Jamais dans notre histoire on n'avait vu les pouvoirs publics s'acharner avec autant de férocité contre une population désarmée. C'est, encore à Alger, le massacre du 26 mars rue d'Isly, une centaine de morts et de très nombreux blessés dans une foule pacifique et sans armes mitraillée, dans le dos, à bout portant. C'est, à Oran, la répression sauvage ordonnée par le général Katz. Ce sont les camps de concentration de Djorf, Douéra, Arcole, décrits par la Commission parlementaire et son rapporteur l'U.N.R. Sammarcelli en termes qui, par leur modération même, en font ressortir l'inhumanité. La même Commission a constaté, comme en fait foi son rapport officiel, que des « suspects » étaient enchaînés jour et nuit, sans nourriture et sans boisson, dans la caserne des Tagarins et que beaucoup portaient les traces de sévices indicibles. Il existe des dépositions devant les tribunaux et des rapports médicaux qui ne laissent aucun doute sur le fait que les « activistes » ou supposés tels étaient soumis à des supplices variés: coups, strangulation, empalement, électricité, et que la caserne où commandait le colonel Debrosse était quotidiennement le théâtre d'atrocités qu'on croyait à jamais bannies par la conscience humaine depuis la sombre époque de la Gestapo. Pour un cas arrivé à la connaissance du public, comme celui de Mme Salasc, épouse d'un médecin algérois, petite-fille du sénateur radical Gasser, torturée dans des conditions révoltantes, combien d'autres sont demeurés enfouis dans les archives des tribunaux qui n'ont jamais donné suite à aucune plainte en dépit de témoignages irréfutables!

Il n'est pas surprenant, dans de telles conditions, que

nombre de suspects détenus aient succombé, soit à l'épuisement et au manque de nourriture, soit aux coups. Comment ne pas citer, ici, le cas de Mme Bosc, une femme de soixante-trois ans, arrêtée et brutalisée, conduite menottes aux mains au camp de Berrouaghia? Elle tombe gravement malade, l'administration du camp lui refuse les soins. Après plusieurs mois de martyre, on la renvoie chez elle agonisante: elle mourut quatre jours plus tard. Et l'on pourrait mentionner la mort du jeune René Descamps, interné au camp de Douéra, décédé comme résultat des mauvais traitements subis, celle de Charles Daudet, mort dans sa prison à Constantine...

En France métropolitaine, plus de 11 000 arrestations, des journalistes, des intellectuels comme André Noël, Paul Dehème, le professeur Girardet, détenus arbitrairement; les camps de concentration établis à l'hôpital Beaujon, à Thol (Ain) et à Saint-Maurice-l'Ardoise (Gard), ces deux derniers entourés de barbelés, surmontés de miradors, gardés par des patrouilles armées et aidées de chiens policiers; revues, périodiques, lettres confidentielles saisis et supprimés; hommes et femmes incarcérés pendant des mois ou des années (le général Vanuxem pendant deux ans) sur de vagues soupçons ou comme suite à des dénonciations intéressées, ou encore parce que leurs opinions non conformistes étaient connues.

Quel tollé, dans les milieux gouvernementaux, quand le président Monnerville eut le courage, en septembre 1963, de dénoncer les camps de concentration et de s'écrier: « Nous ne sommes pas en République! » Le régime n'aime pas qu'on le démasque: après le massacre de la rue d'Isly, il fit saisir et détruire le Livre blanc qui se composait uniquement des témoignages de survivants, sans un mot de commentaires. On eût bien voulu faire taire le président du Sénat. On souffla même à un certain M. Soufflet, sénateur U.N.R., une protestation que Gaston Monnerville repoussa en déclarant : « J'ai dit, et je le pense, que nous ne sommes pas en République. Les Français se croient libres. Mais ils ne savent pas combien d'hommes ont été enfermés dans les camps de concentration... Cela peut ne pas vous convenir ou ne pas convenir à ceux qui vous ont donné mandat de parler, mais c'est cela que j'ai dit. Ce que j'ai dit, je le pense ! » A quoi M. Soufflet crut bon de répliquer : « Je tiens à préciser que je n'ai été mandaté par personne. » Le compte rendu de séance ajoute entre parenthèses : « Tumulte et ricanements. » En vérité, le président Monnerville savait fort bien à quoi s'en tenir, et ses adversaires aussi. De nombreux témoignages existent, qui étaient déjà connus à l'époque. Le député U.N.R. Sammarcelli, dans un rapport du 9 novembre 1962, écrivait notamment : « Le camp (de Saint-Maurice-l'Ardoise) présente toutes les caractéristiques d'un camp de concentration, y compris les clôtures en fil de fer barbelé, les tours de guet et l'importance des forces de police... La nuit, en particulier, sous le feu des tours de guet, à l'intérieur des clôtures en barbelé et sous la surveillance constante de la police et de ses chiens policiers, les détenus, qui ne savent combien de temps ils doivent être là-bas et qui, en général, ne savent pas non plus pourquoi ils ont été arrêtés, ne peuvent pas échapper à la psychose concentrationnaire. » Et cet honnête magistrat ajoutait : « Il n'existe ni sécurité ni ordre public quand les droits fondamentaux de la personne humaine sont ignorés ou même abolis. »

La Commission parlementaire qui inspecta le camp de Saint-Maurice-l'Ardoise releva que 64 % des prisonniers n'avaient jamais été inculpés, que 22 % avaient été mis en liberté provisoire par les tribunaux réguliers, que 14 %, jugés normalement, avaient été acquittés ! Il y avait parmi eux aussi bien des pères de famille nombreuse que des jeunes gens mineurs.

Un des traits les plus scandaleux de cette répression

massive, c'est en effet l'internement par simple décision administrative de « suspects » acquittés ou libérés par la justice régulière. Tel fut notamment le cas d'un conseiller municipal de Paris, l'ancien député Jean Dides. Ayant pris la parole au cours d'un meeting du « Comité de Vincennes » pour l'Algérie, Dides fut appréhendé, accusé d'avoir proféré des menaces contre le chef de l'Etat et incarcéré à la Santé. Or, non seulement des témoignages, mais l'enregistrement de son discours sur bande magnétique, démontraient qu'il n'avait pas prononcé les paroles qu'on lui imputait. Le juge d'instruction ordonna le non-lieu. A peine Dides sortait-il de la prison de la Santé qu'il était de nouveau arrêté par ordre du ministre de l'Intérieur pour être d'abord séquestré dans une propriété des environs de Paris, puis emprisonné au camp de concentration de Saint-Maurice-l'Ardoise: il y resta neuf mois. C'est le régime de la lettre de cachet. Gaston Monnerville avait bien raison de dire que « nous ne sommes pas en République »: ces pratiques nous ramènent de deux siècles en arrière.

Quant à la persécution systématique des réfugiés politiques à l'étranger, on ne saurait dire à quelle époque elle nous ramène: où est le temps où Voltaire à Ferney, Rousseau à Bienne, Mme de Staël à Coppet, pouvaient se soustraire au courroux du roi ou de l'empereur régnant à Paris? Notre temps, si éclairé, et qui se targue si fort des progrès de la démocratie, aurait des leçons à prendre dans l'Europe du XVIIIe siècle. Il suffit qu'un Etat érige en dogme l'intolérance et décrète qu'une opinion est un crime, pour que les frontières s'ouvrent à ses injonctions, à ses policiers, à ses hommes de main.

Je tiens pour un des épisodes les plus honteux de l'histoire récente de notre Occident la chasse aux sorcières organisée à travers l'Europe par Roger Frey (avec la collaboration de Couve de Murville) contre les opposants au régime disséminés dans les pays voisins de la France. Elle commença en 1961, à l'automne, quand la répression déchaînée dans la métropole commença à s'essouffler faute de suspects à emprisonner. Le gouvernement tourna alors ses regards vers les pays démocratiques tels que l'Italie, la Suisse, l'Allemagne fédérale, la Belgique, où se trouvaient de nombreux exilés qui avaient dû fuir pour sauvegarder leur liberté. Le plan qui fut mis en œuvre comportait — à en juger par ses résultats — les mesures suivantes:

— par des campagnes de calomnies d'autant plus efficaces qu'elles étaient plus grossières, dresser contre les exilés l'opinion publique des pays libres, en les faisant passer pour des criminels, assassins, incendiaires, etc., dont toute l'activité avait pour but d'instaurer le fascisme non seulement en France mais dans toute l'Europe;

— par des dénonciations mensongères, alerter les polices de ces divers pays et leur faire accroire que des terroristes aussi dangereux que Jacques Soustelle par exemple, armés jusqu'aux dents et se promenant avec un arsenal de bombes (1), ne pouvaient être tolérés par un Etat soucieux de la paix publique;

— par des pressions diplomatiques, exiger et obtenir des gouvernements intéressés l'arrestation et l'expulsion des réfugiés politiques figurant sur des « listes noires » jusqu'à ce que, chassés et refoulés de pays en pays, sans ressources et aux abois, ils dussent se résoudre à quitter l'Europe pour quelque lointaine république sud-américaine;

(1) « Cela n'est pas un conte »: quand je fus arrêté à Milan par la police italienne en août 1962, les inspecteurs, dont le dossier provenait de Paris (ma photographie portait encore une légende en français), cherchèrent dans ma valise les explosifs que leurs collègues français leur avaient affirmé devoir s'y trouver. Il n'y avait là — hélas pour eux — que des livres.

— enfin, dans certains cas (j'ignore, naturellement, qui prenait les décisions, encore qu'on puisse le supposer), monter des attentats et des enlèvements en utilisant les services des « policiers parallèles ».

Ici encore il faudrait un épais volume pour donner un tableau exact et détaillé des atteintes au droit des gens, des actes d'arbitraire et même de brigandage pur et simple dont se rendirent coupables les instigateurs et les exécutants de cette implacable persécution. Je ne pourrai que citer quelques exemples et, bien que je n'écrive pas ici mes mémoires, mentionner certains épisodes édifiants de mon odyssée d'exilé. Auparavant, toutefois, il me faut souligner deux aspects importants de cet ensemble de faits: le premier, c'est que le gouvernement français a eu constamment recours, contre ses adversaires politiques, à la méthode typiquement totalitaire de l'« amalgame » qui consiste à confondre volontairement des catégories très diverses de personnes et des positions très différentes; selon ce mode de raisonnement, si l'on peut ainsi parler, Trotsky pour les staliniens était depuis 1918 un espion à la solde des Japonais, à moins que ce ne fût de l'Angleterre, Roosevelt était juif d'après Gœbbels. De même, à en croire les agents du pouvoir, quiconque ne considérait pas la politique (à mon avis insensée et désastreuse) menée en Algérie comme le dernier mot de la sagesse se voyait taxé de terroriste, de criminel et de lanceur de bombes. Ainsi, de proche en proche, on passait du délit d'opinion au crime politique, et de là au crime tout court. De Gaulle, dans ses déclarations et conférences de presse, ne dédaignait pas d'exhaler sa haine en kyrielles de qualificatifs dont ceux d'assassins et de maîtres chanteurs n'étaient pas les pires. Le tintamarre assourdissant de la radiodiffusion, relayé par une partie de la presse, mettait l'opinion en condition: les sottises les plus évidentes, les mensonges les plus grossiers étaient acceptés comme paroles d'Evangile. Le deuxième point qui mérite d'être mis en valeur, c'est l'étonnante crédulité et la complaisance extraordinaire avec laquelle certains gouvernements, prenant au sérieux les mensonges que leur débitaient, par ordre, les ambassadeurs de Paris, se sont prêtés à faire ce que j'ai appelé l'« Europe des polices », quelquefois au mépris de leurs propres lois et de leur propre Constitution.

Georges Bidault, ancien président du Conseil National de la Résistance sous l'occupation hitlérienne, chef du Gouvernement provisoire et plusieurs fois ministre des Affaires étrangères, s'était signalé par son opposition courageuse à la politique d'abandon en Algérie. On fit jouer contre lui l'« amalgame ». Le gouvernement réclama de l'Assemblée nationale qu'elle levât l'immunité parlementaire de Georges Bidault. La séance consacrée à cette exécution — car il ne s'agissait pas d'autre chose — eut lieu le 5 juillet 1962. L'Algérie était « indépendante » depuis quatre jours, c'est-à-dire que Ben Khedda et Ben Bella s'y disputaient le pouvoir tandis que les Européens par milliers, les musulmans par dizaines de milliers étaient enlevés, torturés, mutilés, brûlés vifs par les excellents démocrates du F.L.N. C'est sur cette toile de fond que se déroula le débat destiné à priver de son immunité constitutionnelle un homme dont le seul crime avait été de dénoncer à l'avance les horreurs qui ensanglantaient alors l'Algérie. Débat attristant, car l'U.N.R. déchaînée mena un tel tapage que Chaban-Delmas lui-même, présidant la séance, s'écria: « L'Assemblée n'offre pas un spectacle convenable! » (*J.O.*, 6 juillet 1962, p. 2227). Des députés de la majorité, galvanisés par la haine — certains, aussi, par l'alcool — interrompaient à tout instant les orateurs et injuriaient leur collègue absent. Un ecclésiastique, membre du parti majoritaire, faillit en venir aux mains avec un autre député. Le dossier soumis à la Commission se révéla très mince. Il se composait soit de « documents » fort contestables, soit d'articles de presse dont la véracité était plus que douteuse. D'ailleurs la Commission elle-même vota deux résolutions: par la première, elle rejetait toute l'argumentation gouvernementale relative « à de prétendus rapports entre le président Bidault et l'O.A.S. »; par la deuxième, elle exigeait du gouvernement que Georges Bidault, s'il devait être traduit en justice, comparût devant un tribunal normal et non devant un tribunal d'exception. Et à ce propos, le rapporteur de la Commission, André Mignot, dénonça « l'immixtion du pouvoir exécutif dans le pouvoir judiciaire ».

Pierre de Bénouville montra que la demande de levée d'immunité parlementaire n'était pas « sérieuse ». « Depuis quand, demanda-t-il, la défense d'une politique par un homme politique constitue-t-elle une infraction? » Bien que constamment interrompu, il poursuivit: « L'opposition doit être libre et il vous appartient aujourd'hui de vous prononcer sérieusement sur ce grave sujet. »

Emportée par la passion du moment, l'Assemblée leva l'immunité parlementaire de Georges Bidault exigée au nom du gouvernement par le garde des Sceaux Foyer. C'était une flétrissure qu'elle infligeait, non à Bidault, mais à elle-même: l'Histoire a toujours jugé sévèrement les Assemblées qui, pour complaire au pouvoir exécutif, lui livrent leurs propres membres.

Après l'enlèvement du colonel Argoud, à Munich, par les spadassins du régime, il était clair qu'un sort analogue se préparait pour l'ancien chef du M.R.P. Le journal de Cologne, *Deutsche Zeitung,* avait publié au début de février une dépêche de son correspondant de Paris annonçant que des équipes spéciales avaient été envoyées en Allemagne à cette fin. La découverte de sa retraite campagnarde par la police bavaroise eut peut-être le résultat imprévu de soustraire Georges Bidault aux brutalités des hommes de main. Quoi qu'il en soit, les pressions éhontées exercées par Paris furent telles que le chancelier Adenauer, oubliant l'époque où la démocratie chrétienne en Europe reposait sur les épaules de trois hommes: lui-même, de Gasperi et Bidault, refusa même de prendre connaissance d'une lettre que ce dernier lui adressa. Déclaré partout indésirable, l'homme d'Etat français ne trouva refuge qu'au Brésil.

L'affaire Argoud est si connue que je ne m'y attarderai pas. On sait que cet officier fut appréhendé à Munich par des sbires qui se firent passer pour des policiers allemands; que ces individus, l'ayant roué de coups, le firent monter de force dans une voiture; qu'à Baden-Baden, au quartier général des forces d'occupation en Allemagne, on le transféra dans une voiture militaire de façon à passer sans difficulté la frontière; qu'il fut « trouvé » ligoté dans le fond d'une camionnette à deux pas de la Préfecture de Police; qu'à son procès, qui fut expédié en quelques heures en décembre, Couve de Murville fit connaître que le gouvernement allemand n'avait pas réclamé le prisonnier, enlevé sur son territoire au détriment de sa souveraineté, affirmation qui se révéla contraire à la vérité; qu'enfin Antoine Argoud, un des officiers les plus brillants de l'armée française et qui, j'en suis témoin, non seulement n'ordonna pas d'actes de violence ni d'attentats mais s'efforça de les empêcher, fut condamné à la détention perpétuelle. Cet épisode scandaleux jette une lumière crue sur certains aspects de la politique néogaulliste: mépris du droit international; collusion entre les services officiels et une lie de « truands » prêts à tout; hypocrisie érigée en maxime d'Etat; usage sans frein et sans scrupule de la violence.

On retrouve les mêmes caractéristiques dans le cas moins connu du capitaine Jean-Marie Curutchet. Cet officier, se trouvant en Suisse, avait fait l'objet d'une demande d'extradition de la part des autorités françaises: cette demande fut rejetée par la Confédération helvétique, comme elle le fait par tradition constante quand les crimes ou délits invoqués sont de nature politique. Ayant obtenu l'autorisation de se rendre en Uruguay, le capitaine quitta clandestinement à Lisbonne l'avion qui se dirigeait vers Montevideo, et de là gagna l'Italie. L'immeuble où vivaient alors sa femme et ses enfants, au Lido d'Ostie, était étroitement surveillé par des agents du régime néo-gaulliste. Reconnu et dénoncé par eux alors qu'il se rendait au chevet de son fils malade, il demanda à un haut fonctionnaire italien l'autorisation de se fixer dans le pays. « Fort courtoisement » (1), ce haut fonctionnaire lui expliqua que cela « était impossible, compte tenu de l'opposition du gouvernement français ».

Il ne restait donc plus à Curutchet d'autre solution que de partir pour l'Uruguay avec les siens. C'est ici que commence à se tendre le piège: une série de conversations entre les autorités italiennes et les autorités françaises aboutit à ce qui semblait un accord. L'ambassade de France à Rome délivra des passeports à Mme Curutchet et aux enfants, fit réserver des places sur un avion italien. Il fut même précisé que le consul de France à Montevideo serait avisé de l'arrivée de cette famille d'exilés. Or, je tiens d'une source irréfutable qu'au moment même où l'ambassade de France prodiguait ces assurances aux autorités italiennes, le commandement militaire français à Dakar recevait l'ordre de préparer, dans le plus grand secret, une cellule particulièrement sûre pour un prisonnier dont le nom n'était pas révélé!

Ce prisonnier, c'était Curutchet: car l'appareil de la compagnie *Alitalia* devait faire escale à Dakar. Le 29 novembre 1963, tôt le matin, l'avion qui venait d'at-

(1) Lettre de J.-M. Curutchet au juge d'instruction Braunschweig.

terrir fut envahi par une horde d'énergumènes noirs commandés par un Français. L'équipage fut brutalement écarté, l'hôtesse de l'air jetée à terre et piétinée. On emmena Curutchet, matraqué et sanglant, sous les yeux de sa femme et de ses enfants. Le lendemain, menottes aux mains, il était emmené en avion à Paris et bientôt condamné, selon le « tarif » habituel, à la réclusion à vie par la Cour de Sûreté de l'Etat.

Violation de la parole donnée; invasion d'un appareil italien avec la complicité d'un autre gouvernement étranger; basse traîtrise du prétendu « accord », en fait guet-apens tendu à Curutchet et s'accompagnant de duperie à l'égard des autorités italiennes: cette machination contribua-t-elle à rehausser chez nos voisins transalpins ce prestige dont le régime se vante si fort? La lecture de la presse de l'époque répond à cette question.

Me voici maintenant amené à parler de moi. Non que je me plaise à évoquer des souvenirs personnels; mais on admettra peut-être que mon histoire puisse contribuer à montrer comment est traité, sous ce régime, un homme dont le seul crime est de se refuser à renier ses convictions. J'insiste sur le fait que je ne prétends point, ici, affirmer que ces convictions correspondaient nécessairement à la vérité et qu'un esprit honnête ne pouvait en concevoir d'autres. Cela, c'est la discussion sur le fond, et elle viendra en son lieu. Ce que je soutiens, c'est le droit reconnu, théoriquement, à tout citoyen, d'exprimer et de soutenir ce qu'il croit juste, et de ne pas accepter qu'une autorité, quelle qu'elle soit, prétende lui dicter une opinion contraire à sa conscience. C'est pour ce droit que se sont battus et ont souffert mes ancêtres huguenots des Cévennes face au pouvoir de l'orgueilleux Roi-Soleil; c'est pour ce droit que la Révolution française a renversé l'Ancien Régime. Ce n'est pas une question d'intérêt, car on peut toujours trouver un arrangement entre des intérêts; ce n'est pas une question politique, car la politique implique souvent des compromis; c'est une question morale, et dans ce domaine il n'y a pas de moyen terme entre deux attitudes: ou bien se renier soi-même et se déshonorer, ou maintenir quoi qu'il puisse en coûter la ligne qu'on s'est fixée en conscience. J'ai choisi cette deuxième branche de l'alternative, et je ne le regrette pas.

S'il est quelque chose que je regrette, c'est d'avoir voulu trop longtemps croire, en dépit du doute puis contre l'évidence, que des promesses seraient tenues. Par fidélité au passé, j'ai retardé l'inévitable rupture. Pour ce qui a suivi, si c'était à refaire je le referais.

A peine avais-je quitté le gouvernement que je faisais connaître, par une déclaration publique, mon opposition irréductible à la politique d'aveugle répression dans laquelle le pouvoir s'engageait. Mes camarades du Rhône, à l'exception de deux pauvres hères qui voulurent à tout prix conserver leur siège au Palais-Bourbon, demeurèrent groupés autour de moi. La Fédération rhodanienne de l'U.N.R. était une des plus fortes du pays, une de celles aussi où l'on relevait le plus haut pourcentage d'anciens résistants et de jeunes travailleurs. Elle réclama un congrès extraordinaire où chacun fût à même d'exposer librement ses thèses. Cette demande, normale dans tout parti démocratique, se heurta au refus obstiné des nouveaux hiérarques. Bien plus, comme j'avais refusé le marché que me proposa une délégation dirigée par Chaban-Delmas: mon silence contre une agréable « mission » à l'étranger, on entreprit de me chasser de l'organisation dont j'avais été un des fondateurs. Debré apporta une sombre fureur à me faire expulser; il m'adressa des lettres incroyables (1) dans lesquelles il définissait la doctrine,

(1) On trouvera cette correspondance dans *L'Espérance trahie*, p. 168 et suiv.

alors toute nouvelle, de l'inconditionnalité. Il m'enjoignait de me faire hara-kiri et de démissionner de l'U.N.R. Devant mon refus, le Comité central finit par m'exclure en avril sans même m'avoir entendu, sans que la Commission d'arbitrage ait jugé à propos de connaître mon opinion, bref de la façon la plus irrégulière et anti-statutaire. Il est évident que je n'avais plus ma place dans une formation politique qui bannissait désormais tout libre débat et qui, n'ayant d'autre doctrine que l'obéissance *perinde ac cadaver* dans un vide idéologique effrayant, ne voulait plus des citoyens mais des robots.

Sur ces entrefaites, un arrêté de Joxe, alors ministre de l'Education nationale, me chassa aussi de la Commission des Sciences Humaines au Centre National de la Recherche Scientifique. Depuis dix ans, aucun gouvernement, y compris ceux que je combattais sur le plan politique, n'avait eu l'idée de me retirer cette charge — d'ailleurs non rémunérée, mais qui me permettait de conserver le contact avec les étudiants et les chercheurs —: il fallut le gouvernement Debré pour m'en exclure en châtiment de mon hérésie.

Je créai un « Centre d'Information sur les problèmes de l'Algérie et du Sahara », qui publia plusieurs brochures et organisa des réunions d'information. J'assumais aussi la direction politique d'un petit magazine bi-mensuel, *Voici pourquoi*, qui parvenait à vivre grâce à sa vente et à ses abonnements en Afrique du Nord. Bientôt le gouvernement s'acharna contre lui: le magazine n'était pas interdit, il n'était même pas officiellement « saisi », mais simplement et arbitrairement « bloqué » à son arrivée en Algérie. Nous étions pauvres, mes amis et moi. On espérait bien, et d'ailleurs on y réussit, faire périr notre moyen d'expression en vidant ses caisses.

Ayant mis sur pied en octobre 1960 le « Regroupement national », auquel se rallia le groupe parlementaire « Unité de la République », je vis s'aggraver de jour en jour la pression administrative et policière. On nous bannit illégalement de la campagne du référendum, comme je l'ai déjà indiqué. Nos conversations téléphoniques étaient interceptées et je fus bientôt avisé de bonne source qu'au premier prétexte on s'empresserait de me jeter en prison.

Ce prétexte fut fourni par le mouvement d'avril 1961 en Algérie. Ayant appris par la radio, comme tout le monde, les événements du 22 avril, je pris la précaution de ne pas demeurer chez moi : car dès le lendemain de l'effondrement de cette tentative, la police me rechercha pour m'arrêter sur l'ordre de Roger Frey, devenu sur ces entrefaites ministre de l'Intérieur et déjà résolu à déclencher une répression démesurée. Sans un certain nombre d'amis fidèles, gaullistes de toujours, je n'aurais certainement pas pu échapper au coup de filet. Grâce à eux, je restai quelque temps dans la région parisienne, puis gagnai discrètement l'Italie. Là, sans voir personne, sans prendre aucun contact avec les milieux politiques, je me consacrai à écrire le livre qui devait s'appeler *L'Espérance trahie*. En même temps, j'envoyais de temps à autre à certains journaux, tels que le *Journal du Parlement* et *Combat*, des articles d'actualité où je condamnais sans ambages, on l'imagine, la politique de plus en plus aberrante que poursuivait le chef de l'Etat.

Mais le régime ne pouvait évidemment tolérer cette activité, réduite cependant à l'expression d'une opinion. Il fallait à tout prix me discréditer et, à cette fin, me faire passer pour un « fasciste », lié à tous les résidus nazis qui subsistent de-ci de-là en Europe. Certes, ces gens savaient parfaitement que c'était là un mensonge stupide, mais ils comptaient bien qu'en le présentant habilement ils pourraient, avec leurs énormes moyens de diffusion, l'implanter dans quelques cervelles ignorantes. L'opération fut soigneusement montée.

On utilisa la rancune que me portait un des hommes les plus puissants d'Italie, Enrico Mattei, véritable empereur du pétrole, dont j'avais contrecarré les intérêts au Sahara. Mattei, dont la politique pétrolière l'amenait à se lier étroitement aux Soviets et à souhaiter que la France fût chassée du Sahara, était le président d'une amicale d'anciens résistants et partisans fortement noyautée par les communistes. Le 30 septembre 1961, le bulletin bi-mensuel de cette association, *Europa Libera* — feuille de chou introuvable — publia un article-fleuve, tissu de mensonges, d'inventions délirantes et de calomnies grotesques qu'illustraient ma photographie, celles du général Salan, d'Ortiz et du colonel Godard. A en croire l'auteur ou les auteurs de ce factum, je vivais à Santa-Marinella (localité charmante, paraît-il, où il se trouve que je n'ai jamais mis les pieds) dans une luxueuse villa; j'y recevais cent personnalités du monde politique, des affaires et même du Vatican. De là, je tissais sur toute la péninsule une toile d'araignée reliée, à travers l'Europe, à tous les groupes néo-fascistes ou ex-nazis. J'avais assisté, ajoutait-on, à un congrès fasciste près de Rimini. Mes amis et moi nous livrions au trafic d'armes et d'explosifs. Entre autres crimes, c'est nous qui avions organisé, au Congo, l'assassinat de Hammarskjöld. Bref, il n'y avait pas de sinistre dessein que l'on ne m'imputât.

Dès le lendemain, le journal d'Enrico Mattei à Milan, *Il Giorno*, reprit mot pour mot l'essentiel de ce pamphlet; le quotidien de Rome *Paese Sera*, communiste, fit de même. A Paris, *France-Soir* publia sur six colonnes un cliché reproduisant l'en-tête d'*Europa Libera* (avec ma photographie), et *Libération*, le journal communisant d'Emmanuel d'Astier de la Vigerie, fit écho à ces billevesées. Tout cela était évidemment concerté, dans la convergence du pétrole, du communisme et du néo-gaullisme. Le fait qu'un quotidien à grand tirage tel que *France-Soir* soit allé exhumer des corbeilles à papier l'obscur bulletin de Mattei est en lui-même significatif et dénonce la manœuvre: pour lancer la calomnie, il fallait feindre de reproduire, « objectivement », une information déjà parue. En fait, il est clair que les compères se renvoyaient la balle.

J'avais d'abord résolu de rire de ces infamies. Mais voyant que la campagne continuait (le *Nouveau Candide*, au service du pouvoir, la relança), j'envoyai à *Combat*, qui le publia le 23 octobre, un article que je prends la liberté de reproduire *in extenso*, car il définit clairement ma position face à ces accusations.

« Depuis quelque temps se manifeste dans la presse ce qui est évidemment une campagne orchestrée: on m'a « vu » dans tel ou tel endroit, j'ai « séjourné » dans telle ou telle localité, j'ai « contacté » mille et mille personnalités de toute nationalité, mais bien entendu d'extrême-droite, et je trame des complots avec une « internationale fasciste » qui, paraît-il, s'intéresse à la défense de l'Algérie française.

« J'ai traité jusqu'à présent par le mépris ces affabulations délirantes. Je considérais qu'il ne valait même pas la peine de démentir ces prétendus séjours dans des lieux où je ne suis jamais allé, ces prétendus conciliabules avec des gens que je n'ai jamais rencontrés, toutes ces inventions encore plus grotesques que malveillantes. Si pourtant je juge aujourd'hui nécessaire de rompre le silence, c'est parce qu'il y a des injures qui sont intolérables, et des mensonges qu'on ne peut laisser se répandre quand on demeure attaché à une grande cause.

« Résistant, démocrate, antifasciste, antiraciste, je ne puis accepter qu'on affuble d'un masque hideux mes intentions et ma pensée; défenseur obstiné de l'Algérie française, je ne veux pas me prêter à ce que cette cause à la fois nationale et humaine soit salie aux yeux d'une opinion mystifiée par des calomniateurs sans scrupules.

« Je l'accepte d'autant moins que cette campagne procède de milieux qui, soutenant la politique actuelle du pouvoir et travaillant activement à l'abandon de l'Algérie au F.L.N., se font par là les auxiliaires d'une entreprise totalitaire et raciste.

« Je n'ai pas de leçons ni de blâmes à recevoir des associés, des admirateurs ou des complices de la clique raciste qui a fait ses preuves sanglantes par les massacres d'El-Alia et qui, de Ben Khedda à Nasser, à la Ligue arabe et au grand mufti El Husseïni, se relie au pire antisémitisme et au nazisme.

« Entre le commandant de Saint-Marc, ancien déporté de la Résistance, et le « ministre » F.L.N. Mohammedi Saïd, j'ai choisi. Je suis pour le résistant Saint-Marc et je réprouve ceux qui tendent la main aux fanatiques assassins, qui, hier encore, arboraient la croix gammée.

« Je ne me contente donc pas d'opposer un démenti aux mensonges et aux inventions auxquels je faisais allusion plus haut. C'est sur le plan des idées que j'entends me placer, et je déclare que, si je condamne la politique algérienne actuelle, c'est précisément par fidélité à mes convictions de toujours.

« C'est parce que je suis et je reste républicain et démocrate que je repousse avec horreur cette politique dont le résultat évident est l'instauration en Algérie d'une dictature féroce aux dépens d'Européens et de musulmans qui sont encore aujourd'hui, qu'on le veuille ou non, des citoyens français.

« C'est parce que je crois au droit des peuples à disposer d'eux-mêmes et à conserver leur liberté, leurs croyances, leur culture, que je condamne l'oppression à laquelle est soumis dès maintenant le peuple algérien de civilisation française, chrétien ou juif, que l'on brime de cent manières pour lui arracher sa nationalité et que l'on accule au désespoir en ne lui offrant d'autre avenir que l'esclavage ou la déportation.

« C'est parce que j'attache une importance primordiale à la parole donnée par une grande nation que je réprouve avec dégoût le parjure auquel on pousse l'armée pour l'obliger à abandonner les musulmans qui lui ont fait confiance au péril de leur vie.

« C'est parce que j'ai, durant toute ma vie consciente, combattu le racisme, que je me refuse à accepter que la France, reniant toute sa tradition, s'abaisse à pratiquer une politique de discrimination raciale (« ces gens qui ne font pas partie de notre peuple ») et livre des minorités ethniques à une domination totalitaire.

« Je déplore l'aberration des démocrates français qui font le jeu de ce totalitarisme; la « gauche » commet là une très lourde erreur, dont les conséquences n'ont pas fini de peser sur notre Histoire.

« On me dira: « Et les procédés de l'O.A.S.? » Comment ne pas voir que, devant l'acharnement que toutes les forces de l'Etat apportent à combattre, avec une violence impitoyable, une population malheureuse froidement vouée à la disparition, cette Organisation lui apparaît comme le seul recours? Il est absurde de prétendre que tous les Européens d'Algérie et les musulmans qui font cause commune avec eux soient politiquement classés à « droite » ou à « l'extrême-droite »: nous en connaissons tous qui votaient hier socialiste et qui aujourd'hui sont engagés à fond dans la lutte pour leur vie, pour leur foyer, pour la défense de leur liberté.

« Alger, qui eut pour maires le progressiste Tubert et le mendessiste Chevalier, est le bastion de la résistance. Oran, autre bastion, n'était pas une ville réactionnaire. Qui ne voit que ces étiquettes ne signifient plus rien quand tout un peuple se dresse contre une menace littéralement mortelle?

« Puisqu'on agite à mon propos l'épouvantail de l'internationale fasciste, je suis amené à parler d'un sujet que j'ai cherché à connaître. Cette Internationale existe; et, ce qui surprendra certains, elle est à fond

254

contre l'Algérie française et pour le F.L.N. C'est le 22 octobre dernier à Paris que s'est tenue une réunion de fascistes et de nazis de différentes nationalités, et que cette assemblée, après avoir chanté le *Horst Wessel Lied*, a adopté une résolution condamnant la politique d'intégration en Algérie.

« C'est dans la revue fasciste *Europe réelle* qu'un des organisateurs de la réunion en question (tolérée, soit dit en passant, par le gouvernement de M. Debré) a déversé des torrents d'injures sur les « maniaques de l'Algérie française », sur les « brutes parachutistes », sur l'idéologie du 13 mai, sur la « décadence raciale » que l'intégration entraînerait. Et n'est-il pas normal, au demeurant, qu'une doctrine égalitaire et antiraciste comme celle du 13 mai fasse horreur aux nostalgiques de Hitler ?

« Du chef nazi Johann von Leers, devenu conseiller de Nasser au Caire, aux néo-nazis allemands qui, avec l'Egyptien Fakoussa, ancien S.S., créent et animent outre-Rhin les innombrables comités pro-F.L.N., tels que la « Deustch-Arabische Gemeinschaft », le Comité « für Djemila Boupacha », etc., des dirigeants de l'Internationale fasciste de Malmœ aux comités « pour la paix en Algérie » de Belgique et d'autres pays, la toile d'araignée est tissée. C'est le réseau de l'antisémitisme, de l'antisionisme, du fanatisme pan-arabe, des admirateurs de Himmler et d'Eichmann. Et ce réseau travaille pour le F.L.N. Tels sont les faits.

« Et j'en ai encore beaucoup d'autres du même genre à la disposition des curieux.

« Alors, qu'on cesse donc de jeter à la face de ceux qui veulent défendre l'Algérie et la sauver pour la République l'injure du fascisme. Ceux qui la profèrent, s'ils sont de bonne foi, feraient bien de regarder de plus près leurs alliances ».

En décembre, je rentrai en France par la Belgique et je donnai le 18, au Grand Hôtel, une conférence de presse. Quel fut alors mon propos? Rien qui dépassât les limites de la liberté d'expression dans un pays démocratique. Je condamnais sévèrement, c'est vrai, la politique du gouvernement: c'était mon droit. Je dénonçais « l'abaissement du Parlement, les arrestations et internements arbitraires, les sévices infligés aux suspects, la suppression de la liberté d'expression, *la confusion systématique de l'opposition et de la subversion*, le maintien illégal des dispositions dictatoriales de l'article 16 », comme « autant de traits qui accusent la fascisation accélérée du régime ». Devant « le danger de guerre civile », je faisais appel à « l'impératif supérieur d'une large réconciliation nationale ». Je suggérais qu'afin de trouver une solution au problème algérien, le gouvernement, qui déjà parlait avec le F.L.N., se décidât à parler aussi avec l'O.A.S.: car si l'on posait en principe que le F.L.N. représentait tous les musulmans, ce qui à mon avis était douteux, comment se refuser à voir la réalité, c'est-à-dire que l'O.A.S. représentait la grande majorité de la population non musulmane?

Tout cela pouvait, naturellement, être discuté, comme n'importe quelle opinion. Ce que j'affirme, c'est qu'en tenant ces propos je ne violais aucune loi de la République, et j'attends encore qu'on me démontre le contraire.

A l'issue de cette conférence de presse, je m'éclipsai par un escalier latéral. Un ami, ancien de l'*Irgoun*, m'attendait à la sortie avec sa voiture, et nous prîmes le large. Cinq heures plus tard, Roger Frey expédiait par télégramme et télétype à toutes les polices et à tous les postes des frontières l'ordre de m'appréhender incontinent. J'étais donc fixé. Quelques jours plus tard, je repris la route de l'exil. Cela se passait à la fin de 1961; j'écris ceci pendant l'été de 1968: je n'ai plus revu mon pays depuis lors.

Il est donc clair comme le jour que c'est pour délit

d'opinion, et pour cela seulement, que j'ai dû subir sept années de bannissement. Quant il apparut que j'étais passé entre les mailles du filet, la rage du pouvoir ne connut plus de bornes. Le « Regroupement national » fut dissous par Roger Frey dans des conditions de criante illégalité: il invoqua, pour justifier son oukase, la loi de 1936 contre les « milices privées armées », alors que mes amis et moi ne possédions pas à nous tous une carabine à air comprimé, et que notre parti, régulièrement déclaré, ne ressemblait pas plus à une milice que le régime actuel ne ressemble à une démocratie. Nombre de nos militants furent inquiétés, poursuivis, incarcérés. Quelques mois plus tard, l'ordre d'arrestation émis par Frey fut transformé en mandat d'arrêt « régulier »: on imagina de m'accuser de « complot contre l'autorité de l'Etat », imputation aussi ridicule qu'arbitraire n'ayant d'autre but que de dissimuler la réalité, à savoir que je commettais un crime de lèse-majesté, moi ancien Français Libre, ancien R.P.F., ex-ministre du général de Gaulle, en osant soutenir, ô sacrilège! des opinions contraires aux siennes.

J'épargnerai au lecteur le récit fastidieux des tribulations qui sont le lot de l'exilé politique dans l'Europe d'aujourd'hui. J'ai été déclaré indésirable dans tous les pays occidentaux, non comprise la Hollande; arrêté, déporté et refoulé d'Italie, de Suisse et d'Allemagne; dénoncé sans trêve par les autorités de Paris comme un malfaiteur dangereux, traité en criminel, abreuvé de calomnies et d'outrages par la presse du régime. Partout me poursuivaient la haine et la vengeance de ceux qui s'étaient dits mes amis. En août 1962, de prétendus « journalistes » du quotidien milanais d'Enrico Mattei me firent appréhender, et la campagne de diffamation, où se distingua *France-Soir*, reprit de plus belle. Alors que, chassé de partout et traqué comme un animal nuisible, je cherchais un refuge dans les montagnes et les forêts du Tyrol, les hiérarques du régime et les menteurs à leurs gages faisaient dire et proclamaient à tous les échos que j'étais en France, fort occupé à fomenter des attentats!

De ces années je pourrais dire comme Sieyès: « J'ai vécu. » Et ce n'était pas si facile, car on espérait bien qu'en m'obligeant à errer d'un pays à l'autre, sans pouvoir me fixer nulle part, on me réduirait par la misère soit à demander l'*aman*, soit à m'enfuir en Amérique du Sud d'où je ne gênerais plus personne.

Rome, ses rues grouillantes de vie et les vestiges majestueux de sa grandeur ancienne; la pluvieuse Bruxelles où je savais trouver le réconfort des plus solides amitiés; le miroitement des eaux et le bourdonnement des orgues de Barbarie à Amsterdam; à Cologne, la falaise sombre de la cathédrale: Zurich la laborieuse, la sérieuse, qui garde tant de trésors et tant de secrets à l'abri des façades bourgeoises de la Bahnhofstrasse; la gentillesse vaudoise de Lausanne, l'agitation cosmopolite de Genève, les asiles sûrs qui m'y accueillaient; Lisbonne, les arcades de la Grande Poste sur le Terreiro do Paço, le Tage sillonné de navires, la mer qui battait les rochers de Cascais: de la Méditerranée à la mer du Nord, des Alpes au Rhin, ce furent les étapes d'une errance perpétuelle. A travers l'Europe se nouaient les fils ténus qui reliaient les uns aux autres les proscrits: rencontres sur les quais de gare, brasseries enfumées des Pays-Bas, terrasses ensoleillées d'Italie, pauvres appartements meublés où s'arrêtaient pour quelques nuits ceux dont tous les biens tenaient en une valise. Etrange Europe souterraine des exilés, où les nouvelles invisiblement couraient de boîte aux lettres en boîte aux lettres: espoirs qui s'effondraient, amitiés anciennes qui s'effaçaient ou au contraire se confirmaient dans le malheur, nouvelles amitiés aussi qui venaient jeter un rayon de lumière dans nos ténèbres.

On m'a reproché, paraît-il, d'avoir fréquenté des hommes qui, poursuivis comme moi-même et par les mêmes adversaires, n'étaient cependant pas fréquentables. Eh! Qui aurais-je dû rencontrer? Ces messieurs des ambassades où, entre deux cocktails, on préparait les listes noires pour lancer avec une vigueur redoublée toutes les polices d'Europe sur les traces des réprouvés?

Car partout et à tout instant, obsédante, continuait et s'étendait la persécution policière. Certaines villes comme Genève fourmillaient d'indicateurs à la solde du gouvernement français. L'arrestation, l'emprisonnement, l'expulsion sont le pain quotidien du proscrit. Il y a, paraît-il, une Déclaration universelle des droits de l'homme solennellement proclamée par l'O.N.U. Il y a aussi, dit-on, une convention européenne des droits de l'homme (que la France, au demeurant, a refusé de ratifier). On va jusqu'à affirmer que, selon ces textes, tout réfugié politique doit jouir du droit d'asile. Voilà qui réjouissait mon cœur lorsque, traqué d'un bout à l'autre du continent par les agents de Roger Frey, je devais changer presque chaque jour de domicile et même de nom!

Deux fois, à ma connaissance, furent ourdis des complots ayant pour but à tout le moins de m'enlever. La première tentative, impudente et maladroite, eut lieu en décembre 1962 à Bruxelles. Là, un agent des services spéciaux eut le front de se présenter chez un de mes amis, dont l'affection et le dévouement ne m'avaient jamais manqué; il lui proposa tout de go de me livrer, assurant qu'on ne me ferait pas de mal et qu'on se bornerait à m'empêcher de poursuivre mes dangereuses activités. A l'appui de ses dires, cet individu prit dans son portefeuille et posa sur la table de mon ami un chèque, tiré sur une banque connue, de cent mille dollars. Mis à la porte sans douceur, il trouva encore le temps d'ajouter que ses mandants étaient prêts, si mon ami voulait bien « réfléchir », à doubler la somme!

Au début de mars 1963, à Lisbonne, on eut recours

à des méthodes plus radicales. Une équipe de six ou sept « barbouzes », que commandait un personnage au surnom évocateur du « milieu », entreprit d'abord de me localiser, puis de faire le siège de mon domicile. Avisé, de Paris, que dans certaines sphères policières on se vantait déjà de me capturer mort ou vif à bref délai, je mobilisai un fidèle ami algérien qui, me suivant partout à quelque distance, ne tarda pas à observer que d'autres me prenaient constamment en filature. J'habitais alors un petit appartement non loin de l'aéroport, dans un immeuble récent. Allais-je au café du coin boire un verre: un argousin s'y installait aussitôt à deux tables de moi. Descendais-je en ville: un autre olibrius m'emboîtait le pas. J'écrivais alors un deuxième livre, *Sur une route nouvelle*. Je passais des journées entières à travailler: deux sbires se relayaient sur le trottoir. En face de mes fenêtres, un appartement vacant fut soudain occupé: avec des jumelles, les hommes de main observaient mes faits et gestes. Tout cela étant corroboré par l'ami pied-noir, il était évident qu'un assaut allait bientôt être tenté. Forts du nombre et des armes, il était facile aux barbouzes de pénétrer chez moi, de me réduire à l'impuissance et de m'emmener là où il leur plairait. Je ne pouvais déjouer leurs plans que par la fuite. Plantant là les quelques possessions que j'avais rassemblées, je partis, comme on dit, à la cloche de bois, aux petites heures de la nuit. Une longue randonnée en voiture sous une pluie battante, par des routes désertes, nous convainquit que l'équipe spéciale, si même elle s'était aperçue de mon départ, n'avait pas réussi à me suivre. Je trouvai refuge à bord d'un paquebot chargé de touristes américains, amarré au bord du Tage et qui, bientôt levant l'ancre, m'emmena par Gibraltar jusqu'à Naples.

La Suisse fut le premier pays d'Europe qui, ouvrant les yeux et discernant la tromperie permanente mise en œuvre par le gouvernement de Paris, reconnut que l'on pouvait sans risque me traiter comme un être humain et m'autorisa à séjourner sur son territoire. Le ministre belge de la Justice, le socialiste Vermeylen, prit bientôt une décision analogue. Suivirent l'Allemagne et l'Italie. Mais les gens du régime, dépités, n'en continuèrent pas moins la guerre à coups d'épingle: c'est ainsi qu'ils exigèrent du gouvernement de Bonn qu'on me refoulât à la frontière allemande en février 1966; qu'ils élevèrent une protestation auprès du palais Chigi parce que le *Giornale d'Italia* avait publié une interview de moi en janvier 1967; qu'ils s'efforcèrent de me faire refuser un visa dont j'avais besoin pour visiter Athènes; qu'ils manifestèrent leur mauvaise humeur à Tel-Aviv quand mes amis israéliens m'y reçurent chaleureusement en mai de l'année dernière. Bien entendu, les ambassades et consulats avaient ordre de me refuser tout passeport, de sorte que je circule depuis deux ans avec des papiers d'apatride.

Quand furent annoncées les élections législatives de 1967, je décidai, en accord avec mes amis lyonnais, de présenter ma candidature dans mon ancienne circonscription. Je ne me faisais pas d'illusions: je ne pouvais être élu, dans de pareilles circonstances, mais je pensais obtenir un résultat honorable, ce qui fut fait. L'inconditionnel du lieu, qui m'avait abandonné en 1960, fut mis en ballottage; il passa au deuxième tour grâce au maintien du candidat communiste. J'avais mené de loin, et particulièrement de Bruxelles, cette singulière campagne, en utilisant autant que possible le disque, la bande magnétique et même le film. N'ayant pu s'opposer au dépôt de ma candidature, le pouvoir et ses séides mirent en place à Lyon et aux frontières tout un dispositif pour m'appréhender et m'incarcérer aussitôt si je commettais l'imprudence de mettre le pied sur le sol français. Ma photographie de face et de profil, avec mon identité et ma date de naissance, était affichée dans tous les postes de contrôle aux frontières, à l'aéroport d'Orly, etc., comme celle d'un trafiquant d'héroïne ou d'un spécialiste de la traite des blanches. Puis, vers la fin de la campagne électorale, surgit l'incident provoqué par les services de Roger Frey. Un matin, plusieurs policiers belges firent irruption dans le studio que j'occupais alors avenue Louise et se livrèrent à une perquisition en règle: ils cherchaient visiblement soit des armes soit de faux papiers que leurs collègues de la Sûreté leur avaient annoncé devoir se trouver chez moi. C'était la vieille machination et la duperie usée qui avaient déjà servi vingt fois. Il va sans dire qu'on ne trouva rien de « subversif », et l'incident fut réglé courtoisement en trois quarts d'heure. Il n'en donne pas moins une idée de l'acharnement hargneux avec lequel les maîtres du régime ont cherché à me nuire encore tout récemment.

Ils n'ont pas pu m'empêcher, malgré tout, de demeurer en Europe, et, dès lors qu'un pays m'a donné asile, de retrouver mes livres et de reprendre mes études scientifiques et philosophiques. *Deus nobis haec otia fecit* (1): grâce à ces loisirs forcés, j'ai écrit sept livres en sept ans. J'ai sauvegardé ma liberté et, ce qui m'est plus précieux encore, le droit de me regarder moi-même sans rougir.

Mais je clos cette parenthèse trop personnelle à mon gré. Ces réminiscences n'ont à mes yeux qu'un intérêt: celui de montrer comment le système actuellement en place a traité un citoyen français qui depuis plus de vingt ans s'était efforcé de servir son pays au mieux de ses moyens, uniquement et exclusivement parce qu'il s'était rendu coupable, aux yeux de nos dirigeants, d'un délit d'opinion. Ce cas particulier dépasse ma personne: il révèle comme aux rayons X la véritable nature du régime.

Non moins significative est l'attitude du chef de

(1) « C'est un dieu qui nous a donné ces loisirs. »

l'Etat devant le problème de l'amnistie. Il est à peine besoin de rappeler qu'à peine conclus les « accords » d'Evian et proclamée l'indépendance de l'Algérie, tous les détenus F.L.N., y compris les auteurs de viols et d'assassinats, furent immédiatement libérés. Mais autant acceptait-on facilement de « tourner la page » pour ce qui concerne les terroristes arabes, autant se refusait-on à le faire à l'égard des prisonniers politiques français. C'est qu'en somme les premiers s'étaient dressés contre la France, tandis que les seconds avaient osé défier le régime. Il était donc logique — dans l'optique de ce régime — d'amnistier sans délai les uns mais de s'acharner contre les autres. Alors que la Constitution place expressément l'amnistie dans le domaine de la loi, et de ce fait la réserve au Parlement, le pouvoir exécutif a tenu à s'arroger le droit de libérer ou de maintenir en prison selon son bon plaisir tel ou tel captif. Les lois dites « d'amnistie » votées par la majorité — tandis que U.N.R. et communistes unissaient leurs votes pour repousser les amendements généreux proposés par l'opposition de gauche et du centre — avaient précisément pour objet de retarder et de limiter l'amnistie, et surtout de dessaisir le Parlement de ses prérogatives constitutionnelles en abandonnant au chef de l'Etat un pouvoir qui n'appartient qu'à la représentation nationale. D'où ces libérations au compte-gouttes, l'interminable attente si souvent déçue des familles, le cruel « supplice par l'espérance » infligé aux prisonniers et à leurs proches. Sans l'action ardente et infatigable menée dans le pays et au Parlement par le S.P.E.S. sous la présidence du professeur Jean La Hargue, sans la campagne conduite par l'ancien ministre Bichet, même les événements de mai-juin 1968 auraient pu ne pas faire lâcher prise au pouvoir. Mais, pris au dépourvu par ce bouleversement et cherchant de toutes parts des appuis, il ne put résister plus longtemps à une exigence qui avait fini par s'imposer même dans les rangs du parti majoritaire. Aussi dut-il se résoudre à préconiser en juillet ce qu'il refusait encore deux mois plus tôt et, non sans quelques réserves mesquines, faire approuver par sa troupe une amnistie si tardive et octroyée de si mauvaise grâce qu'au lieu d'apparaître comme un geste de véritable grandeur morale et de réconciliation nationale, elle fait figure de manœuvre opportuniste arrachée par la conjoncture.

Pour compléter ce tableau du régime dit « Ve République », il reste à indiquer brièvement les atteintes portées à la liberté d'expression et au droit du pays à l'information.

Le mécanisme subtil d'un régime autoritaire moderne a pour pièce maîtresse les moyens de communication, les *mass-media* qui permettent de manipuler l'opinion publique. Ne faut-il pas que le peuple réponde en écho un « oui » perpétuel chaque fois que le pouvoir a recours au plébiscite? Il s'agit donc de faire en sorte que ce peuple, autant que cela est possible, ne soit informé que de ce qu'on veut lui faire connaître, sous l'angle qui paraît le plus utile aux dirigeants de l'Etat, et avec les commentaires qui l'orienteront dans la voie choisie.

L'idéal — pour le régime — serait évidemment de contrôler étroitement et directement toutes les sources d'information: une seule agence officielle, comme Tass en Russie et D.N.B. hier en Allemagne nazie; des journaux strictement dirigés comme la *Pravda* ou le *Völkischer Beobachter*; une radio et une télévision entièrement aux ordres du pouvoir. Avec de tels moyens en main, grâce aux techniques d'action psychologique, il n'est pas de mensonge si éhonté que l'Etat totalitaire ne puisse le faire accepter comme indiscutable vérité par des millions d'hommes et de femmes égarés.

Le gaullisme des années 1947-1958 était parfaitement conscient de la gravité du problème politique et humain qui se pose ici. André Malraux, en particulier, fustigeait dans presque toutes ses allocutions les métho-des communistes de viol des consciences; il les analy-sait fort exactement, en démontait les rouages. Il montrait comment la répétition indéfinie du même mensonge, l'emploi du même adjectif toujours affixé à un certain nom, l'inlassable réitération de slogans, arri-vaient à créer chez le lecteur de la presse ou l'auditeur de la radio des « réflexes conditionnés » à la manière de ceux des chiens de Pavlov. Malraux, et nous tous avec lui, repoussions avec horreur ces pratiques, parce qu'elles portent atteinte à la dignité humaine. Le Ras-semblement du Peuple Français prit à son compte une sorte de croisade pour la « Liberté de l'Esprit », soute-nant la revue qui portait ce titre et dénonçant d'une façon générale toute mainmise d'un Etat, quel qu'il soit, ou de n'importe quel parti, sur les consciences.

Toutes les prises de position officielles du R.P.F. reflètent cette orientation libérale de la pensée gaul-liste. « Le Conseil national rappelle une fois de plus, disait par exemple une motion (1), les principes ma-jeurs qui doivent présider à l'organisation de la presse: garantie du droit d'exprimer librement sa pensée; garantie du droit pour chacun d'être défendu dans son honneur; garantie du droit pour chacun de recevoir une information complète, impartiale, indépendante et saine. » La même motion s'élevait contre la « dépen-dance étroite » de l'agence France-Presse à l'égard de l'Etat. Quant à la radiodiffusion, le Rassemblement exigeait qu'elle fût réorganisée de manière à pouvoir, comme la B.B.C., donner une information objective sans avoir à subir les pressions de l'appareil politique.

Telle était la doctrine du gaullisme. Mais le néo-gaullisme parvenu au pouvoir, qu'en a-t-il fait?

La presse, fort heureusement, n'a pas été « mise au

(1) Conseil national tenu à Neuilly-sur-Seine, 10-12 octo-bre 1952.

pas », du moins pas entièrement. Il y a, comme sous tous les régimes, les officieux, journaux et journalistes qui, souvent, ont brûlé successivement leur encens devant le portrait du Maréchal, le buste de la IVᵉ République et la statue du Général. Certains de ces officieux ne dédaignent pas de devenir, dans certains cas, des officiels, c'est-à-dire de se prêter, sous couleur d'information, à des manœuvres d'intoxication. J'ai cité plus haut l'exemple de *France-Soir* reprenant sur six colonnes « à la une » les sornettes démentielles d'un obscur bulletin étranger, alors que son directeur Pierre Lazareff me connaissait depuis assez longtemps pour savoir qu'il ne pouvait y avoir un mot de vrai dans tout cela — mais c'était l'équipe au pouvoir qui voulait à tout prix salir et diffamer un adversaire. Sans tomber aussi bas, plus d'un journal a été amené à s'imposer une autocensure conforme aux vœux du gouvernement: pendant la période de répression déchaînée en 1961-1962, saisies, arrestations, internements pleuvaient sur la presse; même ensuite, les procès de presse pour « offense au chef de l'Etat » se sont multipliés d'une façon extraordinaire. Invariablement condamnés, les journalistes accusés sont frappés d'amendes exorbitantes. Certains sont privés de leurs droits civiques, d'autres se voient arracher leurs décorations. A cet égard, la situation de la presse (et de l'édition, car on ne compte plus les procès et les condamnations à l'encontre de livres non conformistes, de leurs auteurs et de leurs éditeurs) rappelle celle qui régnait en France sous le Second Empire.

La notion d' « offense au chef de l'Etat » se prête à tous les abus. Elle est inadaptée à la réalité du régime actuel. Quand le Président de la République, symbole d'unité et de continuité, ne prenait aucune responsabilité personnelle dans la direction des affaires publiques, s'attaquer à lui était porter atteinte à l'Etat lui-même au-dessus des contingences politiques; mais aujourd'hui que le Président, loin de s'en tenir à son rôle d'arbitrage, veut tout tenir en main, gouverne, légifère et juge, qu'il est lui-même violemment partisan, qu'il s'arroge le privilège de décider qui est un bon Français et qui un mauvais citoyen, alors il est inique d'interdire (outrages mis à part, bien entendu) que la critique politique s'exerce contre un homme politique. Or, il est indéniable que, dans les quelque deux cents procès qui ont été intentés en dix ans (il y en avait eu trois en soixante-dix ans sous la IIIᵉ République), la plupart des inculpés, sinon tous, ont été condamnés pour avoir émis, non point des insultes, mais des critiques. En outre, il est évident que ces « délits de presse » devraient être soumis aux Cours d'assises, donc aux jurés populaires, et non aux tribunaux correctionnels comme c'est le cas aujourd'hui. Dans notre histoire, depuis deux siècles, ce sont les régimes démocratiques qui ont eu recours aux assises pour juger les délits de presse, et les régimes autoritaires et dictatoriaux qui les ont déférés aux tribunaux correctionnels.

Mais le pouvoir dispose de mille moyens pour agir sur la presse, pour infléchir son orientation, pour la menacer et la punir si elle ne se conforme pas à ses vues: pressions fiscales, prix du papier et du transport, publicité. Une régie de publicité dévouée au gouvernement peut emplir les caisses d'un journal conformiste et ruiner un organe indépendant. L'autorisation de la publicité de marques à la télévision d'Etat porte un coup sévère aux ressources de la plupart des journaux et menace, par là, leur indépendance. Plus la trésorerie d'un journal est obérée, plus sa position financière chancelle, et moins son directeur sera capable de raccrocher quand, d'un cabinet ministériel, on lui téléphonera — oh! pas une « consigne » — mais une indication: indications souvent péremptoires, car si j'en crois certains journalistes le ton des attachés de cabinet a tendance à devenir impératif sinon insolent.

D'autre part, l'agence France-Presse demeure tout aussi soumise que par le passé aux injonctions du gouvernement.

Que devient, dans ces conditions, le droit des citoyens à l'information? Force est de reconnaître qu'il est battu en brèche de toutes parts; mais plus gravement encore que partout ailleurs en ce qui concerne la radiodiffusion et principalement la télévision.

Alors que le nombre des Français qui lisent régulièrement un ou plusieurs journaux tend à décroître, la radio et la télévision pénètrent dans tous les foyers. Ce n'est pas ici le lieu de discuter le monopole d'Etat, sinon pour faire observer que « monopole d'Etat » ne doit pas signifier « monopole du gouvernement » et encore moins « monopole d'un parti ». C'est malheureusement ce qui se produit. Au lieu d'une information objective sur les faits et du pluralisme quant aux opinions, on a une pseudo-information et une propagande monocorde. Encore certains émetteurs « périphériques » arrivent-ils à conserver une certaine indépendance en dépit des pressions et des menaces dont ils sont l'objet; mais la radio d'Etat et surtout la télévision sont le véhicule d'une intoxication permanente qui a recours à toutes les recettes de l'action psychologique: omission ou minimisation de certaines nouvelles, déformation systématique des faits, enflure des commentaires élogieux, répétition de formules et de slogans, présentation tendancieuse des images. L'opposition est réduite au silence, sauf pour quelques instants en période électorale ou référendaire, tandis que le chef de l'Etat, les ministres, leurs chroniqueurs, historiographes, hagiographes, thuriféraires, courtisans et sycophantes discourent, pérorent, inaugurent, vaticinent, se rengorgent, s'indignent ou se félicitent, intarissablement. Pas de droit de réponse, pas de critique. De tous les moyens de diffusion, c'est la télévision qui est, par sa nature même, par l'impact psychologique des images, le plus puissant, on pourrait dire le plus totalitaire. Elle est l'arme absolue d'un régime plébiscitaire.

Aussi comprend-on aisément pourquoi, après le bouleversement de mai et de juin, l'Etat néo-gaulliste s'est livré à une « purge » de style fasciste ou communiste dans les services de la télévision. Plus de cent journalistes, dont un certain nombre d'un talent incontestable, avaient revendiqué le droit d'être objectifs. On peut, certes, observer qu'ils auraient pu l'exiger plus tôt: certains d'entre eux s'étaient montrés moins scrupuleux quand il s'agissait d'accabler les opposants dont j'étais, il y a quelques années. S'ils ont eu tort de se prêter à l'intoxication totalitaire des consciences quand leurs propres tendances politiques coïncidaient (du moins le croyaient-ils, dupés en fait comme ils dupaient les autres) avec celle du pouvoir à ce moment-là, ils ont raison aujourd'hui de rectifier leur erreur passée. Mais le néo-gaullisme n'entend pas céder sur ce qui, pour lui, est essentiel et même vital, à savoir la faculté de disposer des ondes à son gré et sans aucune entrave pour malaxer l'opinion: c'est là que se trouve la clé de sa puissance. Il ne peut pas plus y renoncer qu'un général d'artillerie ne peut renoncer à ses canons. Aussi ne peut-il tolérer à la radio-télévision que des porte-parole dociles et des compères à ses ordres. Tout projet de réforme de l'O.R.T.F. qui tendrait à y ménager l'expression libre d'opinions diverses se heurtera toujours à un mur d'airain.

★

Les deux chapitres qui s'achèvent ici appellent une conclusion commune. On s'est efforcé de montrer comment, en dix années de pouvoir, le gaullisme s'est dégradé en néo-gaullisme. Dans le domaine des principes, l'Etat d'aujourd'hui est fondé sur des maximes absolument contraires à celles que le gaullisme avait prônées depuis la dernière guerre mondiale. Dans la pratique, le régime s'est durci en une monarchie plébiscitaire caractérisée par le refus du dialogue avec l'opposition, par la répression policière et par la mise en condition des esprits.

C'est à un processus de fascisation que nous avons assisté. L'habileté suprême du « Guide » — puisque c'est ainsi que se qualifie le chef de l'Etat (1) — a consisté à diriger ce processus, à en régler le rythme et à en amortir les effets les plus apparents, de manière à éviter une réaction trop violente de l'opinion. Comble de rouerie, il a su accabler ses adversaires sous l'accusation de « fascisme », au moment même où il mettait graduellement en place un régime qui s'apparente certes beaucoup plus à ceux de l'Italie mussolinienne et de l'Espagne franquiste qu'à aucun régime démocratique.

Une caractéristique fondamentale d'un tel système est le refus du pluralisme des idées, des opinions et des tendances. Le gaullisme de l'après-guerre avait prôné, lui, ce pluralisme. La Constitution elle-même, dans son article 4, reconnaît l'existence et le rôle des partis. Le néo-gaullisme s'est gardé de supprimer les partis (sauf celui que j'avais fondé en 1960), mais les a réduits à l'insignifiance en exploitant avec astuce leurs erreurs, en frappant d'impuissance le Parlement et en les soumettant à un feu roulant de critiques et de railleries auxquelles ils ne peuvent répondre faute d'accès à la radio-télévision.

Quel que soit le problème qui se pose à la nation, par exemple, tout récemment, celui qu'a suscité l'invasion de la Tchécoslovaquie, on assiste au même

(1) Au début de septembre 1962, alors que j'étais réfugié au Tyrol, j'écoutais à la radio le reportage sur le voyage du général de Gaulle en Allemagne fédérale. J'éprouvai un certain choc quand je l'entendis, parlant allemand, se décerner à lui-même le titre de « *Führer* du peuple français ».

« scénario » : d'abord le silence, pendant que le chef de l'Etat médite; puis une déclaration officielle, aussitôt reprise par les ministres et autres hiérarques; enfin le martèlement assourdissant de la propagande sur le même thème. La position ainsi définie devient la seule juste, la seule admissible: il y a désormais une « orthodoxie » — notion qui nous était étrangère au temps du gaullisme authentique. Et il en découle que le délit d'opinion est le plus grave des crimes. Ceux qui n'ont pas encore compris la véritable nature du régime s'étonnent parfois de constater avec quelle opiniâtreté dans la haine il s'acharne contre certains hommes qui n'ont rien fait d'autre que de s'en tenir à une conviction: mais c'est précisément ce qui constitue une hérésie intolérable. Au pluralisme de la liberté d'opinion, le régime substitue le monisme totalitaire.

Ce qui fait l'originalité de ce totalitarisme, c'est qu'il se déploie pour ainsi dire à l'état pur, sans doctrine. Celle du gaullisme a été jetée par-dessus bord avec une désinvolture extraordinaire, et l'U.N.R., machine électorale et brigade des acclamations, s'est bien gardée d'en formuler une. Ce qui en tient lieu, ce sont les déclarations changeantes et souvent contradictoires du chef de l'Etat, que ses disciples recueillent pieusement comme ceux de Mahomet griffonnaient les sourates du Coran sur des omoplates de mouton. L'orthodoxie, à laquelle nul ne peut contrevenir sous peine d'excommunication, n'est rien d'autre que ce que définissent, à chaque moment, les inspirations, les ambitions, les chimères ou les caprices de l'homme providentiel. Ainsi s'aperçoit-on tout soudain que l'Angleterre est une île ou que le Québec doit être libéré: ce sont autant de nouveaux articles de foi que les dévots se doivent d'ajouter à leur *Credo*.

Alors que le gaullisme reposait sur un certain nombre d'idées-forces librement admises et discutées par tous ceux qui s'y ralliaient, et formant un tout cohérent, le néo-gaullisme n'est que l'assemblage de prises de position arbitraires que la volonté de puissance d'un homme impose à l'opportunisme ou à l'esprit grégaire de ses partisans.

Ayant violé de vingt manières le contrat constitutionnel qui le liait à la nation, le régime a perdu sa légitimité première. L'adhésion qu'il obtient dans ses plébiscites, en arrachant le « oui » de foules abusées auxquelles il pose des questions artificieuses, ne change rien au fait que la charte fondamentale votée par le pays en toute connaissance de cause il y a dix ans n'est plus qu'une ruine. De même que le néo-gaullisme n'est pas une forme du gaullisme, mais son contraire, de même la « Ve République » n'est pas une forme de la République, mais sa négation.

3

DE L'EMPIRE À L'UNION FRANÇAISE; DE L'UNION À LA COMMUNAUTÉ; DE LA COMMUNAUTÉ AU NÉANT

A l'origine, exclu de la métropole, le gaullisme s'enracine outre-mer. La France Libre est africaine et océanienne: Fort-Lamy, Brazzaville, Douala, Libreville, Nouméa sont les premières villes où s'exercera son autorité. Son premier organe « gouvernemental » s'appelle le Conseil de Défense de l'Empire. Félix Eboué, un Noir guyanais, gouverneur du Tchad puis gouverneur général de l'Afrique équatoriale, sera de 1940 jusqu'à sa mort quatre ans plus tard un des inspirateurs et des porte-drapeau de la France combattante. Rassembler les terres françaises d'outre-mer constitue une des missions auxquelles les gaullistes s'attachent avec le plus d'ardeur et d'opiniâtreté: elle est accomplie en 1943 quand l'Afrique occidentale, Madagascar, les Antilles et la Guyane rejoignent les territoires précédemment libérés de l'autorité de Vichy, tandis que le gouvernement provisoire s'installe à Alger.

Leclerc, la prise de Koufra et la conquête du Fezzan avec les bataillons de marche du Tchad; Kœnig, l'héroïque résistance de Bir-Hakeim, où les Français du Pacifique se couvrirent de gloire; la campagne d'Italie puis celle de France, que menèrent Juin et de Lattre à la tête de troupes recrutées parmi les Européens et les musulmans d'Afrique du nord: autant de faits d'armes grâce auxquels la France a pu être présente à la victoire en 1945. Sans méconnaître (et je serais le dernier à le faire) l'importance capitale de la résistance intérieure face à l'occupant allemand, on peut dire que le grand dessein de la stratégie gaulliste a été la libération de la métropole par l'outre-mer.

De 1940 à 1943, l'Angleterre fut pour les gaullistes une terre amie, un asile et une base de départ, le foyer d'un peuple dont nous admirions la ténacité et le courage: ce n'en était pas moins un pays étranger où nous demeurions en exil. Mais à Pointe-Noire, à Bangui, à Yaoundé, à Papeete, nous étions chez nous, sous notre drapeau, sous nos lois. La métropole occupée ou livrée à la « collaboration », c'est là que nous retrouvions la France et la République. Nous étions fiers de contribuer par ces territoires à la lente et si dure remontée des pays libres d'abord cruellement dépassés par la force allemande: aux heures les plus sombres, quand la Méditerranée se fermait à l'Angleterre et que Rommel menaçait Suez, c'est par l'Afrique équatoriale française que les avions britanniques débarqués à Takoradi purent gagner l'Egypte *via* Fort-Lamy et Khartoum; dans le Pacifique, les bases de Nouméa, de Bora-Bora, de Wallis, mises à la disposition des Américains, les aidèrent à repousser l'assaut des Japonais.

Mais ces territoires et leurs habitants ne pouvaient pas nous intéresser seulement comme des pions à pousser sur l'échiquier de la guerre mondiale. Comment ne pas observer — et pour beaucoup d'entre nous c'était une révélation — l'immensité de leur étendue, de leurs ressources et aussi, hélas, de leurs besoins et quelquefois de leur misère? Comment ne pas y apprécier tout ce que la France avait su y construire et tout ce qui manquait encore à son œuvre? Comment ne pas éprouver une profonde sympathie pour les peuples d'outre-mer, et le désir de rénover leur condition?

Il faut bien comprendre que pour les gaullistes de cette époque, la notion de « colonies », d'« Empire », de « France d'outre-mer » perdit très vite le caractère abstrait qu'elle a malheureusement conservé pour la plupart des Français. Il y eut chez nous une prise de conscience telle que nous nous sentîmes obligés pour l'avenir envers les peuples de l'ensemble français. Nous ne pouvions concevoir la France future sans ses prolongements outre-mer, ni la France d'outre-mer sans des réformes de la plus vaste portée. Ces réformes, telles qu'on les entrevoyait dans les débuts, devaient se fixer le double objectif d'articuler en un ensemble à la fois souple et cohérent la métropole et les territoires d'outre-mer, et d'ouvrir à ces derniers les plus larges possibilités de développement et de progrès économique, social et politique. Au contact des réalités s'imposait à nous la nécessité de fonder le nouvel ensemble qui succéderait à l'Empire, non sur une uniformisation bureaucratique et de ce fait arbitraire, mais sur les réalités ethniques, sociologiques, culturelles. Félix Eboué, qui joignait, sous une attitude d'amabilité bonhomme, une volonté inflexible à une grande finesse, et qui comprenait admirablement les populations africaines dont il était lointainement issu, insista maintes fois sur le respect dû aux institutions traditionnelles des Africains, sur la nécessité de bâtir à partir du sol en prenant grand soin de ne pas détruire l'originalité autochtone.

Dans une circulaire qu'il adressa aux gouverneurs et administrateurs sous ses ordres, Eboué écrivait notamment: « Faire ou refaire une société, sinon à notre image, du moins selon nos habitudes mentales, c'est aller à un échec certain... Nous ne ferons son bonheur (de l'Africain) ni selon les principes de la Révolution française qui est notre révolution, ni en lui appliquant le Code Napoléon qui est notre code, ni en

275

substituant nos fonctionnaires à ses chefs, car nos fonctionnaires penseront pour lui et non pas en lui. Nous assurerons au contraire son équilibre en le traitant à partir de lui-même... dans le cadre de ses institutions naturelles. »

Félix Eboué était pour les gaullistes le symbole et le modèle de l'œuvre à mener à bien outre-mer, en écartant également le colonialisme désormais périmé, l'assimilation arbitraire et la désintégration que nul d'entre eux ne pouvait accepter. La « décolonisation », bien avant qu'on eût forgé ce vocable, était donc bien notre but. Il va sans dire que nous aurions alors rejeté avec indignation les sottises et les horreurs que l'on devait, vingt ans plus tard, inclure dans ce terme: éclatement de la France d'outre-mer, balkanisation de l'Afrique, création à tort et à travers de prétendus Etats destinés à traîner une existence fantomatique dans la misère et les luttes tribales, excitation à un néo-racisme anti-européen, violences, massacres, spoliations.

De Gaulle saisit d'emblée l'importance capitale de nos territoires d'outre-mer. Malgré l'échec durement ressenti de Dakar, il s'attacha à exalter le rôle de l'Empire dans le présent et les devoirs de la France envers lui dans l'avenir. « Il est un élément qui, dans ces terribles épreuves, s'est révélé à la nation comme essentiel à son avenir et nécessaire à sa grandeur. Cet élément, c'est l'Empire. D'abord, parce que c'est dans l'Empire que s'est constituée la base de départ pour le redressement de la France... D'autre part, il est apparu que, dans la détresse inouïe qui est celle de la France, les populations de l'Empire lui ont partout manifesté une fidélité magnifique... C'est pourquoi la nation française a pris conscience de son œuvre impériale et de la solidarité profonde qui l'unit à son Empire (1). »

(1) 18 juin 1942. Discours prononcé à l'Albert Hall de Londres.

276

Cette solidarité devait se traduire, selon lui, par les « devoirs... qui s'imposent aux pays qui se sont associé d'autres peuples et d'autres races. Il appartient à la France de faire honneur au contrat... à la France, c'est-à-dire à l'évangile de la fraternité des races, de l'égalité des chances, du maintien vigilant de l'ordre pour assurer à tous la liberté (1) ».

Au milieu des bouleversements et des angoisses de la guerre, alors que tout devait être subordonné à la victoire et à la libération, il était fatal que la réforme de l'outre-mer, le remplacement du système colonial par de nouvelles structures, ne fussent pas au premier plan des urgences. Pourtant, du 30 janvier au 8 février 1944, eut lieu à Brazzaville, inaugurée par de Gaulle et présidée par René Pleven, la Conférence africaine.

On a dit et écrit bien des inexactitudes sur cette conférence. Le plus curieux, c'est que de Gaulle et certains de ses adversaires se sont trouvés d'accord pour lui prêter une signification qui n'était pas la sienne. Eux pour le regretter, lui pour s'en targuer, ont vu dans la conférence de Brazzaville le premier coup de pioche donné à l'édifice impérial et le point de départ d'une « décolonisation » dont le plus beau fleuron devait être la liquidation désastreuse de l'Algérie. Or, les travaux et les conclusions de Brazzaville ne méritent ni cet excès d'honneur ni cette indignité. Leur note dominante fut la volonté de résoudre le problème colonial en le surmontant: appeler les populations à gérer de plus en plus leurs propres affaires, étendre à toutes une seule citoyenneté, aider au développement autonome de chaque territoire au sein d'une grande France de cent millions d'habitants, à la fois une et diverse. La déclaration finale allait jusqu'à proscrire absolument, ce qui à mon avis était excessif, toute possibilité de *self-government* des territoires. En tout cas, toute

(1) Discours prononcé à Constantine le 12 décembre 1943.

277

mesure pouvant conduire l'Empire à se disloquer était farouchement exclue.

De Gaulle, d'ailleurs, dans son discours inaugural, posa clairement la question. Après avoir exalté l'œuvre de la France en Afrique, salué la fidélité des autochtones à l'égard de la France et affirmé que la France, dans sa souveraineté, aurait à procéder aux nécessaires réformes de structure, il fixa en ces termes la tâche de la Conférence africaine: « Vous étudierez ici, pour les soumettre au gouvernement, quelles conditions morales, sociales, politiques, économiques et autres vous paraissent pouvoir être progressivement appliquées dans chacun de nos territoires, afin que, par leur développement même et le progrès de leur population, ils *s'intègrent* dans la Communauté française avec leur personnalité, leurs intérêts, leurs aspirations, leur avenir. »

On s'est demandé souvent quand avait été lancée pour la première fois l'idée de l'*intégration* des pays d'outre-mer: c'est à Brazzaville, le 30 janvier 1944, par le général de Gaulle.

Il est donc contraire à la vérité et à la bonne foi de prétendre que les conceptions esquissées à Brazzaville aient tout naturellement engendré la « décolonisation » anarchique, sanglante et ruineuse des années 60. Ce qu'elles dessinaient, c'était une Union française comprenant la République métropolitaine et les territoires d'outre-mer au sein d'un même ensemble de caractère démocratique. Elles supposaient par là même l'effacement progressif des discriminations politiques entre « Français » et « indigènes ». Aussi de Gaulle était-il logique avec lui-même quand il annonçait à Constantine en décembre 1943: « Le Comité de la Libération a décidé, d'abord, d'attribuer immédiatement à plusieurs dizaines de milliers de Français musulmans leurs droits entiers de citoyens, sans admettre que l'exercice de ces droits puisse être empêché, ni limité, par des objections fondées sur le statut personnel. »

On voit qu'en déclarant le 11 avril 1961: « Depuis Brazzaville, je n'ai jamais cessé d'affirmer que les populations qui dépendaient de nous devaient pouvoir disposer d'elles-mêmes », et en se servant de ce précédent imaginaire pour justifier, dix-sept ans plus tard, l'abandon de l'Algérie, de Gaulle a audacieusement fardé la vérité. Brazzaville ne signifiait absolument pas que les populations d'outre-mer pussent « disposer d'elles-mêmes » pour se séparer de la France. D'ailleurs lui-même, quelques mois après la Conférence, a défini ce qui, selon lui, devait en découler. A Washington, le 10 juillet 1944, il disait en effet au cours d'une conférence de presse: « Peut-être avez-vous lu des nouvelles sur une conférence que nous avons tenue à Brazzaville cet hiver... Je crois que chaque territoire sur lequel flotte le drapeau français doit être représenté à l'intérieur d'un système de forme fédérale... que chacun ait la possibilité d'administrer ses intérêts et d'être représenté à l'intérieur d'un système d'ordre fédéral. Telle est la politique de la France, et en particulier pour l'Indochine. »

L'expression « Union française » est apparue pour la première fois, sauf erreur, dans la déclaration du 24 mars 1945 sur l'Indochine. On y lit: « La Fédération indochinoise formera avec la France et les autres parties de la Communauté une *Union française* dont les intérêts à l'extérieur seront représentés par la France. »

Une Union de forme fédérale groupant la métropole et les pays d'outre-mer, ce n'est pas la « décolonisation » négative, le « dégagement » et l'abandon comme on devait le pratiquer en 1962: c'est exactement le contraire. Certes, c'est bien une « décolonisation » en ce sens qu'une telle organisation a pour objet de faire disparaître les rapports de type « colonial » entre métropole et territoires, de même que la discrimination entre citoyens français et sujets autochtones. Mais ce n'est à

279

aucun prix et en aucune manière le démembrement de l'ex-Empire.

La doctrine gaulliste, en ce qui concerne les structures de l'Union française, a été surabondamment exposée pendant douze ans, et d'abord par de Gaulle lui-même.

Critiquant le projet de Constitution de 1946, le Général déclara par exemple le 27 août: « Unie aux territoires d'outre-mer qu'elle a ouverts à la civilisation, la France est une grande puissance. Sans ces territoires, elle risquerait de ne l'être plus... la Constitution devrait... affirmer et imposer la solidarité avec la France de tous les territoires d'outre-mer. Elle devrait en particulier placer hors de question la responsabilité prééminente et, par conséquent, les droits de la France en ce qui concerne la politique étrangère de toute l'Union française, la défense de tous ses territoires, les communications communes, les mesures économiques intéressant l'ensemble. Cela posé, il faudrait reconnaître que chaque entité territoriale et nationale réelle doit être organisée de manière à se développer suivant son caractère propre... Enfin il devrait être créé des institutions de caractère fédéral communes à la métropole et aux territoires d'outre-mer: Président de l'Union française, Conseil de l'Union française, ministres affectés aux activités fédérales. »

Même schéma dans le discours d'Epinal le 29 septembre 1946: « Il nous paraît nécessaire que l'Union française soit une union et soit française. » D'où deux domaines de délibération et de décision: celui des peuples d'outre-mer, qui doivent « accéder à la gestion de leurs affaires particulières à mesure de leur progrès », et celui où la « prééminence de la France » s'exerce: politique étrangère, défense, communications, affaires économiques d'ensemble; d'où aussi deux séries d'institutions: celles qui sont locales et propres à chaque territoire, « et d'autre part les institutions communes:

Conseil des Etats, Assemblée de l'Union française, ministres chargés des affaires communes à tous ».

Mais c'est dans le discours prononcé à Bordeaux, place des Quinconces, le 15 mai 1947, au cours d'une cérémonie à la mémoire de Félix Eboué, que de Gaulle, alors chef du R.P.F., précisa le plus clairement sa pensée.

Il commençait par exalter l'œuvre accomplie par la France outre-mer et par repousser les accusations coutumières de la propagande anticolonialiste. « Y avait-il des ombres au tableau? Oui, sans nul doute. Aucune œuvre humaine ne fut jamais accomplie sans erreurs. Mais enfin, ces territoires, qu'eussent-ils été sans la France, et qu'est-ce que la France en a fait? » Et de rappeler en quelques phrases ce qu'était devenue « notre Algérie », avec ces millions d'hectares « où moururent jadis à la peine tant de colons (1) » et que couvrent aujourd'hui des « cultures admirables »; les grands travaux accomplis en Tunisie; au Maroc, naguère déchiré par le désordre et l'anarchie, un pays qui suscite l'admiration stupéfaite de tout homme de bonne foi, et ainsi de suite: l'Indochine, Madagascar, l'Afrique noire. Il concluait: « La France tyrannique? La France routinière? La France coupable? Allons donc! »

Poursuivant, de Gaulle décrivait à grands traits les événements de la guerre mondiale.

Au moment, disait-il, où il s'était démis de sa charge en janvier 1946, la France « pouvait disposer, sans hypothèque et sans exception, de tous les territoires où elle était souveraine ou protectrice. Elle se trouvait en mesure de bâtir avec eux l'Union française ». Malheureusement, le régime fondé par la Constitution de 1946 n'avait pas mis en place les institutions nécessaires. Ces institutions, comment les concevoir? Les

(1) On est loin des sarcasmes sur l'« Algérie de papa ».

divers pays d'outre-mer étant fort différents les uns des autres, il serait absurde de leur imposer à tous, soit un même régime d'administration directe, soit un même système d'autonomie et de représentation. Il y a d'abord des Etats, tels que le Maroc, la Tunisie, le Cambodge, le Laos, le Viêt-nam, dont la place dans l'Union et les relations avec la France sont ou doivent être fixées par des traités. Quant aux territoires, « chacun, dans le cadre de la souveraineté française, doit recevoir son statut à lui » prévoyant les modalités selon lesquelles leurs habitants « pourront délibérer localement des affaires intérieures et prendre part à leur gestion ».

« Mais, ajoutait-il, il ne suffirait pas de faire en sorte que chacun des territoires d'outre-mer puisse développer sa personnalité. L'Union française doit être une union et, par conséquent, comporter des institutions communes à tous ses membres... institutions d'un caractère fédératif », c'est-à-dire une Assemblée, le Président de l'Union, des ministres à responsabilités fédérales. « Enfin l'Union française doit être française, ce qui implique que l'autorité, je dis l'autorité de la France, s'exerce nettement sur place, et que ses devoirs, ses droits, ses responsabilités demeurent hors de toute question dans les domaines de l'ordre public, de la défense nationale, de la politique étrangère et de l'économie commune. »

On sait que la Constitution de la IVe République employait les termes d'« Union française ». Mais les constituants n'avaient pas su ou pas pu choisir entre la conception unitaire et la conception fédérale. Que les territoires d'outre-mer fussent représentés au Parlement n'aidait pas à apporter une solution claire au problème posé. En effet, faute de distinguer entre le domaine propre à la métropole, celui de chaque territoire et celui des mesures communes à tous, le Parlement légiférait pêle-mêle sur tous les sujets, de sorte qu'un député du Cantal, par exemple, votait un texte applicable au Soudan et d'intérêt purement local, et qu'un élu de Ouagadougou contribuait à adopter ou à rejeter un impôt ne frappant que les contribuables de la métropole. Des siècles de centralisation et d'administration unitaire ont fort peu disposé l'esprit français à apprécier la hiérarchie des différents ordres de réglementation et de législation, de droits et de responsabilités, que l'on observe dans un Etat comme la Confédération helvétique ou les Etats-Unis. Si même l'on peut faire un reproche à la théorie maintes fois exposée par le général de Gaulle, c'est que, tout en constituant un pas très important dans la voie du système fédéral, elle laissait subsister une certaine confusion, au sommet de l'édifice, entre les institutions de la République (métropolitaine) et celles de l'Union française. Il faut cependant convenir, pour être équitable, qu'étant donné le « poids spécifique » de la République dans l'ensemble, sa population, son potentiel économique et financier, ses moyens militaires et son développement culturel, il n'aurait pas été réaliste de ne pas lui reconnaître des attributions et des droits supérieurs à ceux de la Haute-Volta ou du Gabon.

J'entrevoyais cependant, quant à moi, une phase ultérieure où, comme résultat de l'évolution économique, sociale et intellectuelle, il serait possible de superposer à tous les pouvoirs locaux, y compris à celui de la métropole, un pouvoir vraiment fédéral. Quand j'exposais ces idées autour de moi, il n'était pas rare qu'on me demandât: « Mais alors le Président fédéral pourrait être un Noir ou un Arabe? », à quoi je répondais invariablement: « Et pourquoi pas? »

Déjà, avant la guerre, ayant vécu pendant des années, comme ethnologue, au milieu des tribus indiennes du Mexique, j'avais pu suivre de près le travail souvent admirable que les gouvernements issus de la Révolution réalisaient pour « incorporer » ou « intégrer » les communautés autochtones à l'Etat fédéral. A Paris, à la Sorbonne et au Musée de l'Homme dont j'assumai la direction à partir de 1937 auprès du Dr Paul Rivet, j'avais eu maintes fois l'occasion de discuter des problèmes de ce qu'on appelait encore les « colonies » ou l'« Empire » avec de jeunes Africains comme Léopold Senghor. Professeur à l'Ecole coloniale, où j'étais chargé d'un cours de sociologie appliquée, je m'efforçais de faire porter la réflexion scientifique et l'acquis de l'ethnologie sur la solution pratique des problèmes que suscitaient les relations entre les populations autochtones et l'administration française. Militant antifasciste et antiraciste depuis mon adolescence, j'avais étudié les doctrines absurdes et malfaisantes qui, inoculées comme un virus par Berlin à Rome, se répandaient dans l'Afrique italienne sous le prétexte de la *difesa della razza.* Puis vint la guerre, et d'Alger à Marrakech, de Gao à Zinder, de Brazzaville à Yaoundé, à travers les territoires britanniques et belges, je fus conduit à sillonner en tous sens l'Afrique musulmane, le Sahara, les pays de savanes et de forêts. Convaincu que la colonisation sous sa forme ancienne appartenait à un passé révolu, discernant les influences et les ambitions étrangères qui visaient à démembrer l'ensemble français, je repoussais avec une énergie égale le *statu quo,* d'ailleurs impossible à maintenir, et la dislocation dont le double résultat serait inévitablement d'abaisser la France et de plonger les peuples d'outre-mer dans le chaos, la tyrannie et la misère.

Aussi la thèse fédéraliste lancée par de Gaulle me paraissait-elle, en dépit de l'ambiguïté que j'ai signalée plus haut, la mieux adaptée aux réalités du temps. L'adoption de la Constitution de 1946, si insuffisante à cet égard, me causa une lourde déception. Une fois créé le Rassemblement du Peuple Français, je fus de ceux qui s'efforcèrent, au sein de ce mouvement, de développer et de préciser notre doctrine. Il n'y eut d'ailleurs pas de réunion, de Conseil national, de Congrès, où les questions relatives à l'Union française n'aient été débattues avec une passion sérieuse; pas un gaulliste ne mettait en doute le caractère absolument vital pour le pays du maintien de ses prolongements outre-mer, maintien qui lui-même n'était possible, à nos yeux, que grâce à de profondes réformes de structure.

Beaucoup d'entre nous, sinon tous, pensaient alors à nos territoires d'outre-mer comme à « la grande chance du deuxième demi-siècle » pour la France et pour notre jeunesse. « Il faut faire l'Union française, écrivais-je en janvier 1950, en consacrant pendant un demi-siècle toutes les énergies de la France à la mise en valeur de notre portion du continent africain. La grandeur et la cohésion des Etats-Unis d'Amérique sont nées de l'immense entreprise qu'a été la pénétration du Far-West. *Il faut à la France un Far-West.* Elle l'a: c'est son *Far-South.* » Il nous semblait, à cette époque, que « pour transformer la vie des hommes et ancrer puissamment la France dans le sol du continent noir », en créant de nouvelles ressources, en produisant de l'énergie et aussi « en tenant compte intelligemment et respectueusement des sociétés autochtones, de leurs traditions, de leurs institutions », l'effort que la France aurait à fournir serait de nature à la transfigurer elle-même. Au lieu de s'enfermer dans son territoire européen, pusillanime et repliée sur elle-même dans la recherche d'un confort petit-bourgeois, elle puiserait en Afrique le goût des vastes espaces et des entreprises hardies. Deux ou trois générations de nos jeunes gens trouveraient là-bas l'occasion de faire du neuf, de construire, de créer. Bâtir l'Afrique française avec les autochtones, pour eux comme pour nous tous, dans la fédération des peuples d'outre-mer, tirer parti des expériences faites ailleurs, comme les missions culturelles du Mexique ou les *kibboutzim* d'Israël, n'était-ce pas une mission exaltante?

Dans cette perspective, assurer le salut de l'Afrique, c'était aussi pourvoir à celui de la France: exorciser le démon de la médiocrité, offrir à la jeunesse une grande et belle tâche. Des rêves? Oui, c'étaient des rêves comme ceux des pionniers qui ont fait la Californie, comme ceux des *bandeirantes* qui ont fait surgir le Brésil moderne de l'immensité sud-américaine, comme ceux de la poignée de sionistes qui a décidé il y a cinquante-neuf ans qu'une ville naîtrait sur les dunes stériles de Palestine et qu'elle s'appellerait Tel-Aviv. Ces rêves, il était à notre portée de les réaliser: le sol et le sous-sol de l'Afrique française recèlent ce qu'il faut pour faire vivre les hommes et croître l'industrie. Les Français sont-ils moins laborieux, moins ingénieux, moins aptes au développement technique que les Anglo-Saxons, les Portugais ou les Israéliens? Ce qui nous a manqué, c'est une volonté. Et l'Etat qui aurait dû incarner cette volonté a failli à sa mission: par faiblesse et instabilité avant 1958, plus tard par une tragique perversion qui l'a poussé à tout détruire. Comment s'étonner aujourd'hui si la jeunesse, à qui le régime n'offre rien, n'ouvre aucune perspective, ne promet que la morne continuation de ce qui est — si cette jeunesse se désespère et s'emporte comme elle l'a fait en mai? Généreuse comme elle l'est, de quel cœur ne se serait-elle pas jetée dans la grande aventure de l'outre-mer! Le régime, incarnation d'une France vieillotte dont l'horloge retarde d'un demi-siècle, ne le lui a pas permis.

★

Les premières Assises nationales du R.P.F., à Marseille, en avril 1948, comportaient naturellement une Section de l'Union française, qui tint plusieurs réunions et rédigea plusieurs motions; fort nombreuse, on y trouvait des délégués de tous les territoires depuis l'Indochine jusqu'aux Antilles, des Eurasiens, des Noirs, des Musulmans, et ses débats furent très animés. Ce Congrès formula les principes: « Un Etat fort, organe fédérateur d'une libre Union française diversifiée dans ses éléments comme complexe dans sa structure, démocratique et libérale par sa base, mais fortement liée au sommet... Fédération française sous l'égide de la métropole, avec un Parlement fédéral... large décentralisation... association plus étroite des intéressés à la direction locale de leurs affaires en faisant de chacun, suivant l'expression d'Eboué, des « citoyens de leur propre pays » par l'égal accès aux fonctions publiques et l'égalité des droits dans l'égalité des devoirs. » Signalons en passant que la motion de politique générale contenait cette phrase: « Le Congrès salue l'Algérie française. » On voit que l'expression n'a pas été inventée récemment.

Aux deuxièmes Assises nationales (Lille, février 1949), on précisa davantage la doctrine. Deux rapports très étudiés, l'un de René Capitant, l'autre de Raymond Dronne, furent adoptés. L'organisation de l'Union française y était clairement dessinée.

« En régime démocratique, déclarait Capitant, la loi doit être faite par ceux à qui elle s'applique (1). Il en résulte que c'est aux assemblées métropolitaines et à elles seules qu'il incombe de légiférer pour la métropole, qu'en revanche c'est aux territoires d'outre-mer qu'il appartient, dans l'exercice de leur autonomie, de se donner leur réglementation propre, et qu'enfin ce doit être la fonction d'organes communs, appelés fédéraux, d'élaborer les lois communes à tous, les lois fédérales, et de gérer les intérêts généraux de l'Union française. » Partant de là, le rapport Capitant étudiait en

_____

(1) Excellent principe, en vertu duquel il est indiscutable que la loi votée par référendum le 8 avril 1962, sur l'Algérie, est antidémocratique, puisque les Algériens ont été exclus du suffrage alors qu'il s'agissait de décider de leur propre destin.

détail les départements d'outre-mer, les territoires d'ou-tre-mer et les Etats associés; exposait comment chaque territoire devait posséder sa propre assemblée élue et son exécutif; proposait la création d'un Sénat fédéral composé pour moitié par le Conseil de la République représentant les communes et départements de la métropole, et pour moitié de sénateurs élus par les assemblées des territoires. Il précisait que ce Sénat serait investi de véritables pouvoirs législatifs, les lois fédérales étant « supérieures », par leur autorité, à tou-tes les autres. Il envisageait de confier le pouvoir exécu-tif à un Président de l'Union française qui serait en même temps, de droit, Président de la République métropolitaine.

Raymond Dronne, allant plus loin que Capitant, esti-mait que le gouvernement fédéral devrait être respon-sable, au sens parlementaire du terme, devant le Sénat de l'Union. Il étudiait la question de la citoyenneté et concluait à l'institution d'une citoyenneté commune à toute l'Union française, concurremment avec des citoyennetés particulières aux divers pays d'outre-mer.

Au cours des années suivantes, les diverses instances du R.P.F. ne cessèrent d'approfondir et de préciser la doctrine du gaullisme sur l'outre-mer. Une des commis-sions d'études du Conseil national présenta au Congrès de Paris, en juin 1950, un rapport très complet sur les problèmes économiques et sociaux de l'Union fran-çaise. Ce texte traitait des moyens d'accélérer le déve-loppement des territoires et les progrès des conditions d'existence des populations; des investissements, en vue desquels était préconisé le lancement d'un grand emprunt pour l'Union française; des conditions du tra-vail, de l'extension de l'enseignement, de l'organisation judiciaire. Dans le domaine politique, il suggérait de substituer au suffrage restreint alors pratiqué le suf-frage universel à deux degrés, de sorte que les entités sociales autochtones: villages, tribus, soient valablement représentées. On y lisait aussi ces lignes, qui contrastent heureusement avec l'ignorance systématique que les gouvernements successifs (y compris celui du général de Gaulle après juin 1958) ont manifestée à l'égard des sciences: ethnologie, anthropologie, sociologie, qui devraient cependant guider l'action des pouvoirs publics envers les groupes sociaux et ethniques des pays d'outre-mer: « C'est dans une étude scientifique approfondie qu'il faut rechercher les données positives sans lesquelles les meilleures intentions risquent de n'aboutir qu'à des résultats décevants. Que penserait-on d'un service des Mines qui dédaignerait l'apport théorique et pratique de la géologie? Or, trop souvent, on entreprend d'appliquer à des peuples d'outre-mer telle ou telle conception juridique ou administrative sans se soucier des avis de la sociologie et de l'ethnologie modernes. Ces sciences ont fait de tels progrès depuis une vingtaine d'années, particulièrement en France, que leur application systématique à l'étude des sociétés autochtones est devenue non seulement possible mais indispensable à toute action rationnelle. Il est donc nécessaire de prévoir l'utilisation régulière d'ethnologues... chargés par les autorités des différents territoires d'étudier scientifiquement la structure sociale, la démographie, le droit traditionnel, les rites, les croyances, des populations autochtones. Leurs enquêtes fourniront des bases précieuses à l'action administrative et politique, éclaireront les autorités sur les décisions à prendre et éviteront à coup sûr bien des erreurs. »

Quand on mesure les conséquences désastreuses que la méconnaissance des données de fait a entraînées lorsqu'il s'est agi de l'Algérie, du Sahara, du Mali par exemple, on ne peut que regretter que cette suggestion n'ait pas été suivie.

Le Congrès de Nancy, en 1951, se prononce pour la création de Conseils élus au niveau des communes, des cercles, des régions ou provinces. Le Conseil national de Saint-Mandé, la même année, condamne le « néo-colonialisme » qui se manifeste par la politisation des territoires à des fins électorales. Les Assises de Paris en 1952 déplorent que les gouvernements de la IVe République, dans les négociations internationales, « semblent méconnaître l'unité de l'Union française et ne traiter qu'au nom et qu'en fonction de la seule métropole ». Elles affirment « qu'aucun pacte ou accord ne doit être négocié ou conclu qu'au nom de l'Union française tout entière et en fonction de ses intérêts et de sa défense ».

Plus tard, les républicains-sociaux prennent la relève; ils ne laissent passer aucune occasion de proclamer les mêmes principes, de suggérer les mêmes réformes, de placer au premier plan de leur programme « le maintien d'une communauté indissoluble entre la métropole et les territoires d'outre-mer », ce qui implique « la sauvegarde de l'Algérie française » (communiqué du comité directeur, 14 février 1958).

On peut, je crois, conclure sans parti pris ni excès que le gaullisme, depuis Brazzaville jusqu'à 1958, donc pendant quatorze années, a montré une continuité parfaite dans ses conceptions sur l'ensemble français métropole-outre-mer. Cette doctrine, c'était bien la « décolonisation », par la promotion des peuples et l'égalité des hommes, non par la dispersion; c'était la démocratie, non la démagogie. C'était enfin la conviction maintes fois exprimée « qu'il n'y aurait pas d'avenir pour la France si elle abandonnait sa mission dans l'Union française, et qu'en même temps les autres Etats et territoires de l'Union ne sauraient trouver en dehors d'elle les conditions assurant leur sécurité, leur liberté et leur progrès (1) ». La pensée gaulliste ne se bornait

(1) Déclaration du Conseil national élargi, 1er juillet 1951, Levallois-Perret.

pas à condamner verbalement l'ancien colonialisme mais formulait de façon précise les solutions nouvelles destinées à le remplacer; elle ne s'élevait pas moins énergiquement contre la stérile et ruineuse dislocation de l'ensemble français. De tout l'effort idéologique du gaullisme d'après-guerre, il n'est peut-être pas de thème qui ait suscité de réflexion plus approfondie ni conduit à des conclusions plus positives; il n'en est pas non plus qui ait été davantage ignoré et jeté aux oubliettes par le gaullisme parvenu au pouvoir.

★

Sur l'Algérie, que dirai-je qui n'ait déjà été dit, par d'autres ou par moi? De Gaulle, quand il eut à en parler en tant que chef du Rassemblement, ne laissa aucun doute sur sa volonté de maintenir l'Algérie française, de protéger la population européenne contre toute tentative tendant à la « submerger » et en même temps d'étendre aux musulmans les droits et les devoirs de la pleine citoyenneté. En vérité, son programme, celui du gaullisme, pour l'Algérie, c'était l'intégration. Faut-il rappeler que cette intégration, fondée sur la reconnaissance de la « personnalité » de l'Algérie et non sur sa négation, n'était en rien une forme, mais le contraire, de l'assimilation?

Quand j'assumai, en 1955, la charge du Gouvernement général de l'Algérie, je fus amené à préciser et à modifier, dans un sens plus libéral, la doctrine initiale. De Gaulle s'était prononcé pour le « double collège », et même, dans sa déclaration du 18 août 1947, il avait fait un pas en arrière par rapport à ses propres positions de 1943-1944. En effet, son ordonnance du 7 mars 1944, faisant suite au discours prononcé à Constantine le 12 décembre 1943, avait introduit dans le premier collège plusieurs dizaines de milliers de musulmans. Dans la déclaration mentionnée plus haut, le chef du

R.P.F. affirma que « cette disposition ne saurait plus avoir d'objet, dès lors que seraient associées dans une Assemblée algérienne deux sections ou commissions égales et équivalentes. Au contraire, en la maintenant, ajouta-t-il, on risquerait de fausser, au détriment de la population d'origine européenne, et pour l'éventuel profit d'une dangereuse démagogie, tout l'équilibre du système ».

Pour moi, au contraire, après avoir soigneusement pesé le pour et le contre, je me prononçai dès 1955 pour le « collège unique », conséquence et condition nécessaire, à mes yeux, de l'égalité politique, et contrepartie non moins nécessaire de l'inclusion de l'Algérie dans la République. A cette thèse, rejetée d'abord avec force par bon nombre d'Européens, la majorité de cette population devait se rallier à mon appel: cette réforme de décisive importance fut acclamée quand de Gaulle l'annonça en juin 1958.

On a épilogué à l'infini sur ce que le Général avait pu dire ou ne pas dire, avant le 13 mai 1958, à ses divers interlocuteurs ou visiteurs. Ces versions plus ou moins contradictoires n'ont d'intérêt qu'anecdotique. On peut aussi y rechercher la clé d'une psychologie, et se demander si de Gaulle était sincère ou non à telle ou telle époque. Il reste qu'un homme d'Etat, quand il est investi du pouvoir suprême, ne parle pas pour ne rien dire: toutes les allocutions du général de Gaulle en Algérie, alors qu'il venait d'accéder aux affaires, se situent dans la droite ligne de ses prises de position depuis 1947. N'a-t-on pas vu certains de ses thuriféraires, gênés par le fait patent que son discours de Mostaganem, le 6 juin 1958, s'était terminé et résumé par le cri: « Vive l'Algérie française! » qui, comme Terrenoire, expliquer que ce cri lui avait « échappé » parce qu'il était « pressé par la foule », qui, comme Michel Droit, qu'il était « fatigué »? On ne semble pas se rendre compte de ce qu'il y a de dérisoire et même d'injurieux pour de Gaulle dans ces ridicules « explications ».

Je ne décrirai pas ici, une fois de plus, la trajectoire par laquelle passèrent, de 1958 à 1962, de l'Algérie française à la fuite, la pensée et les positions politiques du général de Gaulle. En juin 1958, tous les Algériens, y compris et en premier lieu les musulmans, sont des « Français à part entière », l'Algérie est « terre française aujourd'hui et pour toujours ».

En janvier 1959, on offre à l'Algérie « une place de choix dans la Communauté », mais on se garde de préciser laquelle.

En septembre de la même année, de Gaulle annonce l'autodétermination, avec trois solutions possibles, et condamne en termes sévères l'une d'entre elles, la sécession.

En janvier 1960, il déclare encore vouloir « la solution la plus française ».

Deux mois plus tard, il l'écarte catégoriquement et préconise l'« Algérie algérienne », formule peut-être brillante mais vide de sens, à moins qu'elle ne signifie déjà, purement et simplement, l'abandon de ce pays au F.L.N.

En juillet 1960, il laisse entendre que l'Algérie aura son gouvernement, en novembre qu'elle sera un Etat, en avril 1961 que cet Etat sera indépendant, en décembre que la France « dégage » et qu'elle livre l'Algérie, avec ses populations, aux terroristes cependant battus sur le terrain mais à qui de Gaulle fait cadeau d'un imprévu triomphe politique.

Jamais retournement plus complet n'a été exécuté en trois années par un chef d'Etat, qui revenu au pouvoir, dans des circonstances dramatiques, pour s'acquitter d'une certaine mission, a décidé de faire exactement le contraire.

Il est clair qu'entre l'intégration de l'Algérie à la République (que je voyais, quant à moi, se transformer plus tard en fédération si les institutions françaises assumaient enfin un caractère fédéral), et l'abandon vulgaire, il n'existait aucune formule intermédiaire. Ayant écarté tous les conseillers, métropolitains, Européens d'Algérie ou musulmans, qui connaissaient les problèmes complexes de ce pays, entouré d'ignorants ou de partisans fanatiques, de Gaulle seul, pardessus la tête du gouvernement et du Parlement, prit les décisions fatales qui ont sonné le glas de l'Algérie et de l'Union française. Il assuma seul la responsabilité entière du désastre. Il ne consulta ni ses ministres, ni les anciens gouverneurs ou résidents tels que Naegelen, Lacoste, Viollette, Le Beau ou moi, ni les élus algériens arabes ou européens, ni les hauts fonctionnaires ou chefs militaires qui avaient vécu jour par jour le drame sanglant de l'Algérie. Dédaignant tous les avis et réfractaire à l'évidence des faits, s'attachant à une vision chimérique, il chercha d'abord en vain, pendant deux ans, l'introuvable et inexistante troisième voie, pour se rallier enfin à la plus désastreuse de toutes les solutions possibles. Au lieu d'aménager, à tout le moins, le « dégagement », de regrouper en lieu sûr sous la protection de l'armée les centaines de milliers de malheureux qui craignaient, à juste titre, pour leur vie, il livra à la discrétion des terroristes tout un peuple qui avait subi, depuis sept ans, attentats, viols, assassinats. Rien ne fut fait pour faciliter et adoucir ce tragique exode. Encore aujourd'hui, six ans après la débâcle, les réfugiés attendent toujours l'indemnisation que la loi de décembre 1961 leur avait pourtant solennellement promise.

L'étrange « affaire Si Salah » ne peut être expliquée que par une volonté tenace de perdre alors qu'on pouvait encore gagner. En juin 1960, on le sait, le général de Gaulle reçut à l'Elysée le chef de la wilaya 4, Si Salah, et un de ses adjoints. Cette entrevue était le résultat de longues négociations qui avaient commencé en mars dans la région de Médéa. Les combattants F.L.N. du bled, harassés par les opérations militaires que le général Challe conduisait avec plein succès, voyant leurs rangs s'éclaircir et leur armement s'amenuiser, se sentant abandonnés par les politiciens du « Gouvernement provisoire de la République algérienne » installés confortablement au Caire et à Tunis, étaient prêts à conclure un cessez-le-feu et à déposer les armes. Les dirigeants de la wilaya 4 apportaient non seulement leur propre consentement, mais celui de leurs camarades qui commandaient les wilaya voisines. En fait, il n'est pas douteux que le cessez-le-feu aurait fait tache d'huile et se serait propagé de l'Algérois à la Kabylie et à l'Oranie, que la paix aurait été rétablie dès la fin de 1960, et qu'un *modus vivendi* acceptable aurait pu alors être trouvé, laissant Ferhat Abbas, Krim Belkacem, Bentobbal et autres « ministres » du G.P.R.A. réduits à l'impuissance dans leur exil doré.

Or, s'il n'en fut pas ainsi, c'est avant tout parce que de Gaulle s'obstina à négocier, non point avec les combattants de l'intérieur, mais avec le prétendu « gouvernement provisoire algérien », auquel il conférait par là une importance démesurée. Sans doute, chevauchant la chimère de l'« amitié du monde arabe », s'imaginait-il que l'adhésion de ce soi-disant gouvernement était indispensable à ses plans. Pour jouer un grand rôle dans l'univers, il se voyait à la tête du Tiers-Monde ; à cette fin, il devait s'assurer le concours des leaders F.L.N. de Tunis et du Caire, et celui de Nasser qui les protégeait. Les événements subséquents, notamment la prise de position du Général en 1967 contre Israël, jettent une certaine lumière sur ses motifs sept ans plus tôt. Toujours est-il qu'après s'être entretenu avec Si Salah, il prononça dès le lendemain ou le surlendemain un discours s'adressant directement au G.P.R.A. Au lieu de jouer contre celui-ci la carte des combattants des wilaya, il redorait son blason en le désignant comme son interlocuteur. Décontenancés, les chefs de la wilaya 4 se divisèrent. Si Salah lui-même périt dans une « purge » sanglante, et l'occasion unique de faire la paix dans des conditions honorables fut perdue. Bernard Tricot, qui joua dans cette affaire un rôle important sur lequel toute la lumière n'est pas faite, pouvait être satisfait: n'avait-il pas déclaré qu'il ne fallait pas « gêner le général de Gaulle par des négociations latérales » ?

Les accords d'Evian, présentés à l'époque par la propagande officielle comme un chef-d'œuvre de diplomatie et comme offrant des « garanties » solides à la population algérienne, ne furent en réalité qu'un camouflage destiné à sauver la face et surtout à faire croire à l'opinion de la métropole que l'abandon de l'Algérie pouvait être approuvé d'un cœur léger. Un des négociateurs du côté français, Robert Buron, avoue dans ses souvenirs (1) que le chef de l'Etat ne cessait de harceler et d'éperonner sans relâche Joxe, de Broglie et lui-même pour que l'accord avec les fellagha fût conclu à tout prix, en toute hâte et à n'importe quelle condition. Il fallait bâcler ce prétendu accord en lâchant tout, y compris le Sahara, y compris encore et surtout les hommes et les femmes qu'on livrait à la cruelle vengeance des vainqueurs.

Nous ne reviendrons pas sur le fait qu'en portant atteinte, par cette décision, à l'intégrité du territoire, le Président de la République et le gouvernement ont violé la Constitution, notamment ses articles 2 et 5. Il s'agit ici d'autre chose que de textes: il s'agit de vies humaines. Cinq mille Européens « disparus » dans les semaines qui ont suivi l'abandon — hommes condamnés à la mort lente au travail forcé, femmes et jeunes

(1) *Carnets politiques de la guerre d'Algérie*, Plon, 1965.

filles livrées à la prostitution (1) — cent cinquante mille musulmans torturés, émasculés, écorchés vifs, bouillis, mutilés, coupés en morceaux, écartelés ou écrasés par des camions (2), familles entières exterminées, femmes violées et enfants égorgés, tel est le sinistre bilan. Les accords d'Evian garantissaient à tous, chrétiens, juifs ou musulmans, la sécurité: il y a eu l'exode et le massacre. Ils garantissaient la libre disposition des biens: il y a eu la spoliation totale des agriculteurs, des artisans, des hôteliers, des commerçants, les appartements occupés et pillés, les meubles volés, le retraité dépouillé de son petit jardin comme le colon de sa ferme. Ils garantissaient une certaine présence protectrice de l'armée: mais l'armée, d'abord, n'a protégé personne, bien au contraire elle s'est associée, sous le commandement d'Ailleret et de Katz, à la lutte contre les Français, puis on l'a retirée avant même les délais fixés. Ils garantissaient, ces accords, que les Français qui demeureraient en Algérie jouiraient des droits de citoyen: la première Assemblée nationale algérienne, d'ailleurs nommée et non élue, a voté aussitôt un statut raciste et religieux de la nationalité en vertu duquel quiconque n'est pas arabe ni musulman n'est qu'un citoyen de seconde zone (3). Ils

(1) Voir notamment la brochure *Le Drame des disparus d'Algérie* éditée en Suisse (1963) par la Commission internationale de Recherche historique sur les événements d'Algérie.
(2) Cf. *Mon pays, la France*, Paris, Editions France-Empire, 1962, et *L'Algérie sans la France*, 1964, par le bachagha Boualem. Voir aussi « Témoignages sur la situation des Français musulmans et de leurs familles », publiés en annexe par le général Challe, *Notre révolte*, Presses de la Cité, 1968, p. 421 et suiv.
(3) Le prêtre catholique Bérenguer, qui avait épousé la cause du F.L.N., protesta en vain. Il est à noter que Mgr Duval, ayant adopté la nationalité algérienne, n'est pas citoyen à part entière de sa nouvelle « patrie ».

garantissaient encore que la France demeurerait à Mers el-Kébir jusqu'en 1977, et que cette présence pourrait être prolongée: de Gaulle a décidé d'évacuer en 1968. Que ne garantissaient-ils pas? Il n'est pas une clause politique, économique, militaire ou simplement humanitaire de ces accords qui, en six ans, n'ait été réduite à néant.

Ben Khedda ayant été chassé par Ben Bella, Ben Bella emprisonné par Boumediène (sans que les belles âmes frémissantes qui s'intéressaient tellement à son sort quand il était l'hôte choyé du général de Gaulle au château d'Aulnoy se soucient le moins du monde de savoir s'il est mort ou vivant dans les cachots d'Alger), l'Algérie a pris le visage que j'avais prévu: celui d'un Etat totalitaire soumis à la dictature d'une minorité armée, où ne subsiste même pas un minimum de démocratie, où trois adultes sur quatre sont en chômage, où l'immense majorité de la population crève de misère, sans aucun espoir d'amélioration malgré les centaines de milliards que de Gaulle déverse en pure perte dans les coffres de l'Etat fellagha. Rétrograde et oppressif, dominé par un prétendu « socialisme » autoritaire qui oscille perpétuellement entre le stalinisme à la russe et le moyen âge arabe, cet Etat représente désormais, comme je l'avais annoncé, un danger très grave pour la sécurité de l'Europe et pour la paix.

« Si la Méditerranée, s'écriait le 29 mai 1956 un sénateur, n'est pas dominée par les puissances qui ont la volonté de maintenir le droit, elle devient une nouvelle zone d'insécurité et peut-être d'invasion. A partir du jour où la Méditerranée cesserait d'être dominée par des puissances qui ont notre conception du droit et de la civilisation, la France aurait aussitôt une nouvelle frontière, et avant trente ans nous saurions ce que coûterait à la nation cette frontière vers le sud dont on a oublié l'existence depuis tant d'années. » Ce sénateur, on s'en doute, n'était autre que Michel Debré, parlant du haut de la tribune de la seconde Assemblée (1).

Or, la sécession de l'Algérie, voulue et réalisée à tout prix par le chef de l'Etat, a fait de la Méditerranée occidentale une zone d'insécurité. Foyer de bellicisme raciste, l'Algérie de Boumediène se signale par sa violence contre Israël. Dans un pays en ruine, seule prospère l'armée, équipée en blindés et en avions à réaction par la Russie soviétique. La base de Mers el-Kébir, abandonnée soudainement par le gouvernement français, est désormais à la disposition de la flotte russe. Je connais, pour les avoir visitées, les installations de cette base: à coups de milliards, la marine française y a établi des fortifications, creusé des tunnels, construit des magasins et des centrales électriques, accumulé un gigantesque matériel, le tout en parfait état et à l'épreuve de la bombe atomique sous les énormes falaises. Le général Gretchko, ministre de la Guerre de l'U.R.S.S., a inspecté récemment Mers el-Kébir: nul doute qu'il n'y ait trouvé de grands motifs de satisfaction. Ayant grâce à Nasser des bases en Méditerranée orientale, grâce à Boumediène et au général de Gaulle celle de Mers el-Kébir à l'ouest, la Russie réalise pour la première fois dans son histoire le rêve caressé par ses chefs depuis Pierre le Grand: déboucher dans la Méditerranée. Du même coup, la péninsule européenne, déjà coupée par le rideau de fer que vient de renforcer la mise au pas de Prague, se trouve tournée par le sud. La situation stratégique ainsi créée recèle le plus terrible danger.

Toutes ces conséquences de la politique algérienne suivie depuis 1960 étaient aisément prévisibles. En tout

(1) Michel Debré. *L'Algérie française*. Compte rendu des séances du Conseil de la République du 15 mars et du 29 mai 1956. Editions du « Journal du Parlement », 1960. Voir en annexe le texte d'un article particulièrement important de Michel Debré, publié par *L'Echo d'Alger* en date du 6 décembre 1957.

cas, il est une catégorie de Français qui devaient les prévoir: ce sont, avec Michel Debré, tous les dirigeants, parlementaires, élus gaullistes qui, année après année, dans cent motions et mille déclarations, les avaient clairement dénoncées (1). Leur palinodie n'a pas d'équivalent dans notre histoire. Dans ce domaine comme dans bien d'autres, mais plus encore que dans la plupart, le néo-gaullisme apparaît point par point comme la négation du gaullisme.

★

L'expression « Union française », si souvent employée par de Gaulle et ceux qui le suivaient, fut remplacée dans la nouvelle Constitution par le terme plus vague de « Communauté » auquel on n'adjoignit pas l'épithète « française ». Tout un chapitre de la Constitution (le titre XII), comportant 11 articles, est consacré à en définir les structures. De cette branche apparemment vigoureuse jaillissant du tronc constitutionnel, il ne reste plus que du bois mort. La Communauté a duré deux ans en théorie, quelques mois en fait. Elle n'a jamais réellement fonctionné. C'est un sujet d'étonnement de constater, après un tel fiasco, que la Présidence de la République continue à être dotée d'un « Secrétariat général à la Communauté », qui émarge substantiellement au budget. Jacques Foccart, qui en est officiellement le titulaire, est réputé s'acquitter, en réalité, de tout autres fonctions. La Communauté

(1) Je passe sur l'hommage quasi rituel rendu à ma personne et à mon attitude sur le problème algérien par Roger Frey, Chaban-Delmas, Neuwirth, Schmittlein, Maziol et bien d'autres, par les conseils nationaux et les congrès gaullistes, dans les années qui ont précédé le 13 mai. Voir à ce sujet quelques savoureuses citations dans un article d'Ernest Denis, *Journal du Parlement*, 26 octobre 1961.

défunte, ou plutôt mort-née, sert uniquement d'étiquette commode pour camoufler des activités dont le pouvoir — on se demande pourquoi — semble vouloir dissimuler la véritable nature.

Le référendum du 28 septembre 1958 et la Constitution proposèrent à chaque territoire d'outre-mer deux choix successifs. Le premier, c'était sa réponse au référendum qui le fixerait: « oui » signifiait que le territoire conservait provisoirement son statut français, « non » qu'il se séparait de la France. Dans les quatre mois suivant la promulgation du texte constitutionnel, donc avant le 4 février 1959, chacun des territoires d'outre-mer devait, par une délibération de son assemblée locale, choisir entre trois statuts possibles: celui de territoire, celui de département, celui d'Etat membre de la Communauté.

Telle qu'elle est décrite par le titre XII, la Communauté apparaît comme intermédiaire entre une Fédération du genre des Etats-Unis et une Confédération d'Etats ou de Dominions à la manière du Commonwealth britannique. Elle pouvait évoluer vers plus de cohésion ou plus de souplesse. En fait, elle évolua vers le néant. Pourtant les institutions centrales, fédérales, si souvent préconisées par les gaullistes depuis les discours de Bayeux et de Bordeaux, étaient définies et furent mises en place: le Président de la République française, président de la Communauté (dont les représentants ont pris part à son élection le 21 décembre 1958), chef de l'exécutif; le Conseil exécutif, formé du Premier Ministre français, des ministres chargés des affaires communes et des chefs de gouvernement des Etats membres; le Sénat de la Communauté, composé de délégués du Parlement métropolitain et des assemblées des Etats. C'est à ces organes communs qu'il appartenait de délibérer et d'agir dans les domaines fédéraux: politique étrangère, défense, monnaie, économie de l'ensemble, et, « sauf accord particulier », le contrôle de la justice, l'enseignement supérieur, les transports, les télécommunications.

C'était bien là un système de type fédéral, conforme à ce que nous avions toujours recommandé. Il eût fallu s'y tenir, le faire vivre, donner de plus en plus de substance et de poids aux institutions centrales mais en évitant soigneusement de les confondre avec celles de la métropole, et surtout ne pas encourager les tendances centrifuges. Il aurait fallu une politique continue, et non une politique en dents de scie. Deux tendances inverses, mais également nuisibles, ont alterné: tantôt les pouvoirs métropolitains accaparaient la direction des affaires communes, ce qui n'était pas loyal envers les peuples d'outre-mer et leur faisait redouter une nouvelle forme de colonialisme; tantôt on se désintéressait des territoires ou ex-territoires et on les laissait dériver au gré des courants.

D'ailleurs, à partir du moment où les dirigeants des pays d'Afrique noire se rendirent compte que la France, à n'en pas douter, s'apprêtait à quitter l'Algérie et à abandonner le Maghreb, ils comprirent que la Communauté était condamnée: elle n'avait de sens que dans la mesure où elle correspondait à une Eurafrique, à une fédération multi-raciale s'étendant de la mer du Nord au Congo. De cet ensemble, l'Afrique du nord, plus particulièrement l'Algérie et le Sahara, constituaient la clé de voûte. A l'axe vertical Paris-Brazzaville par Alger, on laissait se substituer l'axe horizontal du pan-arabisme, du Caire au Maroc. C'était la négation même de la Communauté.

La Guinée, seule, en septembre 1958, répondit « non » au référendum et du même coup devint indépendante. Tous les autres territoires d'outre-mer votèrent « oui ». La Côte française des Somalis, les Comores, la Nouvelle-Calédonie, la Polynésie française, Saint-Pierre-et-Miquelon décidèrent de conserver leur statut de territoire. Ce statut, du reste, est défini de façon souple, il est susceptible d'évolution et d'adaptations; j'ai toujours estimé, quant à moi, qu'il était bon de conférer à ces entités le maximum d'autonomie et de les faire accéder à un véritable *self-government* par leurs propres élus ou, selon les cas, par leurs cadres traditionnels (1).

Madagascar et les pays d'Afrique noire: Soudan, Sénégal, Gabon, Congo (Brazzaville), Tchad, etc., choisirent de devenir des Etats de la Communauté. Autant se justifiait la création de certaines de ces républiques, par exemple à Madagascar, qui avait été un Etat avant l'intervention de la France, autant apparaissait-il que d'autres territoires, dénués de base ethnique et de fondations économiques, découpés sur la carte du continent à l'époque de l'organisation coloniale, n'étaient pas mûrs pour une telle promotion. Encore moins pour l'indépendance.

Quoi qu'il en soit, le Conseil exécutif se réunit pour la première fois en février. Le 14 juillet, de Gaulle remit en grande pompe aux représentants des Etats les drapeaux de la Communauté, tricolores, avec deux mains s'étreignant au bout de la hampe, et le Sénat de la Communauté tint sa première séance le lendemain. Mais en dépit de la solennité des propos, il y avait quelque chose d'irréel dans ces réunions, sur lesquelles planait une atmosphère de malaise. On plantait un décor, mais on ne croyait pas à la pièce.

De Gaulle, en effet — et c'est pour moi un des souvenirs les plus étranges qu'il m'ait laissés — ne dissimulait pas son scepticisme quant à l'avenir de l'édifice

(1) Etant encore ministre chargé des T.O.M. en 1959, j'orientai dans le sens de la plus large autonomie le statut de l'archipel des Comores. Ayant visité les îles Wallis et Futuna, dans le Pacifique, je fis transformer en statut de T.O.M. le vague protectorat que la France y exerçait, non sans prévoir que les chefs traditionnels conservent, dans cette structure nouvelle, l'influence qui leur revenait.

dont il venait à peine de poser les fondations. Alors qu'il avait passé dix-neuf ans de sa vie publique à exalter l'Empire, puis l'Union et enfin la Communauté, il affichait maintenant la conviction que tous les peuples d'outre-mer sans exception n'aspiraient qu'à se séparer de la France et à devenir pleinement indépendants. Il semblait s'en accommoder ou même le souhaiter. Quand nous visitâmes ensemble la Grande Comore, où se manifestait l'attachement des autochtones à leur statut à l'intérieur de la République, il me dit, dans l'avion qui nous emportait vers Tananarive: « Au fond, tout ce qu'ils veulent, c'est l'indépendance (1). » Je venais précisément de lui apporter des preuves du contraire. Mais on l'avait convaincu, ou il s'était convaincu lui-même, qu'un certain « sens de l'Histoire » (notion ou plutôt pseudo-notion vide de contenu réel) poussait inexorablement à la dislocation de l'ensemble français. Lui qui avait atteint à une authentique grandeur en 1940 quand il avait dédaigné ce « sens de l'Histoire » qui paraissait alors, de toute évidence, aller vers la victoire du national-socialisme, se voyait désormais jouer un rôle nouveau: non plus celui du rassembleur, mais celui de l'émancipateur. A mesure qu'il se résolvait à liquider l'Algérie, il en venait, logique avec lui-même, à liquider aussi la Communauté.

Celle-ci se trouvait en somme dans la situation où serait placée l'Eglise catholique si le Pape faisait profession d'athéisme. Parmi les leaders politiques de l'Afrique française, les uns, comme Houphouët-Boigny, étaient consternés, d'autres, flairant le vent, s'apprêtaient à brûler au plus vite l'étape de la Communauté et à demander l'indépendance. C'était le cas notamment de l'équipe marxisante du Soudan conduite par

---

(1) Cette formule rappelle celle qu'il lança à propos de l'Algérie: « Ce que veulent les musulmans, c'est que de Gaulle leur amène Ferhat Abbas. »

Modibo Keïta. Ambitieux et habiles, ces hommes travaillaient avec acharnement et adresse, depuis les premiers mois de 1959, à absorber le Sénégal dans une prétendue fédération du Mali dans laquelle les ressources relativement importantes et le niveau culturel plus élevé du Sénégal viendraient à la rescousse du Soudan, pauvre et arriéré.

C'est à propos du Mali que de Gaulle, en décembre, prit le virage décisif. Au cours d'un voyage en Mauritanie et au Sénégal, il prononça inopinément à Saint-Louis, sans en avoir averti aucun membre du gouvernement, un discours par lequel, saluant avec emphase « ceux du Mali », il laissait clairement entendre qu'il ne ferait pas obstacle à leurs desseins. Il prenait position par là même contre les dirigeants des Etats tels que le Niger et la Côte-d'Ivoire et leur infligeait un cinglant désaveu. Houphouët-Boigny, ulcéré, comprit que la Communauté était frappée à mort: « Nous avons attendu la fiancée, un bouquet de fleurs à la main; elle n'est pas venue, les fleurs se sont fanées. » Si de Gaulle octroyait l'indépendance du Soudan à Modibo Keïta, que pouvait faire Houphouët-Boigny, sinon la revendiquer pour la Côte-d'Ivoire?

Les négociations avec le groupe de Bamako s'engagèrent aussitôt, et il fut d'emblée évident que de Gaulle consentirait à tout, même aux exigences les plus déraisonnables. Etant encore ministre du Sahara au début de 1960, j'étais directement intéressé à ces conversations, puisque le Soudan, non seulement borde le Sahara au sud, mais encore y pousse vers le nord une longue enclave triangulaire. Cette configuration avait pu se justifier, à l'époque coloniale, par des motifs de commodité pour l'administration. Mais dès lors qu'il s'agissait d'ériger le Soudan en Etat, et en Etat indépendant, il était absurde de maintenir ces frontières qui ne correspondaient à aucune réalité géographique ou ethnique. Il n'y avait aucune raison valable pour placer sous l'autorité de Bamako les nomades arabo-berbères, maures ou touareg, pas plus que les citadins et commerçants de Tombouctou. Or, tenu à l'écart de ces négociations qui pourtant concernaient au premier chef les intérêts dont j'avais la garde, mais ayant fait tenir un mémorandum à Foccart qui les menait pour le compte du Président, je m'entendis répondre que l'on ne voulait rien faire qui pût déplaire aux Soudanais et compromettre les accords.

C'est ainsi que, contrairement à l'esprit de la Communauté, on abandonna au régime autoritaire et communisant de Modibo Keïta des populations qui pour mille raisons ethniques, religieuses et linguistiques auraient dû lui être soustraites. Plus tard, l'Algérie de Ben Bella et le Mali devaient s'entendre pour réprimer brutalement — par une de ces guerres inconnues si fréquentes dans le Tiers-Monde — les velléités d'autonomie de ces pauvres gens.

Le regret que j'éprouvais à voir de Gaulle démolir de ses mains l'œuvre qu'il avait entreprise était d'autant plus vif que j'avais pu voir de mes propres yeux, au Niger, ce que le système de la Communauté pouvait apporter de positif à la France et aux peuples africains. Etat autonome de la Communauté, la République du Niger, que gouvernait Diori Hamani, homme avisé et sérieux, avait conclu par mon entremise des accords économiques avec le Sahara. Tout le nord du pays, désormais, pouvait tirer profit des ressources apportées par l'exploitation du pétrole et du gaz naturel. Le président nigérien et moi avions prévu l'organisation de transports, à travers le Sahara, entre Alger et Agadès de manière à « désenclaver » cette région perdue au cœur du continent pour y abaisser d'une façon massive le prix de la vie. Tout cela supposait, naturellement, que l'Algérie et le Sahara, comme le Niger, demeurent dans un même ensemble.

Au contraire, une fois donné l'élan par le Mali, la

course à l'indépendance se déclencha. Le 4 juin 1960, de Gaulle fit voter une loi constitutionnelle en vertu de laquelle tout Etat membre de la Communauté pouvait « devenir indépendant sans cesser de ce fait d'appartenir à la Communauté ». C'était jouer sur les mots, comme Edgar Faure en 1956 parlant à propos du Maroc de « l'indépendance dans l'interdépendance ». En réalité, il n'y avait plus de Communauté, puisqu'il n'y avait plus de diplomatie, de défense, d'économie communes. A tout seigneur, tout honneur: le Mali accéda à l'indépendance le premier, dès le 20 juin (il devait éclater en août, le Soudan et le Sénégal retrouvant chacun sa liberté), puis ce fut le tour de Madagascar, du Dahomey, du Niger, de la Haute-Volta, de la Côte-d'Ivoire... La Mauritanie ferma la marche le 28 novembre, et le Sénat de la Communauté disparut dans la trappe en mars 1961.

Depuis lors, l'Afrique noire ex-française, à part de rares oasis de paix et de travail constructif comme la Côte-d'Ivoire, a donné le spectacle d'une misère croissante, de coups d'Etat et de pronunciamientos en cascade, d'une classe politique dispendieuse dont les gaspillages contrastent avec le dénuement du paysan, de la démagogie tant à l'intérieur qu'aux Nations Unies. Le rôle de la France, dans tout cela, se borne à verser d'abondantes subventions qui se perdent comme les oueds dans le sable, et quelquefois à intervenir militairement, au Gabon ou au Tchad, pour soutenir des régimes chancelants: pourquoi, d'ailleurs, voler au secours de Léon M'Ba et sacrifier Fulbert Youlou? Insondable mystère des préférences présidentielles.

Dans l'idéologie officielle, ou pour parler avec plus de précision dans la propagande qui en tient lieu, on a substitué à la notion de Communauté celle d'Afrique « francophone », elle-même une partie du « Tiers-Monde ». La France, dit-on, continue à « faire rayonner sa culture » en Afrique noire; ayant livré l'Algérie au F.L.N. et renié l'amitié israélienne, elle est « bien placée » auprès des pays arabes; de ce fait, elle peut aspirer au rôle de leader de ce « Tiers-Monde » dont on dit toujours qu'il a un grand avenir parce qu'on ne lui connaît guère de passé et que son présent n'a rien pour séduire. Qu'il s'agisse là de billevesées, c'est ce que démontre entre autres choses une étude, même superficielle, des attitudes et des votes de ces pays à l'O.N.U.

La vérité est qu'ayant nous-mêmes, par la main du chef de l'Etat, coupé les amarres qui reliaient à notre vaisseau ces fragiles esquifs, nous n'avons aucun moyen de les regrouper autour de nous. Certains de ces ex-territoires ont revendiqué leur indépendance, d'autres peuvent nous reprocher de la leur avoir imposée. Dans un cas comme dans l'autre, ce qui est fait est fait. Est-ce à dire qu'on doive se porter à l'extrême du « cartiérisme », comme on dit, et se refuser à toute aide aux pays dits « sous-développés » ou « en voie de développement »? Personnellement, je ne le crois pas. Mais certaines conditions doivent être remplies, que ne respecte pas présentement la politique de folle prodigalité et de dilapidation que pratique la Ve République sous prétexte de s'attacher une clientèle d'ailleurs bien inconstante.

Beaucoup de ces pays sont, en fait, « en voie de sous-développement », car leur situation démographique, économique et sociale subit une dégradation effrayante et de plus en plus rapide: diminution de la production agricole, tant en chiffres absolus que par tête d'habitant, coïncidant avec une démographie galopante; chômage croissant, lié à la décadence des exploitations agricoles et des installations industrielles en raison de l'incompétence, de l'incurie ou de la corruption; poids écrasant de structures administratives et bureaucratiques ou, souvent, d'armées grossièrement disproportionnées aux besoins de sécurité des Etats; expériences

« socialistes » hâtives et mal comprises; liquidation accélérée des structures sociales, « détribalisation » des paysans, « clochardisation » des fellahs, le tout aboutissant à la prolifération d'un *Lumpenproletariat* plongé dans la plus profonde misère. Le tableau peut paraître sombre, mais qui peut nier sa véracité? Le cas de l'Algérie, à cet égard, est exemplaire, avec son armée gavée de matériel, de blindés, d'avions supersoniques tandis que les fellahs refluant vers les cités s'entassent dans de sordides bidonvilles.

A quoi peut aboutir le chemin où l'humanité est ainsi engagée? On peut redouter à bon droit que ce soit à une famine endémique et généralisée, dans de vastes zones d'Afrique et d'Asie, dès les années 1980 (1). Et ne risque-t-on pas de voir les peuples affamés, exaspérés par leur misère grandissante, entraînés sous le drapeau d'une Chine dotée d'engins nucléaires, déclencher une catastrophe aux dimensions planétaires?

Face à ces réalités, il ne suffit pas de dire, bien que ce soit vrai en première approximation, que l'argent des contribuables français serait mieux employé en Corrèze ou en Corse qu'au Soudan. Les pays développés et relativement riches ont le devoir d'intervenir, et c'est leur intérêt d'éviter, si cela est possible, une crise mondiale aux effets imprévisibles. Mais il est inadmissible qu'on prélève sur le revenu d'Européens qui travaillent pour encourager des Africains ou des Arabes à ne pas travailler; qu'on subventionne l'irresponsabilité et la malhonnêteté des nouveaux messieurs qui, trop souvent, pressurent leurs compatriotes comme jamais le pouvoir colonial n'eût osé le faire; qu'on paie les tanks et les canons de tyranneaux bellicistes qui, la main tendue mais l'injure à la bouche, pratiquent le chantage sous le masque de la « coopération ».

(1) Cf. René Dumont et Bernard Rosier. *Nous allons à la famine*, Paris, Seuil, 1966.

Il ne faut pas hésiter à proclamer que l'aide aux pays sous-développés doit être fonction de leurs propres efforts et, en particulier, qu'elle ne saurait être due aux pays qui ne font rien pour lutter contre l'explosion démographique et qui consacrent un énorme pourcentage de leurs maigres ressources à leurs dépenses militaires. Il ne faut pas davantage hésiter à exiger un droit de contrôle; on ne saurait demander au contribuable français, américain, allemand, de payer un impôt accru pour que certains dirigeants du Tiers-Monde gonflent des comptes à numéros dans les banques suisses.

S'il est des Etats qui jugent humiliants et contraires à leur souveraineté des mesures de ce genre, il leur est parfaitement loisible de faire ce qu'ont fait, au prix de terribles souffrances il est vrai, les pays aujourd'hui riches et qui ne sont pas riches, on l'oublie souvent, en vertu de cadeaux gratuits: accumuler lentement, travailler dur, épargner, investir.

Il va sans dire que l'organisation de l'aide des riches aux pauvres, ainsi conçue, ne peut être qu'internationale. L'aide de la France aux pays « francophones », celle de l'Angleterre aux pays « anglophones », etc., c'est au mieux du gaspillage et de l'inefficacité, au pire une sorte de néo-colonialisme sans avenir et sans intérêt. Qu'un pool des nations économiquement fortes prenne en charge, région par région, des projets soigneusement étudiés de développement; que des organes de contrôle — comprenant bien entendu des représentants des pays intéressés — soient tenus de rendre compte à une instance supérieure; que l'aide soit mesurée en fonction, non de « grands desseins » politiques et de chimères, mais de la situation réelle de chaque zone; qu'à tout le moins les Etats qui reçoivent cette aide renoncent à la guerre comme moyen d'action politique: voilà ce qu'on est en droit d'exiger. A-t-on suffisamment compris, par exemple, ce qu'il y a eu de scandaleux dans le fait que l'Algérie, en 1967, ait pu s'engager dans les dépenses énormes provoquées par la mobilisation, par l'envoi de troupes en Egypte et d'avions sur le front du Sinaï, alors que son précaire équilibre financier et économique dépendait des milliards que lui versait le Trésor français?

★

La construction de l'Union française devait être le Grand Œuvre du régime gaulliste. C'est là, au contraire, que son échec se révèle total et désastreux. Qu'on ne dise pas qu'il a « résolu le problème algérien » : on ne règle pas plus un problème en supprimant ses éléments de base qu'on ne résout une équation en déchirant et en jetant au panier la feuille de papier sur laquelle elle est écrite. Le problème algérien consistait à faire vivre ensemble deux peuples enracinés et mêlés sur un même territoire : on a purement et simplement éliminé un de ces peuples en le mettant en face du terrible dilemme : « La valise ou le cercueil. » Qu'on ne dise pas, de même, que le régime a « réussi la décolonisation » en Afrique noire. Il n'a rien fait d'autre que de rejeter le fardeau comme un soldat en fuite abandonne son sac dans un fossé.

Des travaux et des réflexions, des espérances, de la foi d'hier, il ne reste rien. La destinée eurafricaine qui s'ouvrait à la France n'est plus qu'une ombre. Tout cela, semble-t-il, parce qu'on voulait avoir « les mains libres » afin de jouer un grand rôle dans le monde. Mais la petite France hexagonale n'est pas à la mesure de ce monde ni de notre temps. En dépit du verbiage de la grandeur, c'est une France diminuée, rabougrie, repliée sur elle-même, que le néo-gaullisme laissera aux générations futures, alors qu'il avait reçu de celles qui l'avaient précédé, avec cent millions d'êtres disséminés sur d'immenses étendues, le vaste laboratoire d'une exaltante expérience humaine. Cette occasion historique qui nous était offerte a été perdue, sacrifiée à des visées chimériques dont l'enflure des harangues ne peut dissimuler la vanité.

Si l'on ajoute que, pour en arriver là, il a fallu diviser profondément la nation, briser l'armée, traiter en parias un million de Français, emprisonner ou exiler l'opposition, et porter atteinte aux libertés démocratiques, on est amené à conclure que jamais œuvre de destruction n'a été plus complète. Dix ans après l'avènement du régime, le patrimoine que la nation lui avait confié n'est plus que ruines.

4

MIRAGES ET ÉCHECS D'UNE POLITIQUE EXTÉRIEURE

Août 1968: les blindés russes, et ceux de quatre autres pays communistes, envahissent la Tchécoslovaquie. Pour les dirigeants soviétiques, il s'agit à la fois de maintenir par la force dans l'orthodoxie un parti « frère » dont l'orientation libérale est considérée par eux comme une dangereuse déviation, et de retenir dans la coalition, sous la domination russe, un pays dont le potentiel économique et la situation stratégique leur sont indispensables. Idéologie et géopolitique coïncident. L'agence Tass précise sur un ton menaçant que l'U.R.S.S. ne laissera personne « détacher un maillon de la chaîne ».

Le monde assiste au viol de la Tchécoslovaquie, impuissant et divisé, comme il a assisté moins de vingt ans plus tôt à l'invasion hitlérienne de ce même pays. Aujourd'hui comme alors, la Bohême-Moravie, au centre de l'Europe, est condamnée à subir le protectorat d'une grande puissance militaire.

De toutes les capitales occidentales s'élève un cri de réprobation. Gouvernements, partis, syndicats, intellectuels condamnent énergiquement l'agression. Il n'en est pas de même dans le Tiers Monde, spécialement dans les pays arabes. Les clients de Moscou, toujours prêts à dénoncer le « colonialisme », se gardent d'exprimer la moindre indignation face au colonialisme russe: serait-il justifié par le fait que ses victimes ont la peau blanche comme les conquérants?

La France non officielle réagit comme l'Occident, la France officielle prend malaisément une position intermédiaire entre celle des autres pays de l'Ouest et celle du Tiers Monde. Un communiqué du 21 août, publié après une entrevue de Gaulle-Debré-Couve de Murville à Colombey, reproche surtout à l'action soviétique de « contrarier la détente européenne ». Remontant aux causes lointaines, il les discerne dans « la politique des blocs imposée à l'Europe par le fait des accords de Yalta ».

L'opinion française se trouve pour une fois unanime dans le blâme infligé à l'U.R.S.S. et dans sa sympathie envers la Tchécoslovaquie enchaînée; même le Parti communiste français se voit contraint de condamner, fût-ce du bout des lèvres, l'intervention militaire, et un gaulliste connu, Jacques Baumel, déclare: « Il paraît difficile... de ne pas modifier notre attitude envers Moscou et de ne pas se montrer très réservé sur les chances d'une détente réelle avec l'Est. » Le gouvernement, lui, suit l'opinion en traînant les pieds. Il ne se met pas en complète opposition avec elle comme il le fit en 1967 à propos d'Israël. Le Conseil des ministres du 24 août condamne l'entreprise russe. Mais c'est pour ajouter aussitôt, par la voix du ministre de l'Information Le Theule, qu'on se trouve en présence du résultat de la « politique des blocs affirmée en 1945 à Yalta »; que cette politique, « dangereuse pour la paix », conduit à admettre au sein de chacun des blocs l'hégémonie de la puissance la plus forte; que l'intervention armée des Russes en Tchécoslovaquie est à comparer à celle des Américains à Saint-Domingue.

Tout cela dit, il n'y a pas lieu pour la France de

modifier en quoi que ce soit sa politique de rapprochement avec l'Est. Debré aura devant la Commission des Affaires étrangères, le 29 août, cette formule malheureuse: « Lorsqu'il y a un accident de voiture sur une route, ce n'est pas une raison pour interdire la circulation sur cette route. » Curieuse comparaison! La presse en fera à juste titre des gorges chaudes. Quant à de Gaulle lui-même, le 9 septembre, il confirmera dans sa conférence de presse que sa politique demeure inchangée.

Les directives ont été données. D'abord, « c'est la faute à Yalta »: c'est ce que déclare Armand Bérard à l'O.N.U. le 23 août, ce que s'efforce de démontrer Roger Stéphane à la télévision le 26, ce que répète Jacques Dauer, ex-leader du « Mouvement pour la Coopération » dont on a signalé plus haut la collusion avec les fellagha et le Parti communiste en Algérie. Ce dernier met en parallèle l'invasion de la Tchécoslovaquie et « les interventions américaines dans d'autres pays ». Il s'agit donc de renvoyer dos à dos les deux super-Etats, coupables l'un et l'autre de visées hégémoniques. Mais on tire de ces prémisses une conclusion dont les deux branches sont fort différentes: on s'éloigne de Washington; on continue à se tourner vers Moscou.

Est-il exact, historiquement, que les accords de Yalta soient à l'origine d'une « politique des blocs » dont l'agression contre la Tchécoslovaquie constituerait la plus récente manifestation? Le rappel des événements de 1945 et des années suivantes conduit, semble-t-il, à une appréciation plus nuancée.

Tout d'abord, il faudrait ne pas confondre (ce que fait systématiquement la propagande) la conférence anglo-russo-américaine de Yalta (février 1945) avec les accords secrets Churchill-Staline d'octobre 1944. Churchill a raconté lui-même dans ses mémoires comment, discutant avec le généralissime soviétique le statut des pays d'Europe orientale, il lui avait soudain soumis un tableau des « pourcentages d'influence » que l'U.R.S.S. d'une part, la Grande-Bretagne et les Etats-Unis d'autre part devraient y détenir. Ce singulier document se résumait ainsi: en Roumanie, 90 % à l'U.R.S.S., 10 % aux autres; en Grèce, 90 % à l'Angleterre en accord avec l'Amérique, 10 % aux Russes; en Bulgarie, 75 % aux Soviets, 25% aux Occidentaux; en Yougoslavie et en Hongrie, 50/50. Staline, raconte Churchill, traça au crayon bleu un gros trait sur la feuille de papier et se déclara d'accord. Suivit une discussion de marchands de tapis entre Molotov et Eden, à la suite de laquelle l'U.R.S.S. améliora ses pourcentages, obtenant 80 % en Hongrie, 90 % en Roumanie, 80 % en Bulgarie, 60 % en Yougoslavie. On notera qu'il n'était pas question de la Tchécoslovaquie dans ce débat. Le président Benès avait conclu dès 1943 un accord avec Staline en vue d'obtenir que son pays fût libéré par l'armée rouge « sans hypothéquer l'indépendance tchèque » (1).

Churchill et Eden, de passage à Paris en novembre 1944, mirent de Gaulle et Bidault au courant des fameux « pourcentages » arrêtés avec Staline. Le Premier Ministre britannique, peut-être gêné par le caractère cynique de ce partage des zones, avait tenu à souligner qu'il s'agissait là d'un aide-mémoire, d'un guide provisoire pour la période terminale des opérations militaires, et que les accords n'engageaient en rien les puissances dès que des armistices seraient conclus ou des traités de paix négociés.

De ces accords, qu'est-il advenu? On peut discerner deux résultats de l'entente Churchill-Staline: la Grande-Bretagne a eu les mains libres pour réprimer l'insurrection communiste en Grèce, et les premières élections

(1) Il fit part de cet accord à de Gaulle, à Alger. J'eus à cette occasion une conversation avec le président Benès: il avait alors confiance dans la parole de Staline.

en Hongrie ont été assez loyales pour que le parti centriste dit « des petits propriétaires » y remportât la majorité. Mais la guerre civile a repris en Grèce sous la conduite du général communiste Markos, et les partis non communistes ont été peu à peu liquidés en Hongrie par la méthode du « salami », découpés tranche par tranche. Au total, les accords ont été vite caducs.

En décembre 1944, le général de Gaulle, accompagné de Georges Bidault, du maréchal Juin et de Gaston Palewski, se rendit à Moscou pour y négocier un pacte franco-soviétique. Il s'agissait pour lui d'établir avec la Russie une alliance « de revers » contre le danger allemand, mais surtout de placer la France sur un pied d'égalité avec les autres « grands » et de montrer aux Anglo-Saxons qu'elle pouvait conclure des traités avec d'autres qu'eux. Comme on le sait, les pourparlers faillirent échouer sur la question polonaise : Staline exigeait que la France reconnût d'emblée comme gouvernement de la Pologne le comité communiste de Lublin que présidait Bierut. De Gaulle s'y refusa, mais consentit à envoyer à Lublin un « délégué », n'ayant pas le statut diplomatique, qui fut Christian Fouchet. Ce faisant, il alla plus loin que les Anglais et les Américains dans la voie de la reconnaissance du comité communiste polonais.

Le Général revint de Moscou très impressionné par la personnalité de Staline, « un vrai tsar », et convaincu d'avoir établi avec lui des relations fructueuses pour l'avenir. Quelques semaines plus tard, la conférence de Yalta réunit Staline, Roosevelt et Churchill : la France, en la personne du général de Gaulle, n'était pas invitée. Certes, Roosevelt n'avait pas insisté pour qu'elle fût présente, mais il n'est pas douteux que Staline et Molotov s'opposèrent tenacement, non seulement à lancer une invitation, mais encore à admettre notre pays parmi les grands vainqueurs : c'est ainsi que, devant leur refus de concéder à la France une zone d'occupation en Allemagne, les Américains et les Anglais durent se résoudre à lui en accorder une, taillée dans leurs propres zones.

Le moins qu'on puisse dire, c'est que le pacte franco-russe de décembre 1944 n'a pas pesé lourd dans l'esprit de Staline en février 1945. L'hostilité constante des Russes envers les solutions proposées par la diplomatie française à propos de la Ruhr, de la Sarre, etc., après la défaite du Reich, démontre que le dictateur soviétique n'a tenu aucun compte de ce traité.

Les accords de Yalta, conclus le 11 février 1945, portaient sur les sujets suivants: plans militaires pour la défaite du Reich; occupation et contrôle de l'Allemagne après sa capitulation; réparations dues par elle aux nations alliées; création de l'Organisation des Nations Unies; statut de l'Europe libérée; accords sur la Pologne et sur la Yougoslavie. En outre, un texte demeuré secret concernait l'entrée en guerre de l'U.R.S.S. contre le Japon « deux ou trois mois après la reddition allemande ».

De toutes ces dispositions, quelles étaient celles qui intéressaient directement la France? D'abord, il était entendu qu'elle figurerait parmi les puissances invitantes à la conférence d'Organisation des Nations Unies qui devait s'ouvrir en avril en Amérique, et qu'elle détiendrait un siège au Conseil de Sécurité. Elle ferait donc partie des « Cinq Grands » et posséderait le droit de veto au Conseil. Il était convenu ensuite qu'une zone d'occupation serait attribuée à la France en Allemagne, et que le gouvernement français serait invité à devenir membre du Conseil de Contrôle allié.

Il faut convenir que, si la France avait été absente, le résultat de la conférence n'était cependant pas négatif pour elle, loin de là. Pourquoi ne pas reconnaître que cela était dû essentiellement à Churchill et Eden, qui s'étaient « battus comme des tigres » en faveur des intérêts français (1), face à l'hostilité déclarée des Russes et à l'indifférence des Américains?

Pour ce qui concerne l'Europe, la « Déclaration sur l'Europe libérée » signée par Churchill, Roosevelt et Staline fixait pour but commun aux trois gouvernements d'aider les peuples libérés « à résoudre par des moyens démocratiques leurs difficultés politiques et économiques urgentes ». Il était affirmé que cette aide serait apportée « conjointement », que les mesures à prendre seraient arrêtées par consultation entre les Etats signataires et les gouvernements intéressés, que les peuples choisiraient librement leurs institutions conformément à la Charte de l'Atlantique. Le communiqué ajoutait: « En publiant cette déclaration, les trois puissances expriment l'espoir que le Gouvernement provisoire de la République française pourra bientôt se joindre à elles dans l'exécution du programme ci-dessus énoncé. »

On ne peut pas dire que cette déclaration établisse des zones d'influence, ni qu'elle contienne en germe un partage du monde en deux blocs. Bien au contraire, elle insiste sur la solidarité des trois puissances — auxquelles la France est invitée à se joindre — et sur le caractère *conjoint* de leurs actions futures en Europe.

Deux pays de l'Est européen faisaient l'objet de textes particuliers. La Pologne, d'abord: un gouvernement provisoire d'unité nationale devait y être créé en prenant comme base celui de Lublin mais élargi, « en y comprenant les chefs démocratiques de la Pologne elle-même et des Polonais de l'étranger ». Il serait tenu de « procéder aussitôt que possible à des élections libres et sans contrainte sur la base du suffrage universel et du scrutin secret ». Quant à la Yougoslavie, on convenait d'en réorganiser le gouvernement par accord entre le maréchal Tito et le Dr Choubachitch.

(1) L'expression est de Harry Hopkins, conseiller du président Roosevelt. Arthur Conte. *Yalta*, Paris, Laffont, 1964. p. 287.

Ce sont ces deux accords qui prêtent le flanc aux plus graves critiques, car ils faisaient évidemment la partie belle aux communistes; les « garanties » démocratiques relatives à la Pologne devaient rester lettre morte. D'une façon générale, il est exact que Roosevelt, affaibli par la maladie, et naïvement convaincu d'avoir gagné l'amitié de l'« oncle Joe », n'opposa pas de résistance efficace aux ambitions russes. Mais il n'est pas exact d'affirmer comme on le fait actuellement que la « politique des blocs » a pris naissance à Yalta. C'est l'U.R.S.S. qui a créé *son* « bloc », non pas conformément aux accords de Yalta mais contrairement à eux, en imposant des régimes communistes à l'Est, en obligeant la Tchécoslovaquie à rejeter l'offre du plan Marshall, en provoquant l'échec de la conférence de Moscou sur l'Allemagne en mars-avril 1947, en liquidant le régime démocratique tchèque par le « coup de Prague » en février 1948. D'où la « guerre froide ».

Sans doute peut-on reprocher à l'Amérique d'avoir conclu des accords avec la Russie sans prévoir suffisamment qu'elle ne les respecterait pas. Le même reproche peut être adressé à de Gaulle dont le pacte avec Staline est demeuré mort-né. La vérité, malheureusement, est que l'impérialisme soviétique a su tirer profit de la guerre déclenchée par Hitler pour se tailler une vaste zone d'influence en Europe orientale et centrale: mais ce n'est pas Yalta qui lui a laissé les mains libres. Il les avait en raison de la situation géographique et stratégique résultant des opérations militaires.

Parler de « politique des blocs » équivaut à porter un jugement sommaire et partiellement faux sur les événements qui ont suivi Yalta, la défaite allemande et la capitulation japonaise. Il n'est pas raisonnable de mettre en parallèle la tyrannie exercée sur les pays de l'Est par l'Union soviétique, marquée entre autres épisodes tragiques par la répression sanglante déchaînée en Hongrie en 1956 et l'occupation de la Tchécoslovaquie en 1968, et l'influence américaine en Europe occidentale. Qu'on émette de sérieuses réserves et même de vives critiques sur la politique de Washington est parfaitement admissible: pour ma part, je ne m'en suis pas privé, à la tribune du Parlement et ailleurs. Mais prétendre qu'il y ait en face du bloc soviétique, maintenu cohérent par la contrainte et la menace derrière le rideau de fer, un bloc américain soumis en tous points à la volonté des Etats-Unis, c'est une grossière caricature de la réalité.

Les chars russes sont à Prague, mais la France a pu se retirer de l'O.T.A.N. et sommer les Américains d'abandonner leurs bases sur notre territoire, sans que Washington se soit livré à aucune représaille: tel est le fait que nul ne peut nier. Comment ne pas remarquer que si le bloc soviétique ne tolère pas la moindre faille dans le glacis qu'il s'est ménagé face à l'Occident, le prétendu bloc américain s'accommode de la présence, à quelques milles des côtes des Etats-Unis, du régime communiste de Cuba, à la seule condition que les bases de fusées russes y aient été démantelées? Comment ne pas relever que le Kremlin, par tous les moyens de la guerre indirecte et de la guerre subversive, n'a pas cessé depuis le dernier conflit mondial d'étendre son influence ou sa domination dans le monde, en Asie, au Moyen-Orient, en Afrique du Nord, ne reculant que devant la menace atomique que les Etats-Unis sont seuls à pouvoir brandir?

Mais revenons à Yalta encore un instant. Ce sera d'abord pour constater que la Tchécoslovaquie n'était même pas mentionnée dans les accords. On sait aujourd'hui qu'en mai 1945 ce fut le Conseil national tchèque, dirigé par Smrkovsky, futur président de l'Assemblée nationale de 1968, qui s'opposa à ce que l'armée américaine, alors toute proche de Prague, avançât pour libérer la ville: il décida en effet de réserver cette libération à l'armée russe conformément aux accords

Staline-Benès. On observera enfin que si les résultats de la conférence de Crimée n'étaient pas, dans l'ensemble, défavorables aux intérêts français, il restait, et ce n'était pas admissible, que la France en avait été écartée. De Gaulle avait donc raison de déclarer le 5 février 1945 que notre pays ne serait « engagé par absolument rien » qu'il n'aurait été à même de discuter « au même titre que les autres ». Il eut raison, également, de rejeter l'invitation désinvolte que lui fit parvenir Roosevelt, au retour de Yalta, pour lui demander de se rendre à Alger à bord de son cuirassé comme les roitelets arabes qu'il y avait déjà reçus. De Gaulle fit valoir à juste titre, pour appuyer son refus, qu'Alger était « territoire français »: quel dommage que ce principe si clairement posé en 1945 ait été non moins énergiquement renié par lui moins de vingt ans plus tard!

Concluons: la campagne officielle de propagande à propos de Yalta et de la prétendue « politique des blocs », déclenchée depuis l'occupation de la Tchécoslovaquie en août 1968, repose sur une appréciation erronée des faits. Elle constitue un rideau de fumée destiné à masquer l'échec d'une politique, celle du rapprochement avec la Russie soviétique — avec pour corollaire l'éloignement à l'égard de l'Amérique — qui devait, dans l'esprit du Général, conduire à une Europe « de l'Atlantique à l'Oural » également soustraite à l'hégémonie de Washington et à celle de Moscou.

A l'automne de 1968, l'Europe centrale et orientale, de Pankow à Prague, de Varsovie à Sofia, demeure enserrée dans les mailles d'un filet d'acier. En revanche, l'Europe occidentale se montre plus divisée que jamais, et la politique française est responsable plus que tout autre de cet état de choses, par les obstacles qu'elle n'a cessé d'opposer à l'unification européenne et par son retrait de l'O.T.A.N. Or, dans le même temps, l'U.R.S.S. a tiré parti de la guerre arabo-israélienne pour s'implanter solidement en Egypte, et de la politique du général de Gaulle en Algérie pour utiliser ce pays comme base pour sa flotte. Ses navires sillonnent la Méditerranée depuis les Dardanelles jusqu'à Gibraltar, d'Alexandrie à Mers el-Kébir. Est-ce donc à une telle situation, si lourde de dangers pour la liberté et pour la paix, que devait aboutir le « Grand Dessein » du régime?

★

Un jour que j'exprimais au général de Gaulle les craintes, plus que justifiées par la suite, que m'inspiraient ses prises de position envers l'Algérie, il me répliqua superbement: « On ne fait pas une politique avec des appréhensions. » Peut-être, mais en fait-on une avec des rancunes? Or, on ne saurait expliquer celle que de Gaulle mène sur le plan mondial, sans tenir compte des rancunes suscitées en lui par les événements du passé récent. C'est vrai pour ce qui touche à son attitude envers l'Amérique et l'Angleterre, les « Anglo-Saxons » selon son expression favorite. Et, certes, je ne prétends point que l'amertume provoquée par certains procédés ait manqué de motifs. La question se pose néanmoins de savoir si, un quart de siècle plus tard, notre politique doit encore être orientée par des griefs dont l'objet même a disparu, qu'on le veuille ou non, dans les sables mouvants de l'Histoire.

J'ai évoqué au début de ce livre les erreurs de la politique menée par Roosevelt, pendant la guerre, à l'égard de la France. Nous en avons tous ressenti, à un moment ou à un autre, un profond malaise et une vive irritation. Il ne serait pas difficile de dresser une liste comme celle-ci — non limitative au demeurant — des reproches qu'un Français peut adresser aux Etats-Unis: fâcheuses interventions en 1942 dans nos affaires en Afrique du Nord; prétention injustifiable, et d'ailleurs vite abandonnée, d'imposer à la France libérée une administration militaire anglo-américaine, l'A.M.G.O.T.; opposition constante, après la victoire commune, aux thèses françaises sur l'Allemagne; appui apporté, en 1945, au Parti communiste, déguisé en mouvement nationaliste, de Hô Chi Minh (1); défaut de soutien, et souvent même hostilité, au maintien de l'Union française, incompréhension tenace vis-à-vis de nos efforts en Afrique et spécialement en Algérie; conjonction avec l'U.R.S.S. contre Israël et contre nous dans l'affaire de Suez. Tout cela est vrai. Il m'est arrivé plus d'une fois de dénoncer publiquement ces fautes, et même en Amérique. Doit-on pour autant oublier la part prise par les Etats-Unis à la victoire et à notre libération, le sauvetage économique dû au plan Marshall, le bouclier de la puissance atomique qui demeure, encore aujourd'hui, la sauvegarde essentielle de notre liberté, enfin et peut-être surtout la communauté qui unit, par-dessus l'Atlantique, nos pays d'Europe et celui où s'est enracinée, pour une floraison nouvelle, la civilisation de notre vieux monde?

En tout cas, on serait plus qualifié pour déplorer certaines erreurs si l'on n'avait soi-même liquidé les positions françaises outre-mer. Il fut un temps, pas si lointain, où de Gaulle, si sourcilleux à l'ordinaire, sem-

---

(1) L'histoire de cette période en Indochine reste à écrire. Je puis témoigner, car certaines informations me parvenaient en 1945 de nos agents là-bas, que sous prétexte de combattre les Japonais, certains services américains armèrent le Viêt-minh. Il est vrai aussi que l'aveuglement peut atteindre tout le monde: en 1946, l'armée française réinstallée en Indochine prêta main-forte au Viêt-minh pour liquider les partis nationalistes rivaux: Dong Minh Hoï et V.N.Q.D.D., sous prétexte de combattre l'influence chinoise. De sorte que Hô Chi Minh bénéficia de cette fortune singulière de recevoir le soutien des Français qu'il allait combattre presque aussitôt, et des Américains à qui il ferait la guerre vingt ans plus tard.

blait se fixer pour but de flatter l'anticolonialisme américain: en 1959, alors que l'opinion française, le Parlement et les ministres eux-mêmes étaient tenus dans l'ignorance de ses projets algériens, il en fit confidence au général Eisenhower de passage à Paris. L'entourage du président américain s'empressa de mettre au courant les journalistes, et c'est par la presse américaine que les membres du gouvernement connurent les décisions prises en dehors d'eux.

La Grande-Bretagne avait apporté à de Gaulle et aux gaullistes un soutien décisif. Il est clair que, sans Churchill, sans la base britannique, nous n'aurions même pas pu prendre pied en Afrique ni libérer un kilomètre carré de territoire dans l'Empire. Qu'ensuite des heurts multiples aient opposé, par exemple, notre B.C.R.A. au S.O.E.; que des entreprises de débauchage de la part des Anglais, cherchant à s'assurer en France des contacts et des concours ignorés de nous, aient provoqué chez nous une irritation qui cependant ne nous a pas empêchés de travailler et de lutter efficacement ensemble; que Churchill, lié de plus en plus étroitement à Roosevelt, en soit venu quelquefois à sacrifier nos intérêts à son alliance américaine, on ne saurait le nier. Mais la pomme de discorde fut le Moyen-Orient. Il ne me semble pas excessif de dire que la tension franco-anglaise d'aujourd'hui, notamment à propos du veto français à l'entrée de la Grande-Bretagne dans l'Europe, trouve son origine dans le conflit du Levant dès 1941.

C'est qu'en effet, à peine l'armistice de Saint-Jean d'Acre signé entre les Britanniques et les forces de Vichy, la France Libre, seule qualifiée pour exercer au Levant le mandat que la Société des Nations avait confié à notre pays sur ces contrées, vit sa position battue en brèche par la diplomatie et l'armée britanniques. Les hommes du *Colonial Office* et du Bureau arabe, formant une « équipe ardente, habile, rompue

325

aux machinations et aux clientèles d'Orient (1) », nourris dans la tradition du colonel Lawrence, n'avaient jamais vraiment accepté le partage de l'Orient tel qu'il était résulté du démembrement de l'Empire ottoman à la fin de la Première Guerre mondiale. Ils n'avaient d'ailleurs pas davantage, et pour les mêmes raisons, accepté la Déclaration Balfour ni l'engagement de leur propre gouvernement envers le sionisme en Palestine. Ils n'avaient jamais pardonné à la France l'effondrement du royaume hachémite de Syrie. Leur idéal, leur rêve demeurait celui d'un Orient arabe entièrement entraîné dans l'orbite de la Grande-Bretagne. Combattre l'influence française à Beyrouth et à Damas, réduire au minimum l'établissement sioniste en pays d'Israël, et à cette fin exalter le nationalisme arabe en croyant le canaliser à leur profit, telle était leur politique dans cette partie du monde. Elle les conduisait à appuyer les mouvement arabes, le plus souvent hostiles aux Alliés et sympathisants de l'Axe, aux dépens des Français et des sionistes qui combattaient à leurs côtés.

De Gaulle et Catroux ayant promis solennellement l'indépendance au Liban et à la Syrie — ce qui correspondait à l'objet final du mandat —, c'était cependant la France, et elle seule, qui demeurait habilitée à faire passer les deux Etats de la tutelle à l'indépendance et, en attendant la fin des hostilités, à en assurer le contrôle. C'est d'ailleurs ce qu'avait reconnu officiellement l'Angleterre par les accords Lyttleton-de Gaulle signés en 1941. Mais l'équipe dont j'ai parlé, bientôt animée par l'infatigable et entreprenant général Spears, ne l'entendait pas ainsi. Qu'il s'agît de l'économie des pays du Levant, des céréales, du pétrole, des chemins de fer, ou encore des troupes dites « spéciales » composées de Libanais et de Syriens, ou des gouvernements

(1) De Gaulle. Discours prononcé devant l'Assemblée consultative à Paris le 19 juin 1945.

et des assemblées des deux pays, ce ne furent à tout moment, pendant quatre années, qu'intrusions, empiétements et intrigues, sources de violents incidents entre de Gaulle et Churchill. Le point culminant de toute cette agitation fut atteint en mai-juin 1945. Tandis que les nationalistes arabes, excités en sous-main par les agents britanniques, déchaînaient l'émeute, les forces armées anglaises menaçaient d'entrer en action contre nos faibles contingents qui s'efforçaient de rétablir l'ordre. En conclusion, la France se trouva évincée du Levant et bientôt après, comme il était facile de le prévoir, vint le tour de l'Angleterre.

Mais cette malencontreuse initiative d'apprentis sorciers sépara profondément la France et l'Angleterre au moment précis où leur collaboration eût été le plus nécessaire. Ayant convoqué Duff Cooper, alors ambassadeur britannique à Paris, de Gaulle lui tint ce langage: « Nous ne sommes pas, je le reconnais, en mesure de vous faire actuellement la guerre. Mais vous avez outragé la France et trahi l'Occident. Cela ne peut être oublié (1). » On voit par là quel climat l'affaire du Levant avait créé entre les deux pays, quelques jours après la capitulation de l'Allemagne, trois mois après Yalta, deux mois avant Potsdam. L'alliance francobritannique, qui aurait dû servir de base à une politique commune envers l'Allemagne vaincue, était pratiquement rompue.

Or, de Gaulle ne pouvait pas compter sur une alliance de rechange avec la Russie pour l'aider à aborder le problème allemand dans le sens qu'il souhaitait. Il semble s'être fait longtemps des illusions sur le pacte franco-soviétique qu'il avait conclu à Moscou à la fin de 1944. « Le pacte franco-soviétique est un monument. Il a été une grande tentative (2). » Pourtant,

(1) Ch. de Gaulle. *Mémoires de guerre*, t. III, p. 194.
(2) Conférence de presse du 29 mars 1949.

comme on l'a vu, ce traité a été relégué aux oubliettes du fait de la Russie stalinienne, alors que l'encre des signatures était à peine sèche. Et ce fut particulièrement vrai pour ce qui touche à la question allemande. La « chère et puissante Russie », dans laquelle de Gaulle voyait « une alliée permanente (1) » contre « le danger allemand et les tentatives d'hégémonie anglo-saxonnes (2) », ne soutint jamais, et au contraire repoussa plus d'une fois, les revendications françaises: démembrement de l'Allemagne en Etats, qui pourraient d'ailleurs se fédérer, mais sans aucun pouvoir central susceptible de ressusciter le Reich; statut spécial de la Ruhr, sous contrôle international; présence de la France en Rhénanie; rattachement économique de la Sarre à la France. Les miettes que notre pays obtint dans le règlement provisoire du problème allemand lui furent concédées par les « Anglo-Saxons » et non par l'« allié » soviétique.

On peut se demander alors pourquoi de Gaulle, tout en tenant rigueur aux Etats-Unis et à l'Angleterre des entorses faites à l'alliance, ne semble pas avoir conçu de rancœur à l'égard des Russes. Serait-ce parce que ceux-ci, à la différence des « Anglo-Saxons », ne lui ont pas infligé d'avanie *personnelle*?

Quoi qu'il en soit, les années qui suivirent la chute du IIIe Reich virent s'effriter la politique que de Gaulle avait pratiquée avant de quitter le pouvoir en janvier 1946 et que Georges Bidault s'efforça d'abord de poursuivre. Cette politique était orientée vers un but: prévenir tout retour offensif d'une Allemagne militariste, d'un « Reich » centralisé, et fondée sur un moyen: l'alliance russe. Or, non seulement celle-ci se révélait décevante, mais encore l'U.R.S.S. apparut-elle bien vite comme une puissance conquérante, qui annexait ou

(1) Discours prononcé à Tunis le 7 mai 1944.
(2) *Mémoires de guerre*, t. III, p. 54.

dominait par l'entremise de régimes à sa dévotion toute l'Europe balkanique à l'exception de la Grèce, l'Europe orientale et centrale et l'est de l'Allemagne. Elle faisait peser sa menace sur tout le reste du continent. C'était la grande chance de l'Allemagne occidentale: face au danger, les Alliés allaient devoir l'aider à redresser son économie, lui rendre progressivement sa souveraineté, enfin l'incorporer au système de défense rendu nécessaire par l'expansion russe.

Quand le général de Gaulle décide de rentrer dans l'arène politique et fonde le Rassemblement du Peuple Français, la menace de l'impérialisme soviétique a dissipé les illusions: 1947, c'est l'année où l'U.R.S.S. repousse le plan Marshall et reconstitue la IIIe Internationale sous le nom de Kominform. Dans un discours prononcé à Rennes le 7 juillet 1947, le chef du R.P.F. lança un cri d'alarme qui éveilla dans le pays de profonds échos. Il y dénonçait non seulement le péril extérieur incarné par les Soviets, mais le danger intérieur représenté par les communistes, qu'il stigmatisait pour la première fois en les traitant de « séparatistes ».

« Aujourd'hui, déclara-t-il, une lourde inquiétude plane sur notre pays. En fait, les deux tiers du continent se trouvent dominés par Moscou... Combinant sa pression militaire et économique avec l'action intérieure d'hommes qui lui sont entièrement soumis, la Russie soviétique a établi déjà, ou s'emploie à faire établir par personnes interposées sur certains pays alliés: Pologne, Yougoslavie, Albanie ou certains pays vaincus: Prusse, Saxe, Roumanie, Hongrie, Bulgarie, un régime de dictature totalitaire qui n'est que la dépendance et l'émanation du sien.

« Par des moyens analogues, elle tient à sa discrétion la Tchécoslovaquie, la Finlande et pèse lourdement sur l'Autriche.

« En outre, elle s'est directement annexé les Etats

baltes, ainsi que de larges territoires prélevés sur la Prusse, la Finlande, la Roumanie et la Pologne.

« Au total, et dans le moment même où elle affecte de tenir pour une menace tout accord qui serait librement conclu entre des nations européennes de l'Occident, la Russie soviétique organise autour d'elle, par la contrainte, un formidable groupement d'Etats dont il serait vraiment dérisoire de prétendre qu'aucun d'eux soit indépendant.

« Ce bloc de près de 400 millions d'hommes borde maintenant la Suède, la Turquie, la Grèce, l'Italie! Sa frontière n'est séparée de la nôtre que par 500 kilomètres, soit à peine la longueur de deux étapes du Tour de France cycliste! Il écrase, à l'intérieur de lui-même, toute opinion et toute action qui ne seraient pas complètement soumises à ses dirigeants tandis qu'il dispose dans tous les pays libres de groupements à sa dévotion.

« Que d'autres cherchent à se tromper eux-mêmes sur la menace que pourrait demain représenter pour notre pays une pareille agglomération menée par un pareil système! Mais nous qui ne rusons jamais avec la liberté des hommes ni avec l'indépendance de la France, nous disons que cet état de choses risque de mettre, tôt ou tard, l'une et l'autre dans le pire danger. »

Et c'était l'attaque en règle contre les communistes. De Gaulle rappelait qu'il avait, à la Libération, « avec la Résistance tout entière, jugé qu'il fallait offrir à ces *séparatistes* l'occasion de s'intégrer dans la communauté nationale ». Sans doute le Parti communiste n'avait-il décidé de prendre part au combat qu'à partir du moment où l'Allemagne avait attaqué la Russie. Sans doute s'était-il efforcé de mener « un effort autonome, sinon séparé ». Mais puisque les communistes « avaient lutté, enduré les persécutions, essuyé de lourdes pertes » et que « dans la dure lutte commune, ils se reconnaissaient comme les enfants de cette même patrie à l'appel de laquelle ils avaient répondu », de Gaulle avait tenté de les faire « rentrer moralement dans le giron de la France ».

« J'ai joué ce jeu, dit-il. Je l'ai joué carrément... Mais aujourd'hui tout donne à penser que ceux à qui fut ouverte toute grande la voie du service national ont choisi d'en suivre une autre.

« Car voici où nous en sommes: sur notre sol, au milieu de nous, des hommes ont fait vœu d'obéissance aux ordres d'une entreprise étrangère de domination, dirigée par les maîtres d'une grande puissance slave. Ils ont pour but de parvenir à la dictature chez nous, comme leurs semblables ont pu réussir à le faire ailleurs avec l'appui de cette puissance. Pour eux, qui invoquent à grands cris la justice sociale et l'affranchissement des masses, il s'agit, en réalité, de plier notre beau pays à un régime de servitude totalitaire où chaque Français ne disposerait plus ni de son corps ni de son âme, et par lequel la France elle-même deviendrait l'auxiliaire soumise d'une colossale hégémonie. »

Il décrivait alors avec une précision inexorable les méthodes habituelles du Parti communiste:

« Pour atteindre leurs fins, il n'y a pas de moyens que ces hommes n'emploient. Suivant l'opportunité, on les voit préconiser des thèses aussi catégoriques que successives et contradictoires. Il n'existe pas une idée, un sentiment, un intérêt, qu'ils n'utilisent tour à tour. L'ordre ou la révolution, la production ou l'arrêt du travail, la liberté ou la contrainte sont affichés dans leur programme et inscrits sur leurs bannières suivant ce qui leur paraît devoir être de meilleur rapport. Point de grande œuvre, de noble figure, de gloire nationale qu'ils n'aient parfois maudite et parfois accaparée. Vis-à-vis des idées, des actes, de la personne des autres, rien qui approche de l'équité ni de la vérité... c'est tantôt la bonne grâce, la flatterie, la main tendue, et tantôt l'injure, la calomnie, la menace... Alors qu'il nous est si difficile de créer parmi nous un climat de concorde, le Parti dont il s'agit ne cesse de jeter du sel sur chacune de nos plaies... Alors que nous devons, sous peine d'en être dépouillés, faire l'Union française de telle sorte qu'elle soit une Union, et qu'elle soit française, ces gens travaillent, soit sur place soit à Paris, à soulever de frustes passions et saper l'autorité de la France. »

On observe au passage qu'un des griefs que formule le Général à l'encontre des « séparatistes », c'est de vouloir disloquer l'ensemble français outre-mer. Moins de vingt ans plus tard, c'est lui-même qui réalisera leur programme, en s'inclinant devant les « frustes passions » devenues à ses yeux l'expression du devenir historique; quant à « l'autorité de la France », il ne se contentera pas de la « saper », il s'emploiera à l'annihiler par le « dégagement ».

Mais en cette journée claire et torride de juillet 1947 (de Gaulle parlait du haut d'une tribune dressée dans les champs aux portes de la ville; c'était le dernier épisode d'une extraordinaire *motorcade*, comme disent les Américains, organisée en Bretagne par le colonel Rémy, depuis le Morbihan jusqu'à Rennes, sous un soleil éclatant), de Gaulle apparaissait, en prononçant ce discours qui fut l'un des plus décisifs de sa carrière politique, comme le rempart de la France métropolitaine et d'outre-mer contre les menaces d'invasion et de désagrégation. Après avoir fustigé le communisme, il appelait les Français à se rassembler « pour assurer l'unité française en nous opposant vigoureusement à toutes les menées de ceux-là qui ne jouent pas le jeu de la France... pour organiser et conserver l'Union française en donnant à chacun de ses territoires un statut correspondant à son caractère propre... en y maintenant l'autorité tutélaire de la France... (pour) prendre la tête de ceux qui veulent refaire l'Europe dans l'équilibre et dans la liberté ».

Les acclamations des milliers d'auditeurs qui écoutèrent ce discours se répercutèrent à travers tout le pays: le succès foudroyant du R.P.F. aux élections municipales de l'automne, l'afflux des adhésions, la triomphale réussite du congrès de Marseille au printemps suivant, furent dus avant tout au choc provoqué dans l'opinion par cette prise de position catégorique, intransigeante, contre les visées hégémoniques de la Russie à l'extérieur, contre les menées communistes à l'intérieur.

Sur ce thème devaient broder d'infinies variations les orateurs, écrivains, comités et congrès gaullistes.

André Malraux, par exemple, déclara au Vélodrome d'Hiver le 17 février 1948: « A l'heure actuelle, si la France se relève, par le jeu même des choses, par le plan Marshall et même sans plan Marshall, elle entre inévitablement dans le circuit de la civilisation atlantique. Elle devient donc pour la Russie une menace économique d'une part, et d'autre part une plate-forme éventuelle pour les avions américains. Il est donc devenu indispensable que la France ne se relève pas: tout le jeu stalinien empêche désormais la France de se relever. »

Dans le discours qu'il prononça à Alger le 12 octobre 1947, de Gaulle définit une fois de plus, à peu près dans les mêmes termes qu'à Rennes, la menace que les Soviets faisaient peser sur l'Europe. Puis, dans un développement qui rend aujourd'hui un son quelque peu grinçant, il rappela que la France, d'accord à cette époque avec l'Amérique et l'Angleterre, avait souhaité à la fin de la guerre « introduire la Russie dans la communauté internationale pourvu qu'elle en observât les règles ». Quelles règles? « Cela impliquait que la Russie soviétique traitât ses voisins comme des nations indépendantes et formées de citoyens libres... que Moscou ne cédât point à des visées d'hégémonie... que les dirigeants du Kremlin voulussent s'abstenir de faire du système de dictature qu'ils appliquent au peuple russe un article d'exportation appuyé sur leur propre force. » Et de conclure: « *Ces trois conditions sont en effet de celles dont la France ne saurait accepter qu'elles soient violées en Europe* sous peine de signer elle-même sa déchéance. »

On est en droit de demander: ces « trois conditions » sont-elles respectées en Europe, en 1968? Si non, ne faut-il pas en déduire que la France « signe sa déchéance » quand elle persiste à se tourner vers Moscou et à s'écarter de l'O.T.A.N.?

A l'époque où se lançait le R.P.F., il n'était pas question, certes, d'inciter la France à s'éloigner des Etats-Unis. De Gaulle exaltait à tout instant le « généreux pays qui fit déferler ses armées, ses flottes, ses escadres de l'air, au secours de l'Europe (1); il couvrait d'éloges le président Truman, parce qu'il avait formulé la doctrine selon laquelle l'Amérique voulait « aider, même hors de ses propres frontières, la liberté des peuples et des individus à disposer d'eux-mêmes (2); il saluait « sans aucun embarras », la « clairvoyante générosité » du plan Marshall (3); au Congrès de Marseille, le 17 avril 1948, il appelait de ses vœux un système de « garantie politique et stratégique » à établir entre l'Amérique et l'Europe. Précisant sa pensée l'année suivante, il rappela: « Il y a plus d'un an, à Marseille, j'ai salué d'avance le Pacte Atlantique » (4).

Tout se passe comme si, entre 1947 et 1949, de Gaulle avait jugé la Troisième Guerre mondiale imminente, en tout cas très probable. Cette constatation, cette crainte l'amenaient tout naturellement à refouler au second plan les aigres rancœurs qui avaient tenu tant

(1) 6 avril 1947 à Strasbourg.
(2) Conférence de presse du 24 avril 1947.
(3) Discours de Compiègne, 7 mars 1948.
(4) Conférence de presse du 29 mars 1949.

de place dans son esprit au cours des années précédentes. Face au péril, il devenait, ou redevenait, « atlantique », et moins porté à critiquer les « Anglo-Saxons » qu'à obtenir leur appui pour le salut de l'Europe.

C'est pourtant à propos du Pacte Atlantique (signé à Washington le 4 avril 1949) que commence à se faire jour un certain désenchantement qui ira s'aggravant assez vite. Avec ses quatorze articles brefs et peu détaillés, le Pacte est avant tout « une très heureuse et très importante manifestation d'intention » (de Gaulle: 29 mars 1949), mais il n'est que cela. Certes, il prévoit (art. 4), que les pays signataires se consulteront chaque fois que l'indépendance, la sécurité, l'intégrité territoriale de l'un d'entre eux sera menacée; que toute attaque armée dirigée contre l'un d'entre eux en Europe ou en Amérique du Nord sera considérée comme une attaque contre toutes les puissances associées au Pacte, qui prendront alors les mesures nécessaires « pour rétablir et assurer la sécurité dans la région de l'Atlantique Nord » (art. 5); que « les départements français d'Algérie » sont assimilés, à cet égard, au territoire européen de la France (art. 6) (1). Mais il renvoyait (art. 9) à un Conseil formé par les Etats signataires le soin de créer un Comité de défense et autres « organismes subsidiaires » en vue de l'application pratique du Pacte. On sait que la mise en place de cette organisation, qui constitue à proprement parler l'O.T.A.N., ne se fit que lentement et par étapes: création en décembre 1950 du commandement suprême: comité militaire, groupe permanent siégeant à Washington, quartier général pour l'Europe installé en avril 1951, près de Paris, par le général Eisenhower; constitution

(1) Il n'est pas inutile de faire observer que l'abandon de l'Algérie — accueilli avec autant de satisfaction que d'aveuglement par l'Amérique — constituait le premier démantèlement du traité.

du secrétariat international civil à Paris, au début de 1952.

Tel qu'il était, le Pacte soulevait deux séries de questions, les unes relatives à la nature de la garantie qu'il offrait, les autres à son extension territoriale. Sur le premier point, l'article 5 constitue un compromis entre l'automatisme absolu de l'assistance armée en cas d'agression et l'absence totale d'engagement: chaque puissance, en effet, est libre de prendre « toute action qu'elle jugera nécessaire, y compris l'emploi de la force armée » pour venir au secours du pays attaqué. Cette disposition présente l'avantage d'éviter qu'aucun des Etats signataires puisse être entraîné dans un conflit contre son gré: aussi est-il parfaitement faux de redouter, ou de feindre de redouter, comme on le fait actuellement, que la France par exemple risque de se trouver jetée malgré elle dans une guerre du fait de l'Alliance atlantique. Mais, en contrepartie, cette formule laisse planer un certain doute sur le caractère immédiat de l'assistance au pays victime d'une agression.

De Gaulle fut prompt à déceler cette lacune. La France, dit-il le 29 mars 1949, « a le droit et le devoir de se préoccuper d'une manière essentielle du concours qui lui serait effectivement prêté pour éviter l'invasion... (invasion qui) pourrait être pour elle littéralement une question de vie ou de mort. L'occupation par la puissance totalitaire que l'on sait, suivie par la libération à coups de bombes par nos Alliés, laisserait probablement à la France très peu de substance physique et morale. Sans doute la liberté finirait-elle par l'emporter, mais il n'y aurait plus beaucoup de Français pour en profiter. C'est la raison pour laquelle nous devons nous préoccuper... de ce qui pourrait et devrait accompagner le Pacte atlantique au point de vue de notre propre et directe sécurité ».

Quant au deuxième point, le Général, au cours de la même conférence de presse, exprima le regret que le Pacte s'étendît « *seulement* à l'Atlantique Nord » et s'étonna que, couvrant l'Algérie, il ne garantît pas le Maroc et la Tunisie. Mais surtout, quelle allait être, dans ce cadre, la place de l'Allemagne?

Tout observateur clairvoyant comprenait bien que la défense de l'Europe occidentale contre une agression russe impliquait inévitablement une certaine forme de réarmement allemand: ne suffit-il pas de regarder une carte pour s'apercevoir que l'invasion soviétique, avant de déferler sur la France ou la Belgique, devrait nécessairement submerger le territoire allemand? Serait-il concevable, dans une telle hypothèse, de n'opposer à l'assaut des divisions russes que des contingents anglais, américains, français, belges, tandis que les Allemands assisteraient passivement au combat dont leur propre pays serait l'enjeu?

Quoi qu'en ait prétendu Robert Schuman au Parlement, on ne pouvait douter que l'Allemagne fédérale, en voie de formation comme Etat à Bonn, fût appelée assez vite à prendre part à sa propre défense et par là à celle des pays d'Europe que son territoire découvre ou protège selon qu'il est traité comme une zone démilitarisée ou comme un glacis.

Prenant la parole le 22 mai à Vincennes, le général de Gaulle déplora d'abord que la politique dont il avait posé les bases en 1944-1945 n'ait pas été suivie à l'égard de l'Allemagne: Etats allemands fédérés dans une union européenne, régime international de la Ruhr. Il accusa la Grande-Bretagne de ne pas avoir pu, « je le dis franchement parce que c'est vrai, se débarrasser dans cette conjoncture historique de cette tradition qui la porte à redresser l'Allemagne quand elle est tombée et à la redresser sous une forme telle qu'elle s'oppose à la puissance française ». Il reprocha à la Russie de vouloir reconstruire une Allemagne qui serait un jour un satellite, de façon à combiner la force soviétique avec le dynamisme germanique. Enfin, « la défaillance chronique de notre politique officielle » expliquait, selon lui, que la solution française du problème allemand ait été finalement écartée par les Alliés.

« On en est donc venu, poursuivit-il, à ce qu'on appelle la solution de Bonn. Ne nous faisons pas d'illusion, c'est la reconstitution du Reich! » Et là, s'engageant sur les chemins hasardeux de la prophétie, il dépeignait sous les traits les plus sombres l'avenir de ce Reich : « Peut-être cela commencera-t-il par une sorte de république de Weimar... Tout laisse prévoir qu'une nouvelle dictature... prendra en main les destinées germaniques. » Si ce Reich, refusant d'accepter le *statu quo*, marche vers l'Est, « est-ce que nous nous accommoderons de l'incroyable spectacle d'un grand Reich allemand habillé en champion de la liberté de l'Europe »? Si au contraire il s'allie avec la Russie pour marcher vers l'Ouest, « notre destin sera celui d'une invasion, suivie par un écrasement ».

Devant de tels pronostics, « n'y a-t-il donc pas d'espérance »? Quant à lui, il discernait deux voies possibles. D'abord, dans l'immédiat, les « contrôles et garanties à imposer à l'Allemagne »; puis, peut-être, « une entente réelle entre le peuple français et le peuple allemand », mais à condition que la France « redevienne forte par elle-même et avec son Union française, spécialement avec l'Afrique... pour faire équilibre à l'Allemagne nouvelle ».

Pour ce qui concerne le texte du Pacte atlantique, de Gaulle, ayant déjà fortement évolué, recommandait de ne pas le ratifier, bien qu'il fût « infiniment souhaitable », tant qu'il n'aurait pas été complété par des engagements précis « en matière de réarmement, en matière de couverture et, enfin, quant à la part qui doit nous être attribuée dans la stratégie mondiale ».

Cependant Edmond Michelet, qui représentait le R.P.F. au cours du débat de ratification au Parlement, vota pour, non sans réclamer une stratégie comportant la défense de l'Europe à l'est de la frontière française, donc en Allemagne, ce qui impliquait le réarmement allemand.

Si l'on voulait résumer les positions gaullistes dans cette matière au moment où vient d'être conclu le Pacte Atlantique, on pourrait les condenser sans les altérer, me semble-t-il, dans les huit propositions suivantes:

1. Le danger principal, sinon unique, pour l'Europe et pour la France, réside dans la poussée impérialiste russe, relayée au-dedans par les « séparatistes ».

2. Le Pacte atlantique apporte une contribution positive à la défense des Etats occidentaux, et constitue du côté des Américains un « effort très méritoire et très salutaire (1) ».

3. Première critique: l'assistance en cas d'agression n'est pas automatique. « Rien n'oblige ni ne prépare les Etats-Unis à participer largement à la défense directe et immédiate de notre continent (2). »

4. Deuxième critique: le Pacte n'est pas assez étendu. En particulier, il ne couvre, au Maghreb, que l'Algérie.

5. L'organisation militaire ne fait pas une place suffisante à la France. De la défense de notre territoire, « il n'y a que des Français qui puissent être responsables ». La France devrait avoir le commandement de tout le théâtre d'opérations Europe-Afrique du Nord (à l'Angleterre le Moyen-Orient, à l'Amérique l'Extrême-Orient) (3).

6. Le Pacte n'aura de valeur que dans la mesure où

(1) Conférence de presse du 29 mars 1949. « Méritoire », parce que les Etats-Unis ont pu « surmonter en eux-mêmes les tendances classiques qui les portent à l'isolationnisme ». « Salutaire », parce que l'agresseur éventuel saura que « l'énorme potentiel matériel et la grande valeur morale » des Etats-Unis seront mis en œuvre contre lui s'il attaque.
(2) Discours de Bordeaux, 25 septembre 1949.
(3) Conférence de presse du 17 novembre 1949.

les Etats européens qu'il couvre, la France en particulier, feront eux-mêmes un effort de préparation, se réarmeront avec l'aide des Etats-Unis et mettront sur pied des divisions. « Tant que l'Europe ne fournira pas une tête de pont puissante et sûre, ne comptons pas que des armadas viendraient y débarquer des armées (1) ».

7. La défense de l'Europe contre une éventuelle agression russe conduit à poser en termes nouveaux le problème allemand. Ce qu'on envisage, c'est « un accord entre la France et l'Allemagne... un accord économique d'abord. C'est un fait qu'en beaucoup de matières les économies allemande et française sont complémentaires... Notre Afrique dispose d'une quantité de produits coloniaux que les Allemands n'ont pas (2) ». On est « ébloui par la perspective de ce que pourraient donner ensemble la valeur allemande et la valeur française, celle-ci prolongée par l'Afrique (3) ».

8. Ce problème lui-même conduit à celui de l'organisation européenne. « L'unité de l'Europe, dans son économie, sa culture, sa défense; une confédération des peuples avec la charge de cette unité; la réunion d'une assemblée ayant mandat de jeter les premières bases et de les soumettre à la ratification de tous, voilà sur quoi les citoyens de l'Europe devraient avoir à décider (4). »

Telle était donc, définie par de Gaulle, la doctrine du Rassemblement dans le domaine de la politique extérieure. Les porte-parole, dirigeants, assemblées du R.P.F. ne devaient pas lui apporter de modifications ni de compléments notables. Deux faits d'importance capitale: l'explosion de la première bombe atomique russe (14 juillet 1949) et la guerre de Corée (25 juin

(1) Bordeaux, 25 septembre 1949.
(2) Conférence de presse, 14 novembre 1949.
(3) Conférence de presse, 16 mars 1950.
(4) Bordeaux, 25 septembre 1949.

1950-27 juillet 1953) eurent pour effet d'accroître le sentiment d'urgence, l'angoisse devant le danger d'une conflagration mondiale.

La révélation des immenses possibilités de la fission atomique par la bombe d'Hiroshima avait conduit de Gaulle à déclarer dès 1946 qu'il fallait à tout prix « organiser en commun la recherche, la production, la détention de l'énergie atomique dans des conditions telles qu'elle serve au développement économique et social, mais qu'elle ne puisse jamais être employée pour la guerre. Nous devons dire, à ce sujet, que les propositions faites par le gouvernement des Etats-Unis et qui tendent à monopoliser dans un organisme international et obligatoire tout ce qui concerne, où que ce soit, la désagrégation de la matière, nous paraissent justes et bonnes (1) ». En juin 1950, les Assises nationales du R.P.F., réunies à Paris, adoptèrent la motion suivante: « Le Rassemblement du Peuple Français... estime qu'il y aurait lieu pour tous les Etats d'accepter que soit remise à l'Organisation des Nations Unies la propriété ou la gestion de leurs mines d'uranium ou de thorium, ainsi que des installations destinées à préparer le combustible nucléaire concentré, matière première de la guerre atomique. »

Quant à la guerre de Corée, elle provoqua de la part du général de Gaulle les commentaires suivants:

« Le système soviétique, dans sa marche à la domination, agit partout où la poussée nationaliste ou la révolte sociale lui en offrent l'occasion. Pour le moment, il procède par personnes interposées, en Indochine, en Chine, en Birmanie, au Thibet, en Corée. Hier, il le faisait en Iran et en Grèce. A tout instant, il peut le faire ailleurs. Toutes ces actions locales lui servent à préparer le grand choc... L'intervention américaine... a une immense portée. Pour la première fois, le monde,

(1) Discours prononcé à Bar-le-Duc, 28 juillet 1946.

des deux côtés du rideau de fer, constate que les Etats-Unis sont capables d'engager au loin, contre la domination communiste, non seulement leur argent et leur propagande, mais leur force et leur sang. »

Il ajouta: « On voit aussi que le combat mené depuis quatre ans en Indochine par la France et l'Union française fait partie de cette même lutte. Les malveillants qui accusent la France de colonialisme, tandis qu'elle combat Hô Chi Minh, feront bien d'entrer dans le silence. »

Il en concluait que l'Europe devait se renforcer, se réarmer, mais en même temps s'élevait contre tout projet de « machinerie apatride » au sein de laquelle se dissoudraient, sous prétexte d'unité, les forces nationales de chaque Etat (1).

Il existait, en vérité, une certaine contradiction entre les conceptions européennes esquissées dès le début par de Gaulle, fondées sur une organisation confédérale, une assemblée élue, un référendum populaire, institutions « formées par délégation de souveraineté (2) », et la tendance purement nationaliste qui transparaissait déjà à travers quelques-unes des critiques adressées au Pacte atlantique. Cette contradiction devait aller en s'accentuant à mesure que les gouvernements français successifs, entrant dans la voie d'une édification européenne économique et technique (Pool Charbon-Acier, Euratom, Marché commun) et proposant le plan d'« armée européenne » dont nous avons traité plus haut, s'exposaient à des critiques de plus en plus vives de la part du général de Gaulle, critiques suscitées au premier chef par les abandons de souveraineté qu'ils commettaient ou étaient accusés de commettre. De ce fait, l'orientation nationaliste prenait progressivement le dessus. Les « alliés atlantiques de la France » furent

(1) *Le Rassemblement*, 15 juillet 1950.
(2) Communiqué du Conseil de Direction du R.P.F., 5 décembre 1951.

traités par de Gaulle avec une aigreur de plus en plus marquée. « C'est un commandement militaire, plein de mérite sans aucun doute, mais un commandement étranger, qui, paraît-il, décide dès à présent comment et où seraient, le cas échéant, engagées les forces de la France, lesquels de nos territoires seraient ou non défendus, lesquels de nos généraux seraient employés et à quoi. Des instances ou personnalités, assurément valables chez elles, mais qui ne sont pas de chez nous, orientent ou reprennent, compliment ou gourmandent notre pays (1)... » Ce qui n'empêchait pas le Général, dans le même discours, d'appeler de ses vœux « une Europe confédérée », non sans ajouter que les diverses armées, y compris celle de l'Allemagne, y seraient « non confondues, mais conjuguées ».

Il admettait même, le 21 décembre 1951 (conférence de presse au palais d'Orsay), que face à la menace soviétique l'Europe fût organisée en « une confédération d'Etats, constituant entre eux un pouvoir confédéral commun, auquel chacun délègue une part de sa souveraineté » — mais à condition que fût créée d'abord une « base » par entente entre la France et l'Allemagne.

Un peu plus tôt, il avait critiqué âprement les « mélanges alchimiques, combinaisons algébriques et formules cabalistiques » par lesquelles on entendait résoudre le problème de la sécurité européenne, et reproché à « nos alliés atlantiques » de « se tenir toujours entre la France et l'Allemagne... d'entretenir la flamme d'une rivalité déplorable » au lieu de « laisser ces deux peuples, complémentaires l'un de l'autre, régler ensemble leurs affaires (2) ».

Sous l'impulsion du Général, le R.P.F. fut amené à prendre une position de plus en plus réservée envers

(1) Discours prononcé par de Gaulle au Congrès de Nancy. 25 novembre 1951.

(2) Allocution prononcée au déjeuner de la Presse anglo-américaine, 12 septembre 1951.

la construction de l'Europe, bien que le mot d'ordre de la « confédération » demeurât au premier plan de ses réunions et de ses congrès. Mais « la Confédération ne saurait être réalisée que dans le respect des individualités nationales et dans l'équilibre des nations... Elle doit donc être précédée par l'organisation d'une Union française véritable comprenant le Maroc aussi bien que la Tunisie ainsi que par l'établissement d'un statut permanent de l'Etat sarrois (1) ». Sous le titre « l'organisation de l'Europe que nous voulons », le *Rassemblement* du 15 janvier 1953 publia un long article directement inspiré par Michel Debré: s'en prenant au « conglomérat » formé par le Pool Charbon-Acier et le Conseil de l'Europe, cet article repoussait comme également dangereuses l'intégration de la métropole dans l'Europe (car elle aurait pour résultat de la couper du reste de l'Union française), et celle de l'ensemble de l'Union française « dans une Europe vis-à-vis de laquelle les populations musulmanes ou les populations noires ne peuvent pas ressentir le même sentiment de loyalisme » qu'envers la France. Selon l'auteur de ce texte, l'Europe s'engageait dans une mauvaise voie. Il fallait en revenir à l'idée d'une « association d'Etats ».

Ayant déjà mis en sommeil le R.P.F., de Gaulle tint à l'hôtel Continental, le 7 avril 1954, une conférence de presse dont les termes montrent sa violente irritation à la fois contre les gouvernants de la IVe République et contre les alliés atlantiques, et où apparaît l'idée d'une France qui jouerait, entre la Russie et l'Amérique, le rôle d'un tiers autonome susceptible de mener une politique indépendante pour conduire à la détente.

« Une politique vraiment française, déclara-t-il, prendrait pour premier objectif d'amener à cette détente les deux blocs adverses. Cet effort répondrait entièrement

(1) Motion votée par le Conseil national à Neuilly, octobre 1952.

à notre génie et à notre tradition. En outre, tels que nous sommes et placés là où nous le sommes, c'est-à-dire exposés aux coups par excellence et par priorité, nous aurions beaucoup à gagner, rien à perdre, à un arrangement général. Il n'existe pas, d'ailleurs, de pays plus qualifié que le nôtre pour prendre les initiatives nécessaires. Nous ne nous trouvons, en effet, en rivalité d'intérêts, ni avec la Russie ni avec l'Amérique. Si nous repoussons le régime que subit la première, si nous condamnons celui qu'elle applique de force aux nations tombées sous son joug, si nous entendons nous défendre par tous les moyens au cas où elle nous attaquerait, c'est un fait que, depuis Sébastopol, c'est-à-dire depuis cent ans, nous n'avons jamais eu à la combattre et qu'elle fut notre alliée pendant la plus grande partie de chacune des deux guerres mondiales. Quant aux Etats-Unis, s'ils nous indisposent trop souvent par leurs empiétements, nous les tenons, cependant, pour nos amis et nos associés, qui devinrent nos alliés dans l'un et dans l'autre conflit...

« Mais, pour mener une telle action, il faudrait que les pouvoirs publics français fassent en sorte que la France soit en mesure d'agir par elle-même. Sans renoncer aucunement à l'alliance dont elle est un élément essentiel, il lui faudrait une politique qui soit sa politique et non pas seulement l'adaptation unilatérale de son action à celle des autres. Il lui faudrait un système de défense, proportionné, certes, à ses ressources et associé à celui de ses alliés, mais autonome et équilibré. Il lui faudrait être, elle aussi, une puissance atomique. C'est pour cela que j'avais, dès 1945, créé le haut-commissariat. Grâce aux travaux qu'il a accomplis, il ne tient qu'à nous de nous doter d'armes nucléaires, de nous trouver, par là, capables de concourir à la défense en ripostant à l'attaque, d'être habilités à proposer, avec l'autorité voulue, les contrôles et les limitations hors desquels on n'évitera pas le cataclysme cosmique. Il faudrait encore que la France adoptât un langage convenant à un Etat qui occupe en Europe, en Afrique, dans l'Océan Indien, des positions sans lesquelles le destin de l'Occident serait gravement compromis, et à partir desquelles celui de l'Orient pourrait être tranché pour jamais, à un Etat qui forme barrage en Asie du Sud-Est et qui, dans tout le monde libre, est le seul qui soit au combat. Il lui faudrait, enfin, un régime qui ne soit pas frappé, d'une manière quasi congénitale, du complexe de l'infériorité.

« Mais c'est l'effacement de la France que le régime se laisse imposer. Comment notre politique pourrait-elle avoir sa vigueur et sa portée dès lors que notre défense est systématiquement placée sous l'entière dépendance des autres?... Nos bases africaines et métropolitaines ont été livrées aux Américains, les commandements communs leur ont été attribués, sans que les gouvernants français aient exigé, pour la France, part aux projets et aux décisions concernant la guerre atomique. »

Plus loin, il dénonce « l'étrange complot (qui) s'acharne à nous faire accepter une complète abdication » (il s'agit toujours de la « Communauté Européenne de Défense »), puis il dessine ce que devrait être, selon lui, l'Europe. Mais cette fois, voyant cette Europe « étendue de Gibraltar à l'Oural, du Spitzberg à la Sicile », il refuse de la limiter « à un groupe franco-allemand que l'on ferait vivre sous l'hégémonie germanique dans les frontières de Charlemagne ». Il préconise une association d'Etats « qui devrait comprendre, notamment, l'Angleterre », tandis que l'Allemagne ne serait appelée à y entrer que si la détente internationale se révélait réellement impossible, et seulement « avec des forces déterminées, des limites et des engagements ».

L'Angleterre, on le voit, a été mentionnée dans cette déclaration. Le fait est assez rare. Dans la plupart de ses prises de position antérieures, de Gaulle n'a pas

346

tenu à préciser ce que devrait être le rôle de la Grande-Bretagne dans l'ensemble européen qu'il souhaite, ou s'est borné à exprimer assez vaguement l'espoir que « la tendance à l'insularité » de ce pays devrait disparaître (1). Il semblait compter beaucoup plus sur le « groupe franco-allemand » que, cette fois, il écarte sommairement.

Au total, les lignes de sa politique extérieure, telles qu'il les a formulées depuis son retour à la vie publique jusqu'à son nouvel éloignement, laissent une curieuse impression, à la fois d'unité et de flottement. Flottement, parce que ses conceptions oscillent entre la solidarité atlantique face au péril soviétique, et une action autonome pour la détente internationale, entre une Europe organisée grâce à des délégations de souveraineté et une simple association d'Etats, entre une entente franco-allemande et une politique ayant pour but de contenir l'Allemagne avec l'aide de l'Angleterre. Unité, parce qu'à travers ces attitudes changeantes chemine et se laisse discerner, comme un courant souterrain, l'aspiration nationaliste, dominée par la vision d'une France aux mains libres, maîtresse en tous points de sa politique et de sa défense, et qui ne serait, au fond, réellement engagée en rien ni envers personne par les alliances ou les associations.

Pour compléter ce tableau, on doit souligner l'importance que de Gaulle attribuait, dans son appréciation générale de la position française, à nos territoires d'outre-mer, à l'Afrique, à la Méditerranée. Pour lui, comme on l'a vu, la France d'outre-mer constituait le facteur d'équilibre indispensable dans l'hypothèse d'un rapprochement franco-allemand. Si l'Europe confédérée se bâtissait, encore devrait-il être entendu que l'Union française en ferait partie « comme un tout (2) ».

(1) Discours de Nîmes, 7 janvier 1951.
(2) Conférence de presse du 7 avril 1954.

Notre destin, avait-il déclaré longtemps auparavant, est « directement lié au bassin de la Méditerranée... C'est sur les rives de la Méditerranée que nous avons une fois pour toutes, installé la base de notre Empire africain (1) ». Une des racines de son opposition au traité de C.E.D. n'était-elle pas précisément que ce traité risquait de couper la métropole de ses prolongements africains? Et une de ses principales critiques au Pacte atlantique ne consistait-elle pas à regretter qu'il ne couvrît pas davantage nos territoires au sud de la Méditerranée?

★

En revenant au pouvoir en mai-juin 1958, grâce au mouvement populaire et militaire d'Alger, le général de Gaulle trouvait dans l'héritage que lui laissait la IVe République: une guerre subversive en Afrique du Nord, une France d'outre-mer tiraillée par des forces centrifuges; une construction européenne fragmentaire, semblable à un palais inachevé dont on aurait ici implanté quelque pilier, là bâti deux ou trois salles (Communauté du Charbon et de l'Acier, Marché commun, Euratom, Conseil de l'Europe); une alliance atlantique au sein de laquelle l'Amérique, seul super-Etat doté, à l'Occident, d'armes thermonucléaires (2), détenait par la force des choses le rôle dominant. A l'Est, après la mort de Staline et l'intermède Malenkov, la personnalité de Khrouchtchev s'imposait en Russie et dans le bloc communiste: des espoirs de détente entre l'U.R.S.S. et les Etats-Unis se dessinaient depuis la dis-

(1) Discours devant l'Assemblée consultative à Paris, 22 novembre 1944.
(2) Sans doute l'Angleterre possède-t-elle un armement atomique. Mais l'expérience a montré qu'elle n'a pas les moyens financiers de développer une force nucléaire, avec les vecteurs nécessaires, comparable à celles de l'U.R.S.S. et des Etats-Unis.

parition de l'implacable tyran géorgien et son désaveu posthume par le Parti communiste soviétique.

De Gaulle aurait été fidèle à lui-même et logique dans les positions qui avaient été les siennes depuis 1940 s'il s'était employé d'abord à consolider la France outre-mer, en Afrique, sur les rives méridionales de la Méditerranée, pour ensuite faire jouer à la France ainsi renforcée, tête d'une Union française de stature mondiale, le rôle qui pouvait et devait lui revenir dans cette conjoncture.

Peut-être (c'est ici pure hypothèse) crut-il un instant que sa présence au sommet de l'Etat, son prestige personnel, sa proposition d'une « paix des braves », suffiraient à apporter très vite une solution au drame de l'Algérie. S'il se berça de cette illusion, il ne tarda pas à en revenir: il ne se rendit pas compte, d'ailleurs, que les louvoiements et l'équivoque de sa politique algérienne, visibles dès le lendemain de son retour au pouvoir, ne pouvaient avoir d'autre résultat que d'encourager le F.L.N. à durcir sa résistance. On peut penser tout ce qu'on voudra de Ferhat Abbas, de Krim, de Ben Bella, mais non que ce sont des imbéciles. Ayant compris que de Gaulle n'avait pas de ligne ferme et déterminée, ayant saisi à mille indices (dont son attitude envers moi) qu'il n'était pas résolu à faire triompher la politique qui aurait sapé leur influence en Algérie, ils décidèrent de tenir bon et de faire monter les enchères. Les reculades successives du chef de l'Etat devant leurs exigences leur prouvèrent qu'ils étaient dans la bonne voie, et qu'il leur suffisait de persévérer dans leur intransigeance pour qu'il leur abandonnât, de déclaration en déclaration, tout ce qu'il leur avait d'abord refusé: exclusivité de leur représentation des musulmans d'Algérie, négociations sans que les « couteaux » aient été relégués « au vestiaire », mainmise sur le Sahara, et enfin leur propre pouvoir imposé par la France elle-même à l'Algérie dite « indépendante » grâce à l'escroquerie des prétendus « accords » d'Evian.

Dans cette longue et complexe négociation, de Gaulle a perdu à tout coup, parce qu'il était pressé et que les fellagha ne l'étaient pas. Il était pressé d'avoir « les mains libres » pour jouer enfin en Europe et dans le monde le grand rôle auquel il aspirait. Dans son optique, l'Algérie et l'Union française en général n'étaient plus des atouts maîtres à conserver coûte que coûte, mais des fardeaux gênants dont il fallait se débarrasser. Pour quoi faire ? Pour aller où ? C'est ce qu'on va voir. Mais d'ores et déjà on soulignera qu'en liquidant l'Algérie de Gaulle hypothéquait tout un large secteur de sa future politique internationale.

En effet, comme la suite l'a montré, ayant fait au panarabisme le cadeau royal d'une Algérie octroyée par sa seule décision à une secte terroriste militairement battue (et qu'il ne tenait qu'à lui de battre politiquement s'il avait consenti à procéder à la mutation révolutionnaire que la situation exigeait), de Gaulle s'est trouvé engagé, comme le joueur qui persiste à placer ses mises sur la même couleur, bien qu'elle ne sorte jamais, à rechercher dans le « monde arabe » une illusoire compensation. Certes, il n'a cessé d'affirmer, souvent dans les termes les plus provocants, que sa politique algérienne avait abouti à un éclatant succès : ce serait faire injure à son intelligence et oublier sa méfiance naturelle, l'une et l'autre fort développées, que d'imaginer qu'il le croie. Je suis convaincu pour ma part qu'il y a au moins un Français de haut rang qui sait parfaitement que les « accords » d'Evian sont caducs et l'ont été dès leur signature, et que le « règlement » de l'affaire algérienne a été une duperie : c'est de Gaulle lui-même. Alors, il veut à tout prix « se refaire ». Le souvenir et le regret de nos déboires orientaux aidant, il place les mises de la France sur la carte arabe. Plaire aux Etats arabes, c'est s'ouvrir, imagine-t-il, les portes du Tiers Monde. Et le voilà à son tour parcourant la route des illusions et des désillusions où l'ont précédé les Britanniques. Car le « monde arabe » est un client à qui l'on doit toujours consentir des avances, mais qui ne rembourse jamais (1). En attendant qu'un succès hypothétique vienne couronner cette entreprise, il faut payer: on paie en condamnant Israël, au mépris de la vérité et de l'équité, en imposant l'embargo des *Mirage* vendus au gouvernement de Jérusalem, en prenant parti à l'O.N.U. contre la petite nation qui se bat pour survivre.

L'orientation anti-israélienne de la politique du général de Gaulle, telle qu'elle s'est révélée en 1967, a surpris beaucoup de gens, y compris certains dirigeants du *Mapaï* et du gouvernement de Jérusalem à qui je l'avais annoncée auparavant (2). En 1960 encore, Ben Gourion, en visite officielle à Paris, avait entendu avec joie de Gaulle parler d'Israël comme « notre amie, notre alliée ». Mais dès 1959, étant membre du gouvernement, j'avais été alerté par quelques incidents où apparaissaient la tendance pro-arabe et anti-sioniste du Quai d'Orsay et la volonté du chef de l'Etat d'arbitrer dans le sens du ministère des Affaires étrangères. C'est à propos d'un de ces incidents que de Gaulle, m'ayant reçu à l'Elysée, me dit: « Je sais quels sont vos sentiments envers l'Etat d'Israël: mais ces sentiments ne doivent pas interférer avec la politique de la France. » C'est donc qu'il y avait déjà, dans son esprit, une politique dont Israël devait un jour faire les frais.

Certes, cette attitude nouvelle contrastait crûment avec celle qu'il avait adoptée pendant et depuis la guerre. Entre 1940 et 1945, les intérêts de la France et du sionisme se trouvaient coïncider en Orient à la

---

(1) Les Russes, eux aussi, s'en apercevront tôt ou tard. Mais eux, au moins, prennent des gages: les bases méditerranéennes.

(2) Cf. Michel Bar-Zohar. *Histoire secrète de la guerre d'Israël*, Paris, Fayard, 1968, p. 29.

fois contre la menace de l'Axe et contre les intrigues des services britanniques. Les hommes de Kœnig à Bir Hakeim avaient trouvé à leurs côtés ceux de Tel-Aviv dans le même combat (1) face aux blindés de Rommel. Puis c'est à Haïfa qu'une collaboration étroite s'était établie entre nous et la *Haganah* encore clandestine. Après la guerre, nous avions applaudi à la renaissance d'Israël. De Gaulle me disait: « Ce qui fait la force des sionistes, c'est qu'ils savent se battre et qu'en même temps ils travaillent leur terre. » Plus tard, comme je l'ai déjà dit, il encouragea les Israéliens à conserver les gages qu'ils avaient acquis par leur victoire du Sinaï en 1956: « Ne lâchez pas Gaza! »

Mais dès lors qu'il eut décidé de tout miser sur la mauvaise carte, il fut conduit par la logique de sa politique à rejeter l'ami de la veille afin de poursuivre la problématique amitié du monde arabe. La récente mission officielle de Louis Terrenoire en Algérie et en Egypte montre combien cette évolution a été poussée jusqu'à un véritable renversement. Terrenoire (qui, bien entendu, n'a rien inventé et a servi seulement d'écho et de porte-parole) est allé jusqu'à exalter comme « exemplaire », dans une lettre publique à Bouteflika, l'attitude du gouvernement algérien contre Israël — attitude qui, on le sait, a été la plus belliceste et la plus raciste de tout le monde arabe — et à comparer les Israéliens aux nazis (2)!

En même temps, à Manhattan, la France s'aligne, à propos de l'Orient, sur le bloc communiste.

Pour quel profit? Notre pays obtient-il au moins, en contrepartie, de pouvoir conduire une politique mondiale grâce au soutien des Etats dits « non engagés »?

(1) Cf. mon livre *La Longue Marche d'Israël*, Paris, Fayard, 1968, p. 123.
(2) *El-Moudjahid*, quotidien d'Alger, 10 et 22 août 1968.

Je laisse le soin de répondre à un analyste objectif, dont le témoignage a d'autant plus de poids en l'occurrence qu'il s'est prononcé par ailleurs avec vigueur contre le maintien de la présence française en Algérie (1) : « Comment la France peut-elle entraîner cette vaste et turbulente clientèle?... Il n'est qu'un moyen, coopérer à tout prix avec le pays contre lequel la France a conduit, pendant près de huit ans, la dernière guerre coloniale. Si la France entraîne l'Algérie dans son sillage, elle entraînera le Tiers Monde... Elle acceptera les avanies, les rebuffades, la violation ouverte et délibérée des engagements clairs et récents. Frappée sur la joue droite, elle tendra la joue gauche. Vis-à-vis de l'Algérie, la France n'a plus de fierté. Par quelle « porte étroite » la grandeur doit-elle parfois se faufiler? Ben Bella a compris, et Boumedienne après lui... Il est dans une position de chantage. Il en profite en toute impudence. L'hôte de l'Elysée s'incline... »

Avoir les « mains libres » coûte cher.

★

Les mains libres, pour quoi faire? Si l'on se situe dans l'optique du gaullisme de 1947 à 1958, ce devrait être d'abord, semble-t-il, pour doter la France des moyens de défense que la IVe République, disait-on, s'avérait incapable de lui donner.

A vrai dire, les derniers gouvernements du régime défunt avaient mis en chantier la bombe atomique expérimentale. L'explosion de Reggane en février 1960 n'a été possible que grâce à ces travaux préparatoires commencés sous le cabinet Guy Mollet.

Mais il y a toute la différence du monde entre le fait de fabriquer une ou plusieurs bombes « A » et

(1) Guy de Carmoy. *Les Politiques étrangères de la France (1944-1966)*, Paris, La Table Ronde, 1967, pp. 297-298.

même « H » et celui de posséder une véritable force atomique de dissuasion. Pour dissuader l'adversaire éventuel, il faut non seulement des bombes, mais des « vecteurs », et dans ce domaine l'avion est déjà périmé. On en est aux fusées à moyenne ou longue portée (8 000 km pour celles qui, le cas échéant, seraient utilisées par l'U.R.S.S. ou les Etats-Unis), et bientôt aux satellites. Il faut être capable de lancer contre l'ennemi une vague d'engins de représailles même s'il a déjà détruit maintes villes et de nombreux centres vitaux sur le territoire qu'il a attaqué par surprise: sous-marins, silos enterrés, dispositifs automatiques secrets sont alors nécessaires. Il faut pouvoir détecter les missiles de l'adversaire et posséder assez d'abris à l'épreuve des radiations pour y sauvegarder l'essentiel des cadres, sinon la population sacrifiée en masse.

Tout cela suppose des travaux et des dépenses hors de proportion avec les moyens d'un Etat comme la France: les deux géants russe et américain ploient déjà sous le fardeau, l'Angleterre a dû renoncer à fabriquer ses fusées. Bien que la « force de frappe » française représente pour nos finances un poids écrasant, bien qu'un gaspillage inouï des deniers publics (l'exemple classique est celui du transport du ciment *par avion* de France en Polynésie, sur 12 000 kilomètres, pour les installations de Mururoa) ait été permis ou ordonné afin d'aller plus vite, il est plus que douteux que cette force ait une valeur de dissuasion quelconque. L'Union soviétique n'est « dissuadée » de s'engager dans une aventure conquérante que par une seule menace, celle des Etats-Unis. Seul le « parapluie atomique » américain protège l'Europe. Si par malheur il ne jouait pas ce rôle, la petite force française n'aurait aucun effet sur les dirigeants du Kremlin: avec ses immenses espaces, la Russie ne peut redouter l'attaque atomique d'un pays au territoire exigu, à la population concentrée, d'ailleurs privée, par la perte de l'Afrique, de tout recul

354

stratégique. Elle se sait capable de répondre par une destruction massive au coup d'épingle que la France pourrait lui infliger.

Dans ces conditions, l'entreprise atomique française ne pouvait présenter que trois possibilités positives:

1. Fomenter dans notre pays la recherche fondamentale et appliquée sur l'énergie nucléaire, mais en l'orientant principalement vers les applications non militaires;

2. Fournir à la France une « carte de visite » lui permettant d'accéder au « club » des Grandes Puissances et de partager les secrets atomiques américains.

3. Eventuellement, si la détente internationale s'avère impossible, contribuer à la mise sur pied, avec l'Angleterre et avec l'aide américaine, d'une force de dissuasion européenne. Car le fond du problème est là: nos pays d'Europe ne peuvent pas plus, chacun isolément, créer une véritable force nucléaire, que Sparte et Athènes, malgré leur grand passé militaire, n'ont pu opposer d'armées suffisamment puissantes à la phalange macédonienne, puis à la légion romaine. Les Etats de dimensions moyennes ne sont pas à l'échelle des Etats-continents comme l'Amérique et l'U.R.S.S. L'Europe, elle, serait à ce niveau.

Ainsi la force atomique française pouvait être conçue comme s'insérant dans une politique d'ensemble, une politique d'étroite coopération européenne et d'alliance avec les Anglo-Saxons. Isolée, elle n'a aucun sens. Elle est même dangereuse, d'abord parce qu'elle obère nos finances et requerra des dépenses de plus en plus exorbitantes chaque année (sans éviter pour autant d'être toujours dépassée, et de loin, par celles des super-Etats), ensuite parce qu'on est obligé de lui sacrifier l'armement dit « conventionnel », enfin parce qu'elle appelle sur nos têtes la foudre atomique d'autrui. Si l'on a beaucoup fait pour doter la France de bombes atomiques et à l'hydrogène, l'armée classique est dans un tel état de délabrement que les forces du bloc soviétique, si elles s'en tenaient aux méthodes de guerre préatomiques, ne trouveraient devant elles qu'une faible résistance. A cela il faut ajouter qu'on n'a rien fait pour préparer ce qui sera peut-être l'essentiel d'un conflit en Europe demain, c'est-à-dire la guerre subversive menée, à l'intérieur, selon les méthodes de la guérilla, du combat de rues et du maquis.

Des milliers de milliards ont été dépensés en dix ans pour un résultat qui n'est même pas incertain. Le sous-équipement du pays dans maints domaines: logement, hôpitaux, routes, téléphones, réalisations sociales, s'explique en grande partie par là. Le néo-gaullisme a rendu là un bien mauvais service à la nation. En outre, les dithyrambes du régime au sujet de sa force de frappe jouent à notre époque le même rôle, psychologiquement, que « l'esprit de la ligne Maginot » en 1939. On a convaincu beaucoup de Français qu'à la seule condition de payer ce qu'il faut, ils se trouvaient dotés de l'armement-miracle qui suffirait à les protéger et à l'abri duquel ils pourraient tranquillement s'assoupir. Il faut avoir le courage de dire au pays que ses sacrifices financiers sont vains et qu'il demeure tout aussi exposé à une invasion après Reggane et Mururoa qu'auparavant.

Sans doute, je le répète, cet effort aurait-il acquis une valeur s'il s'était situé dans un ensemble européen et atlantique. Mais il est de fait que la politique gaulliste s'est employée, au contraire, à saper à la fois l'alliance avec l'Amérique et la construction de l'Europe.

★

A peine de Gaulle était-il revenu au pouvoir qu'il adressa au général Eisenhower, président des Etats-Unis, un mémorandum (24 septembre 1958) qui n'a pas été officiellement publié. Mais divers journalistes et écrivains (1) ont donné sur ce texte des précisions que Paris n'a jamais démenties; il n'est pas superflu de mentionner ici que les membres du gouvernement furent tenus dans l'ignorance de cette initiative du chef de l'Etat.

L'essentiel de ce mémorandum consistait, d'après les informations connues, à revendiquer que la direction de l'Alliance atlantique fût confiée à un directoire tripartite: Amérique, Angleterre, France. Cette organisation prendrait « des décisions conjointes » sur les sujets stratégiques d'importance majeure, notamment sur l'utilisation des armes atomiques.

« Décisions conjointes », qu'est-ce à dire? Dulles vint à Paris le 15 décembre pour amener de Gaulle à préciser sa pensée: s'agissait-il bien de l'unanimité requise pour la décision, en d'autres termes d'un droit de veto? Le Général ne laissa aucun doute sur ce point au secrétaire d'Etat: oui, c'était bien un droit de veto qu'il demandait pour la France. L'exigence était évidemment très lourde. Cependant Eisenhower ne ferma pas la porte. Il proposa à de Gaulle de mettre sur pied un Comité tripartite pour tenter de formuler une politique commune en Afrique. Force est de reconnaître que le chef de l'Etat français, loin de saisir cette occasion, ne lui donna aucune suite et se garda de désigner son représentant au Comité envisagé.

On est amené à se demander si le mémorandum de septembre 1958 était conçu comme une véritable amorce de négociation, en vue d'aboutir à des résultats positifs, ou si l'intention du général de Gaulle n'était pas plutôt de justifier par avance sa sortie de l'Organisation du Traité de l'Atlantique Nord, déjà décidée dans son esprit. Ce qui ferait pencher en faveur de la seconde hypothèse, c'est que deux autres correspon-

(1) Notamment David Schœnbrunn. *Les Trois Vies de Charles de Gaulle,* Paris, Julliard, 1965, p. 404 et suiv.

dances secrètes furent échangées entre de Gaulle et Eisenhower, en mars 1959 et en juin 1960: or, à la suite de la plus récente, Eisenhower proposait une réunion des trois gouvernements pour étudier les vues françaises sur la stratégie globale. Il demandait à de Gaulle de formuler des suggestions dans un texte à soumettre à Washington et à Londres. Non seulement de Gaulle ne rédigea pas ce document, mais, dans la conférence de presse qu'il tint le 5 septembre 1960, il opposa aux Etats-Unis deux exigences contradictoires entre elles: il réclamait d'un côté que « les puissances mondiales de l'Ouest », c'est-à-dire l'Amérique, l'Angleterre et la France, se missent d'accord pour régler leur politique et leur stratégie en Europe, en Afrique et au Moyen-Orient, et il rejetait d'autre part, catégoriquement, l'intégration des moyens de défense de ces mêmes nations: « La défense d'un pays... doit avoir le caractère national. »

D'ailleurs, dès le début de 1959, une série de décisions et de déclarations, constituant autant de faits accomplis, tendaient toutes dans la même direction: le « désengagement » de la France à l'égard de l'O.T.A.N. Alors même que l'échange de lettres et de propositions avec Washington commençait à peine, le chef de l'Etat fit connaître son intention (7 mars 1959) de retirer du commandement atlantique, en temps de guerre, une partie des forces navales françaises en Méditerranée. En juin 1959, il refuse de stocker en France les engins atomiques américains mis à la disposition du commandement atlantique. Il s'oppose également, prenant le contre-pied de l'attitude adoptée au même moment par l'Allemagne, la Hollande, l'Italie, etc., à partager les informations sur l'emploi des engins nucléaires sous contrôle américain.

A l'Ecole militaire, le 3 novembre 1959, il attaque de plein fouet l'Alliance atlantique: « Il faut que la défense de la France soit française... (La France doit se défendre) par elle-même, pour elle-même et à sa façon... Le système appelé intégration a vécu... (Il nous faut) une force capable d'agir pour notre compte. Il va de soi qu'à la base de cette force sera un armement atomique. »

Il semble difficile d'admettre que de Gaulle ait réellement voulu améliorer l'Alliance; tout se passe comme si son intention réelle avait bien été, d'emblée, de la briser pour en sortir. Cette conclusion s'impose encore davantage quand on rappelle que John F. Kennedy, étant venu à Paris en mai 1961, proposa au Général de créer un directoire militaire à trois, anglo-franco-américain, dont la première tâche aurait été d'élaborer des plans communs pour les deux « points chauds » de l'époque, Berlin et l'Indochine. Or, il est de fait que de Gaulle ne donna aucune suite à cette proposition, de même que, quelques mois plus tard, il n'envoya pas à Kennedy le mémorandum détaillé sur les revendications françaises que le président américain lui avait demandé.

Au demeurant, l'exigence d'un directoire à trois, formulée avec insistance à partir de 1958, s'estompe et disparaît... dès que Washington paraît disposé à l'admettre. Il n'en est plus question dans les allocutions et conférences de presse à partir de 1962. De Gaulle, au contraire, critique de plus en plus vivement l'Amérique, lui reproche de vouloir exercer son « hégémonie » sur l'Europe, jette le doute sur sa volonté d'opposer un barrage à l'expansion soviétique: « Personne en Amérique ne peut dire où, quand, comment, dans quelle mesure, les armements nucléaires américains seraient employés à la défense de l'Europe (1). » Ce thème sera repris avec continuité par la propagande officielle sous la direction du ministre de l'Information Peyrefitte, sans tenir compte de prises de

(1) Conférence de presse du 14 janvier 1963.

position aussi précises que celle de Kennedy déclarant par exemple: « Aucun gouvernement à Washington ne peut manquer de répondre à une telle menace, non par bonne volonté, mais par nécessité... Les Etats-Unis prendront des risques pour leurs villes pour défendre les vôtres parce que nous avons besoin de votre liberté pour défendre la nôtre... Des centaines de milliers de nos soldats servent avec les vôtres sur ce continent (le président Kennedy prononçait ce discours en Allemagne) apportant la preuve tangible de nos engagements. Ceux qui mettraient en doute ces engagements ou qui en nieraient le caractère indivisible... ne feraient qu'apporter aide et satisfaction aux hommes qui se posent vis-à-vis de nous en adversaires et qui appellent de leurs vœux le désordre dans le camp occidental. » Le chef de l'Etat fédéral américain précisait en outre que les forces classiques, américaines et européennes, stationnées en Europe étaient soutenues par « des milliers des armes les plus modernes, ici sur le sol européen, et par des milliers d'autres à quelques minutes de distance, mises en place autour du monde ».

Le « grand dessein » de Kennedy, qui impliquait l'association d'une Europe unie (comprenant l'Angleterre) avec les Etats-Unis, aurait dû être de nature à apaiser les appréhensions, réelles ou feintes, de ceux qui prétendaient redouter que l'Amérique ne vînt pas à la rescousse en cas d'agression. Dans ce cadre, la force atomique française aurait trouvé une justification et une utilité, et, en tout cas, la sécurité de l'Europe aurait été fondée sur une base solide. On doit bien reconnaître que c'est de Gaulle qui « torpilla » cette conception. Rejetant à la fois les accords de Nassau conclus entre l'Amérique et l'Angleterre, et la candidature de cette dernière au Marché commun européen, il s'engagea à partir du début de 1963 dans une voie qui éloigna de plus en plus la France des « Anglo-Saxons ».

Il n'est pas exagéré de dire que toute la politique étrangère de la France, dès lors, s'explique avant tout par une volonté constante de faire pièce à l'Amérique, de la contrecarrer sur tous les points, de l'écarter du continent ainsi que l'Angleterre soupçonnée de jouer le rôle de « cheval de Troie » des Etats-Unis. C'est le refus de la France à la signature du traité de Moscou, en juillet 1963, sur l'arrêt des expériences nucléaires; c'est l'« Europe européenne », qui s'entend surtout par opposition à l'orientation de l'Europe vers l'Atlantique et l'Amérique; c'est la reconnaissance de la Chine communiste en janvier 1964; c'est la condamnation de plus en plus violente de la guerre menée par les Etats-Unis au Viêt-nam contre Hô Chi Minh, dénoncée si catégoriquement naguère par de Gaulle lui-même; c'est enfin le retrait de la France de l'O.T.A.N. annoncé en février 1966.

Sans doute de Gaulle maintient-il que la France ne cesse pas d'appartenir à l'Alliance atlantique, mais ne s'agit-il pas là d'une fiction, puisque les conséquences pratiques qui découlaient de cette alliance dans le domaine stratégique — ces « compléments » que le Général réclamait à cor et à cri et estimait indispensables en 1949 — sont, elles, réduites à néant? Dans son message au président Johnson le 7 mars 1966, il affirmait que, « à moins d'événements qui... viendraient à changer les données fondamentales des rapports entre l'Est et l'Ouest, la France restait résolue à combattre aux côtés de ses alliés au cas où l'un d'entre eux serait l'objet d'une agression qui n'aurait pas été provoquée ». Mais en même temps il exigeait et obtenait, naturellement, le départ des forces américaines stationnées en France; il retirait les officiers français du Comité des chefs d'Etat-Major et des commandements communs; il reprenait la disposition des deux divisions françaises demeurées en Allemagne.

On arrivait ainsi à cette situation paradoxale que la

France, d'une part, pouvait se targuer d'une indépendance totale tout en continuant à devoir sa sécurité à la protection atomique américaine, et d'autre part qu'elle laissait l'Allemagne accéder au rang d'allié privilégié de l'Amérique sur le continent. L'amenuisement des forces armées « conventionnelles » de la France, dû à la priorité accordée à la force de frappe nucléaire, aboutit en effet à confier à l'armée allemande l'essentiel de la défense de l'Europe en cas de guerre classique, tandis que les Etats-Unis assument cette défense du point de vue de la stratégie atomique.

Le plus grave danger que recèle cette politique, c'est évidemment d'encourager aux Etats-Unis une renaissance de l'isolationnisme. En fait, c'est dans les milieux traditionnels de l'isolationnisme américain que de Gaulle recrute, aux Etats-Unis, ses admirateurs. Comment reprocher, le cas échéant, aux Américains d'avoir recours à une stratégie « périphérique » et d'abandonner l'Europe à une éventuelle occupation, si en même temps on refuse à l'O.T.A.N. la plate-forme stratégique indispensable de la France?

Cette œuvre de démolition de l'Alliance atlantique a été justifiée par un slogan: l'indépendance de la France, et par une menace: les Etats-Unis étant engagés dans des conflits, par exemple au Viêt-nam, notre pays pourrait être entraîné malgré lui dans une guerre: « Voici que des conflits où l'Amérique s'engage dans d'autres parties du monde (comme) aujourd'hui au Viêt-nam, risquent de prendre, en vertu de la fameuse escalade, une extension telle qu'il pourrait en sortir une conflagration générale. Dans ce cas l'Europe... serait automatiquement impliquée dans la lutte alors même qu'elle ne l'aurait pas voulu (1). » Or, on doit dire que cela n'est pas exact. Le Pacte de l'Atlantique est formel: un conflit en Asie n'entraîne pas les alliés

(1) Conférence de presse, 21 février 1966.

européens de l'Amérique. Même une attaque en Europe ou en Amérique n'implique pas assistance automatique, chaque allié demeurant juge des mesures qu'il estime devoir prendre. Evidemment, en cas de guerre entre l'U.R.S.S. et les Etats-Unis, le Pacte jouerait: imagine-t-on une Europe demeurant neutre, alors qu'elle serait l'enjeu du conflit? Qu'est-ce, d'ailleurs, qui pourrait déclencher un tel conflit, sinon précisément une invasion de l'Europe occidentale par les Soviets? La France pourrait-elle être neutre, sous la seule protection d'une armée conventionnelle squelettique et d'une force nucléaire tragiquement inférieure à celle de la Russie?

C'est pourtant bien vers une sorte de neutralisme que s'oriente la politique extérieure du néo-gaullisme, tout en se revêtant pour l'extérieur des oripeaux du chauvinisme — les prétentions françaises à l'égard du Québec en sont un exemple — et en faisant usage à l'intérieur d'une propagande anti-américaine incessante, notamment par les ondes de la radio et de la télévision.

Une telle politique ne peut évidemment que susciter une vive satisfaction à Moscou et chez les communistes français. On est loin du temps où de Gaulle stigmatisait à la fois l'impérialisme russe et la complicité des « séparatistes », lesquels lui répondaient par des flots d'injures. Le Parti communiste n'a cessé depuis plusieurs années de souligner avec éloge ce que M. Waldeck Rochet appelle les « aspects positifs » de la politique gaulliste. Aussi a-t-on vu à diverses reprises les communistes, au Parlement, voler au secours du gouvernement, et, dans le pays, contribuer par leurs votes au succès de certains référendums, notamment de celui qui a consacré la liquidation de l'Algérie. Aucun gouvernement, à l'exception d'un gouvernement à direction communiste, ne pourrait rendre autant de services au Kremlin en dissociant l'Alliance atlantique, en affaiblissant l'Occident, en suscitant la méfiance et même la haine contre l'Amérique.

La propagande du régime polémique contre l'opposition du centre ou de la gauche: il paraît, selon les folliculaires au service du pouvoir, qu'en s'élevant contre le démantèlement de nos alliances on se trouve automatiquement affilié au « parti américain ». Quant à moi, je crois avoir suffisamment montré mon indépendance envers l'Amérique comme envers tout pays étranger. J'affirme que, dans l'état actuel du monde, où l'Europe disloquée ne parvient pas à se reconstruire, face à une Russie plus que jamais renforcée sur le rideau de fer et établie en Méditerranée grâce aux folies du panarabisme et à la politique algérienne du général de Gaulle, notre sécurité repose sur l'Alliance atlantique. Démolir l'Alliance, c'est nous livrer désarmés aux ambitions conquérantes de l'Est.

Beaucoup de choses seraient changées s'il existait une Europe. Les gaullistes l'appelaient de leurs vœux: ils la voyaient dotée d'institutions confédérales procédant de délégations de souveraineté, et s'appuyant sur la volonté démocratiquement exprimée par le suffrage des peuples.

Mais il est de fait que le traité franco-allemand de janvier 1963 n'a pas été conçu comme la première pierre d'une telle Europe: son objet était avant tout de détourner l'Allemagne de son alliance indispensable avec les Anglo-Saxons. Depuis cinq ans, ce traité n'a été suivi, en dépit de majestueuses réunions périodiques, que d'effets insignifiants dans le domaine culturel et économique, nuls dans le domaine politique. Il a surtout servi à freiner l'entrée de l'Angleterre dans le Marché commun, comme on l'a vu encore à Bonn en septembre 1968. La politique européenne de la France se résume depuis dix ans en un combat retardateur, d'ailleurs couronné de succès, pour empêcher d'une part la Grande-Bretagne d'accéder à l'ensemble européen, et d'autre part pour bloquer toute disposition qui, au-dessus des Etats nationaux, établirait de véritables pouvoirs à l'échelle de notre partie du continent.

De Gaulle a opposé dans maintes déclarations, à l'Europe occidentale et atlantique, le slogan d'une « Europe de l'Atlantique à l'Oural », ensemble qui, le rideau de fer abattu, regrouperait les pays de l'Ouest et ceux de l'actuel bloc communiste autour de deux pôles, Paris et Moscou.

Il vaut la peine d'analyser ici, brièvement, cette idée (1). Elle suppose d'abord que, de la simple « coexistence pacifique » amorcée après la mort de Staline, on passe à une véritable détente. Les *trois conditions* « dont la France ne saurait accepter qu'elles soient violées en Europe », fixées par de Gaulle en 1947, devraient être réalisées, à savoir: indépendance des nations de l'Est; pas d'hégémonie russe; pas d'exportation du communisme par la force. Alors, sans doute, pourrait-on espérer que, l'étau soviétique se desserrant, les Etats tels que la Pologne, la Tchécoslovaquie, la Hongrie, la Roumanie, etc., pourraient se joindre à ceux de l'Ouest dans une organisation commune. S'est-on rapproché d'une telle situation? La crise tchèque de l'été 1968 répond — négativement — à cette question.

Il est malheureusement évident que la Russie soviétique, tout en voulant éviter un conflit majeur avec les Etats-Unis dont la force thermonucléaire, les missiles téléguidés, les sous-marins atomiques la « dissuadent » de tenter le tout pour le tout, n'a aucune intention de laisser se relâcher si peu que ce soit les chaînes qu'elle impose aux nations voisines. Elle veut

(1) On consultera à ce sujet avec fruit l'excellent petit livre de René Courtin, *L'Europe de l'Atlantique à l'Oural,* Paris, Esprit nouveau, 1963.

bien, certes, et c'est son intérêt, que le système atlantique se désagrège; elle applaudit, et c'est bien naturel, quand de Gaulle bloque l'organisation européenne et prend ses distances vis-à-vis de l'Amérique. Mais elle accueille avec froideur les efforts qu'il tente pour exhorter certains pays de l'Est à dériver quelque peu hors de l'orbite soviétique: Gomulka, à Varsovie le 11 septembre 1967, a été net dans sa réponse au chef de l'Etat français. Alexis Kossyguine, à la fin de son voyage officiel en France en décembre 1966, avait fait à la radio-télévision une déclaration qui, venant immédiatement après ses entretiens avec de Gaulle, avait la valeur d'un avertissement, pour ne pas dire d'une rebuffade: « Il ne peut y avoir de paix solide en Europe, disait-il en effet, si l'on fonde sa politique sur l'illusion de pouvoir reviser les conditions existant en Europe. » C'est bien clair.

Les Soviets trouvent excellent — qui ne les comprendrait? — tout ce qui affaiblit leur rival américain, mais c'est avec lui qu'ils traitent, car ils savent reconnaître la puissance où elle est. Couve de Murville a dû avouer devant la Commission des Affaires étrangères de l'Assemblée nationale, le 14 février 1963, que l'U.R.S.S. « ne cherche pas un accord avec l'Europe des Six et n'est pas disposée à avoir d'autres interlocuteurs que les Etats-Unis ».

Il est donc tout à fait utopique, aujourd'hui comme hier et sans doute pour longtemps, d'imaginer que l'U.R.S.S. se prête à résoudre les problèmes de l'Europe avec la France, ou avec une Europe à direction gaulliste, en laissant se dissocier le bloc sur lequel elle exerce son hégémonie.

« L'Europe de l'Atlantique à l'Oural », en deuxième lieu, suppose que l'Oural soit à l'Est une frontière, comme les côtes de la France, de la Belgique et des Pays-Bas en sont une à l'Ouest. Cela voudrait dire que la Russie aurait abandonné ses possessions d'Asie centrale et de Sibérie, hier colonies tsaristes, aujourd'hui républiques ou territoires autonomes incorporés à l'Union soviétique. Comment concevoir ce retrait de la Russie? Serait-ce comme suite à l'avance de la Chine, qui s'emparerait de ces pays asiatiques? Dans sa conférence de presse du 10 novembre 1959, de Gaulle déclarait: « La Russie soviétique, bien qu'ayant aidé le communisme à s'installer en Chine, constate que rien ne peut faire qu'elle-même ne soit la Russie, nation *blanche* de l'Europe, *conquérante d'une partie de l'Asie,* et en somme fort bien dotée en terres, mines, usines et richesses en face de la multitude *jaune* qu'est la Chine, innombrable et misérable, indestructible et ambitieuse, bâtissant à force d'épreuves une puissance qu'on ne peut mesurer et regardant autour d'elle les étendues *sur lesquelles il lui faudra se répandre un jour.* » La période est belle; la pensée, inspirée pour une part de Gobineau, semble impliquer que la Chine pourrait bien quelque jour « décoloniser » l'Asie russe. Cette éventualité n'est peut-être pas à exclure, tout est possible. Elle ne pourrait sans doute pas se réaliser sans un conflit gigantesque. Faut-il suspendre nos espoirs et notre politique à une hypothèse aussi aléatoire et aussi lourde de dangers apocalyptiques?

Il est en tout cas fort douteux que les dirigeants soviétiques soient très accessibles à l'argument racial et qu'ils se sentent « blancs » en face des « jaunes ». La Russie, on l'a bien souvent dit, est à la fois européenne et non européenne, et on ne voit pas de raison pour que ce fait géographique et historique change dans un avenir discernable. La Russie est ce qu'elle est, jusqu'à Vladivostok. Tabler sur la scission de son territoire européen est pour le moins hasardeux.

Quant à l'équilibre qui pourrait s'établir entre une France et une Russie toutes deux dotées d'armes atomiques, dans une Europe que la force américaine aurait abandonnée, comment ne pas en faire ressortir le caractère illusoire? Même au prix des efforts les plus coûteux et les plus épuisants, la force de frappe française ne sera jamais en mesure d'équilibrer la puissance atomique russe. L'Europe dépourvue de la protection américaine serait, il faut l'avouer, ouverte à l'ambition de l'impérialisme soviétique. L'Europe de l'Atlantique à l'Oural? Ne serait-ce pas plutôt les Soviets jusqu'à l'Atlantique?

Il est déraisonnable de sacrifier l'Europe des Six, son élargissement à une communauté plus vaste avec l'Angleterre, et l'alliance nécessaire qui garantit notre sécurité, à une formule chimérique dans le meilleur des cas, et peut-être mortellement dangereuse.

Et ce sacrifice est consenti sans contrepartie. De Gaulle, pour ainsi dire, paie d'avance. Comment le Kremlin ne saluerait-il pas avec satisfaction ce qu'il trouve « positif » (c'est-à-dire, pour nous, négatif) dans la politique gaullienne, puisqu'il en obtient de précieux avantages sans rien concéder en échange? A Paris, chimères, nuées, vastes visions; à Moscou, froide appréciation des rapports de forces. On disloque le Pacte atlantique: mais le pacte de Varsovie demeure intact, ou même se renforce, pour maintenir ligotés dans l'orthodoxie les peuples récalcitrants. Qui gagne à ce jeu, sinon la Russie?

La coexistence pacifique, reposant sur l'équilibre de la terreur atomique entre les deux super-Etats, demeure ce qu'on peut espérer de mieux dans le monde d'aujourd'hui. La détente, elle, n'est pas pour demain: le deuxième coup de Prague vient de le rappeler à ceux qui auraient voulu l'oublier. Edifier, à l'abri de cette situation de précaire sécurité, une Europe capable d'être autre chose qu'un appendice de l'Amérique, et de devenir un partenaire des Etats-Unis, c'est la tâche qui s'impose à nos pays d'Occident, et bien entendu à la France. Tout le reste est littérature, temps perdu, danger accru.

Il n'est pas inutile en tout cas de faire observer que la politique étrangère du néo-gaullisme, tissée de neutralisme et de chauvinisme, est sur beaucoup de points à l'opposé de celle que de Gaulle et ses compagnons ont proposée au pays pendant les années de la « traversée du désert ». Elle fait objectivement le jeu des Soviets, non point, naturellement, comme conséquence d'une quelconque inclination idéologique, mais par suite d'une opposition systématique aux Etats-Unis même dans ce que leur contribution à l'équilibre mondial a de précieux et d'irremplaçable. Elle dresse obstacle sur obstacle sur la voie de cette Europe unie que les congrès gaullistes avaient acclamée. Au prix d'un abandon déshonorant, elle recherche le soutien d'un « tiers monde » inconsistant et, dans cette vaine poursuite, est conduite à s'aligner sur le bloc communiste dans les affaires du Moyen-Orient.

Ce qui, en dernière analyse, frappe surtout dans cette politique, c'est son caractère négatif.

Combien de fois, et avec quelle vigueur, de Gaulle n'avait-il pas accusé les dirigeants de la IVe République de « brûler les cartes de la France »? Or, c'est précisément le reproche qu'on est en droit de lui adresser aujourd'hui.

Les cartes de la France, dans le jeu que le 13 mai 1958 a placé entre ses mains, c'était d'abord l'Afrique française et les pays d'outre-mer, dont lui-même avait si souvent proclamé l'importance primordiale: il n'a fallu que quatre ans pour déchirer cette carte et la jeter au rebut.

C'était, ensuite, la construction européenne que le régime précédent avait eu le mérite d'amorcer, non certes sans erreurs, mais qu'il appartenait au gaullisme de reprendre en sous-œuvre et de parachever conformément à ses propres conceptions. Cet objectif a été abandonné pour une politique de grandioses faux-semblants: traité franco-allemand réduit à un simulacre; slogan sans consistance opposant une Europe irréelle et hypothétique à celle qu'il faudrait et qu'on pourrait bâtir; illusoire détente que balaie un coup de patte de l'ours soviétique.

C'était, aussi, l'Alliance atlantique, qu'il eût été nécessaire d'aménager et non de briser. Indépendance, même à l'égard de nos alliés? Certes, oui! Mais croit-on l'assurer, cette indépendance, par les refus réitérés à l'adresse de la Grande-Bretagne, les rebuffades aux Etats-Unis, l'intervention brouillonne au Canada, tandis qu'on réserve à la Russie et aux dictateurs arabes une inépuisable complaisance? Et quant à notre sécurité, est-il raisonnable de la fonder uniquement sur une force nucléaire déjà périmée au moment même de sa naissance, après avoir démantelé par la délation, les destitutions, la répression, une armée qui était la seule en Europe à avoir compris ce qu'est une guerre subversive?

A une époque où seuls comptent les vastes ensembles, riches d'espace et fortement peuplés, dans un monde que dominent des Etats-continents, quel paradoxe de vouloir fonder une politique de grandeur sur une France réduite à son petit hexagone, dépouillée de ses prolongements africains! Quelle illusion de prendre le Tiers Monde, poussière de faiblesses, pour un réservoir de forces! Tourner le dos à l'Occident et à l'Atlantique, quelle imprudence!

Il n'est pas vrai que cette politique ait aidé à la détente et, par là, ait servi la cause de la paix. Affaiblir l'Europe, distendre les alliances à l'Ouest, favoriser au Moyen-Orient le bellicisme panarabe, c'est, bien au contraire, encourager l'agression. On est en droit de se demander si l'Union soviétique aurait porté atteinte, aussi brutalement qu'elle l'a fait, à l'indépendance tchèque, si elle n'avait pas vu de l'autre côté du rideau de fer un Occident débilité et divisé. Il n'est pas sûr que Nasser aurait osé allumer l'incendie au Levant s'il n'avait pas su (1) que la France abandonnait son attitude traditionnelle d'amitié envers Israël. Loin de limiter l'instabilité du monde, la politique française, autant que cela dépend d'elle, contribue nettement à l'aggraver.

De même que le général de Gaulle, en voulant à juste titre porter remède aux abus du parlementarisme dévoyé de la IVe République, s'est jeté à l'extrême opposé et a substitué à l'omnipotence d'une Assemblée celle d'un homme, de même, dans le domaine de l'action extérieure, il a remplacé une diplomatie trop complaisante aux suggestions et aux bons offices d'autrui par un nationalisme désuet qui nous réduit à l'isolement. Entièrement pensée, voulue, dirigée par le chef de l'Etat seul, sans que le gouvernement s'acquitte de sa mission constitutionnelle, sans que le Parlement exerce son contrôle, cette politique a collectionné les échecs. L'entente franco-allemande n'est qu'une façade. Il a fallu mettre fin à la petite guerre de l'or contre le dollar. La reconnaissance de la Chine n'a abouti à aucun résultat tangible. Le rapprochement avec l'Est s'est heurté aux dures réalités de l'été 1968. Sans doute le colonel Boumediène et Gamal Abdel Nasser daignent-ils, de temps à autre, décerner un satisfecit au président de la République française. Cela suffit-il? Assurément, les Soviets veulent bien saluer quelquefois la clairvoyance d'un chef d'Etat dont la politique convient à leurs desseins. Cela compense-t-il le malaise et l'inquiétude que ses agissements suscitent à Londres, à Bonn, à Bruxelles, à La Haye, à Rome, à Washington, à Ottawa?

Après dix ans de règne, la France se trouve engagée dans une voie sans issue; après dix ans de pouvoir absolu, le régime ne débouche que sur le néant.

(1) Notamment par la visite que lui rendit M. Hervé Alphand en mai 1967.

5

BILANS

La IVe République, on l'a noté, avait fait de la bonne économie avec de mauvaises finances. A partir du plan Marshall, la production française était en expansion, le niveau de vie des Français s'élevait constamment, mais en même temps la monnaie se dévaluait, les prix montaient plus vite que les salaires et le poids de l'impôt devenait écrasant.

La gaullisme des années 1947-1958 se fixait pour but d'améliorer l'économie mais surtout de redresser les finances.

« D'abord, il faut que nous établissions l'équilibre budgétaire de la France. Cela sera — je suis le premier à le dire et à le mesurer — extrêmement dur. Cela sacrifiera beaucoup d'intérêts très respectables. Mais c'est la condition *sine qua non* de toute espèce de stabilisation, et, en particulier, de toute espèce d'espoir de stabilisation de la monnaie. Cela impliquera la compression d'un tiers de nos dépenses publiques (1). »

Cette exigence: réduction massive des dépenses de l'Etat, est demeurée, pendant toute la phase parlemen-

(1) De Gaulle. Conférence de presse du 12 novembre 1947.

taire du gaullisme, un des thèmes fondamentaux de sa propagande.

Dans un communiqué du 1er décembre 1949, le Conseil de Direction du R.P.F. dénonce les nouveaux impôts prévus pour 1950, constate que « les dépenses de l'Etat, loin d'être comprimées, sont en augmentation avouée de plus de 300 milliards », déplore « le poids écrasant des dépenses publiques » et « l'exagération de la fiscalité... désordonnée et abusive ».

L'impôt, selon la doctrine maintes fois exposée par le R.P.F. (par exemple lors du Conseil national de Vincennes en février 1952), doit alimenter le budget ordinaire, c'est-à-dire couvrir les dépenses normales de fonctionnement des services, dépenses qui, d'ailleurs, doivent être rigoureusement comprimées. Quant au budget extraordinaire, comprenant notamment les dépenses d'investissement pour la modernisation et l'équipement du pays, il doit être couvert par l'emprunt, ce qui implique la confiance des épargnants dans l'Etat.

D'innombrables études et travaux ont été consacrés par les organes compétents du Rassemblement aux problèmes financiers et à la réforme fiscale. L'esprit en est assez bien indiqué par une motion du Conseil national votée à Vincennes: « Le fisc est devenu le principal associé de toutes les entreprises et de tous les patrimoines... il exige de telles formalités des contribuables que ceux-ci sont devenus des fonctionnaires, calculateurs et collecteurs d'impôts, écrasés par des tâches qui devraient incomber aux services de l'Etat... Dans ces conditions, il n'est pas surprenant que la fraude se soit développée au maximum et que, par voie de conséquence, les charges de l'Etat retombent constamment sur les mêmes catégories de contribuables, taillables et corvéables à merci... La mauvaise répartition de l'impôt aggrave les inégalités sociales. » En conséquence, le R.P.F. exigeait « la suppression de tous les impôts directs qui briment la productivité et

374

l'esprit d'entreprise; la suppression de l'impôt sur les successions entre époux et en ligne directe; la suppression des impôts à cascade dont l'application est génératrice de l'augmentation des prix à la consommation; la suppression de tous impôts dont le rendement ne justifie pas le maintien », et proposait un nouveau système fiscal « reposant essentiellement sur: *a)* un impôt sur les entreprises de toutes natures et prenant le caractère d'une contribution forfaitaire généralisée; *b)* la taxation à l'origine et à un seul stade des sources d'énergie et d'un certain nombre de matières premières essentielles, avec des allocations compensatrices pour les charges familiales ». On reconnaît dans ce dernier paragraphe l'influence des idées de Schœller relatives à « l'impôt sur l'énergie », idées en faveur desquelles cet esprit original avait réussi, par une ardente campagne, à mobiliser un nombre important de parlementaires de divers partis.

Ainsi donc, alléger le fardeau des dépenses publiques et par conséquent celui de l'impôt, tel était un des deux piliers de la politique économique et financière du gaullisme; l'autre, c'était l'augmentation de la productivité et du rendement. « La puissance de la nation et le sort de chacun des Français dépendent, désormais, de notre productivité... Puisque le salut n'est pour nous ni dans des conquêtes à faire, ni dans des trésors à découvrir, ni dans des cadeaux à recevoir, cherchons-le dans le rendement (1) » Comment accroître le rendement? « Un des objectifs du Rassemblement du Peuple Français, c'est de faire en sorte que ce rendement devienne une affaire nationale, en bâtissant un régime social nouveau... le régime de l'Association (2). »

L'Association, souvent désignée assez inexactement comme « Association Capital-Travail » (car les cadres

(1) Discours prononcé à Saint-Etienne le 4 janvier 1948.
(2) Conférence de presse du 12 novembre 1947.

y ont aussi leur place), a toujours été présentée, en effet, comme apportant une solution à la fois au problème économique de la productivité et au problème social des rapports entre les classes. Sous ce deuxième aspect, elle doit conduire à l'abolition du salariat, système qui est commun au capitalisme occidental et au prétendu « socialisme » soviétique, en fait capitalisme d'Etat.

La doctrine gaulliste renvoie dos à dos le capitalisme libéral et le capitalisme autoritaire. Elle entend substituer au salariat « l'association digne et féconde de ceux qui mettent à l'intérieur d'une même entreprise soit leur travail, soit leur technique, soit leurs biens, et qui devraient s'en partager, à visage découvert et en honnêtes actionnaires, les bénéfices et les risques (1) ».

Dans une circulaire du secrétariat général du R.P.F., intitulée *Le Rassemblement du Peuple Français et la classe ouvrière,* datée du 5 mai 1947, on peut relever des passages comme ceux-ci: « L'association au niveau de l'entreprise: c'est une idée spécifiquement française, héritée du socialisme démocratique français qui, de Proud'hon à Jaurès, a animé la classe ouvrière de notre pays avant l'invasion du marxisme à la russe. « Plus de salariés, des associés », telle est la formule que lança Louis Blanc en 1848. Le but de cette association n'est pas d'améliorer la condition des salariés par un paternalisme à la Pétain, mais de supprimer la condition de salarié. »

Le même document ajoute qu'à la base de cette conception on trouve « l'idée de la démocratie syndicale ». Le R.P.F. revendique la liberté des élections syndicales, sur le lieu du travail, à bulletin secret, et la liberté de candidature à tous les échelons. Il insiste sur le fait que l'association préconisée par le mouvement est « celle du capital, des techniciens et du tra-

(1) Discours prononcé à Strasbourg, 7 avril 1947.

vail » : Karl Marx n'avait pas tenu compte, dans son schéma de la société industrielle, de la catégorie des techniciens, peu développée à l'époque où il écrivait. « Les soi-disant théoriciens communistes, ironisait la circulaire mentionnée, plongés dans leur Bible, oublient tout simplement qu'elle est vieille de cent ans... le technicien n'est pas un capitaliste, il n'est pas non plus un ouvrier. Sa place dans l'entreprise est cruciale. »

Assurément, l'idée de l'association n'était pas nouvelle. Les porte-parole du R.P.F. se réclamaient volontiers du socialisme français du XIXᵉ siècle et de la pensée catholique sociale (1); on a pu évoquer aussi à cet égard le projet élaboré à Vichy en vue « de rendre employés et salariés solidaires dans les entreprises et de mettre fin à l'antagonisme des classes (2) »; on a rappelé (3) qu'une « loi Chéron » qui établissait la participation des ouvriers aux bénéfices, à l'actif social et même à la gestion des entreprises, votée en avril 1917, demeura lettre morte; on a même, dans une intention évidemment hostile, agité à ce propos l'épouvantail du corporatisme italien ou portugais. Toute polémique mise à part, la conception associationniste relève sans aucun doute d'un courant de pensée sociale qui, bien que submergé par le marxisme, n'en a pas moins subsisté sous des formes diverses et semble offrir des possibilités qu'on n'a pas encore complètement explorées.

Dans un rapport présenté d'abord au Conseil national à Saint-Maur en décembre 1948, puis aux Assises nationales de Lille en février 1949, Raymond Aron,

(1) *Socialistes français du siècle dernier: Fourier, Cabet, Considérant, Pecqueur, Saint-Simon; catholiques sociaux: Lacordaire, La Tour du Pin; encycliques papales:* Rerum Novarum, Quadragesimo Anno. Fiche d'information nᵒ 17 éditée par le Secrétariat général du R.P.F.

(2) Cf. J.-R. Tournoux. *Pétain et de Gaulle*, p. 475.

(3) Article de Mᵉ Jean Talandier dans *Le Monde*, 14 juillet 1968.

alors conseiller national du R.P.F., écrivait notamment:

« Le principe de l'Association répond à la volonté d'associer le travailleur au grand effort de reconstruction, afin de transformer le climat moral des entreprises, et du même coup, du pays tout entier.

« Trop souvent aujourd'hui, les ouvriers ont l'impression d'être victimes d'une injustice permanente. Beaucoup se révoltent contre le fait même du salariat qui, à leurs yeux, réserve aux entrepreneurs tous les bénéfices de l'œuvre collective et les réduit à une insécurité sans espoir.

« L'expérience prouve que la nationalisation des entreprises, même quand elle est généralisée comme en Russie soviétique, ne réussit pas à mettre fin à l'exploitation ouvrière. Bien au contraire, la concentration, au profit de l'Etat, de la direction économique alourdit encore le poids de la discipline sociale et permet aux gérants, devenus des bureaucrates, d'abaisser le niveau de vie des masses et de dégrader la condition ouvrière.

« ... L'accroissement de la production et de la productivité demeure, à long terme, la seule chance d'un relèvement du niveau d'existence de tous.

« Mais comment obtenir cet accroissement sans la participation du travail, sans le renouvellement de l'atmosphère de la communauté ?

« ... En ces matières, plus qu'en tout autre, il faut se garder du double péril des illusions démagogiques et de la prudence conservatrice.

« ... Il n'y a rien de commun entre le principe du corporatisme et celui de l'association.

« Le corporatisme fasciste crée des syndicats uniques et obligatoires, institutions de droit public. Il prétend, plus en théorie qu'en réalité, confier le soin de gérer les branches de l'économie à des corporations, constituées par des représentants des syndicats patronaux ou ouvriers. Rien de pareil dans nos projets.

« Les syndicats doivent être professionnels et libres

dans l'esprit même de la loi de 1884, encore que leur activité soit susceptible de se transformer et de s'élargir au fur et à mesure que l'Association entrera dans les mœurs.

« ... On a prononcé aussi le terme de cogestion et de violentes controverses se sont développées autour de ce mot. Sans entrer dans les controverses, disons qu'il ne saurait être question de substituer des responsabilités collectives aux responsabilités individuelles, de remplacer les gérants par des commissions. C'est une des erreurs les plus funestes de certains idéologues de définir les démocraties par la méfiance des hommes et le culte des comités.

« On délibère en commun, mais il faut bien que les individus agissent. Dans l'économie comme dans la politique, les contrôles ne doivent pas paralyser les initiatives. Notre but n'est pas de désagréger l'autorité nécessaire des chefs d'entreprise, mais de la renforcer en la faisant mieux accepter.

« Pas davantage, il ne saurait être question de faire élire ou révoquer les dirigeants par les employés.

« ... On ne concevrait pas d'ailleurs que le lien entre les propriétaires et les gérants de l'entreprise fût rompu.

« ... Aussi longtemps qu'on fait appel aux capitaux privés, le rattachement de la gérance au capital subsistera sous une forme ou sous une autre.

« Ecarter ces idées fausses, ce n'est pas rétrécir la portée des réformes, c'est en délimiter le champ d'application.

« Les réformes peuvent, me semble-t-il, s'engager dans trois directions.

« ... 1° Recherche de modes de rémunération du travail à la fois équitables et économiquement efficaces.

« Il est essentiel que les travailleurs reçoivent un salaire proportionnel à leurs efforts et à leur rendement et qu'en cas d'accroissement de productivité globale de l'entreprise, ils en tirent un avantage perceptible.

379

« ... 2° Accession à la propriété et participation aux bénéfices.

« Nous avons rapproché ces deux notions afin de réduire l'objection couramment élevée contre la participation aux bénéfices: dans la période actuelle où la nation doit s'imposer un effort d'investissement, la distribution des bénéfices irait contre les nécessités économiques puisqu'elle empêcherait l'autofinancement qui demeure une des dernières ressources de l'économie, aussi longtemps que l'appel aux capitaux extérieurs se heurte à des obstacles presque insurmontables.

« La part de bénéfices qui reviendra aux travailleurs pourrait aussi rester dans l'entreprise sous forme de parts bénéficiaires, propriété individuelle de l'ouvrier.

« ... 3° Structure de l'entreprise et Conseil des Sociétaires.

« On a envisagé de réformer la structure des entreprises et de créer à côté du Conseil d'Administration représentant le capital, un Conseil de Sociétaires représentant le travail.

« ... Peut-être parviendrons-nous à surmonter les difficultés en distinguant la réalisation progressive et le but dernier. Le but est celui même qui a été défini dans le discours du Vélodrome d'Hiver, qu'entre les différents participants de la communauté soient conclus de véritables contrats d'un type nouveau disant les droits et les devoirs de chacun.

« Le Conseil des Sociétaires aurait pouvoir de vérifier régulièrement l'application du contrat et en cas de discorde de faire appel à un arbitrage. »

On voit par ces citations que les promoteurs de l'Association ne se dissimulaient nullement des difficultés théoriques et pratiques que soulevait l'application de ce principe: question de l'autorité au sein de l'entreprise, rôle des syndicats, modalités de la participation aux bénéfices et à la propriété, représentation des salariés, etc. Pour essayer de leur apporter une solution, les conseils nationaux et les congrès du Rassemblement n'ont cessé de reprendre l'étude du problème sous tous ses aspects. Ils furent amenés à insister sur le caractère contractuel de l'Association au sein de chaque entreprise, à suggérer que des avantages fiscaux fussent consentis aux entreprises qui appliqueraient de tels contrats, à établir des contrats-types. C'est d'abord, pensait-on, dans les entreprises nationalisées que cette réforme devrait trouver son champ d'application. « Il va de soi, déclara de Gaulle le 23 juin 1950 devant les Assises nationales du R.P.F., que nous entendons appliquer l'Association aux entreprises nationalisées et dans une large mesure aux services publics... Mais c'est l'Association réelle et contractuelle que nous voulons établir et non pas ces succédanés: primes à la productivité, actionnariat ouvrier, intéressement aux bénéfices, par quoi certains, qui se croient habiles, essaient de la détourner. »

Un avant-projet de loi-cadre fut discuté et remis vingt fois sur le métier en 1950. Les traits essentiels de cet avant-projet étaient au nombre de trois:

« 1. L'intéressement direct et contractuel à la productivité, à la production et aux économies de chacune des personnes qui participent au contrat.

« 2. La participation contractuelle de chacune de ces personnes aux bénéfices de l'exploitation.

« 3. L'établissement d'un conseil d'exploitation... (de façon que) chacun des contractants puisse directement ou par des représentants choisis par lui suivre la marche de l'exploitation et ses résultats (1). »

Le texte prévoyait que chacune des catégories intéressées (ingénieurs et cadres supérieurs, agents de maîtrise, employés, ouvriers) devrait approuver à la majo-

(1) *Rapport présenté à la 4ᵉ Section par une Commission d'études du Conseil national*, Assises nationales de Paris, 23-25 juin 1950.

rité le contrat d'association. Il définissait ce qu'il fallait entendre par « résultats de l'exploitation ». Il réservait au chef d'entreprise « ou à l'organe qualifié aux termes de la législation sur les sociétés » la décision finale sur l'utilisation des bénéfices et notamment sur leur affectation totale ou partielle aux investissements.

Un mois à peine après l'élection d'un nombreux groupe gaulliste au Parlement, Louis Vallon et moi-même déposâmes au nom de ce groupe, sur le bureau de l'Assemblée, une proposition de loi (n° 135) conforme aux dispositions arrêtées par nos conseils et congrès. Elle ne vint jamais en discussion en raison de la double hostilité de la gauche et de la droite, des syndicats ouvriers et du patronat. Elle portait atteinte, selon les uns, aux droits sacrés des organisations syndicales; selon les autres, aux droits non moins sacrés des chefs d'entreprise. Elle dérangeait surtout des habitudes.

Le général de Gaulle et les gaullistes étant arrivés au pouvoir après le 13 mai 1958, on aurait pu imaginer que le nouveau régime se mettrait à l'œuvre pour accomplir ce qu'une motion de notre Congrès de Paris avait appelé « son premier devoir », l'Association. De même pouvait-on s'attendre à ce qu'il se conformât aux principes maintes fois affirmés quant à la compression des dépenses publiques, à l'équilibre budgétaire et à la réforme fiscale.

En fait, le seul point sur lequel le néo-gaullisme ait réussi, pour un temps, à faire passer dans la réalité les idées exposées pendant douze ans, ce fut l'équilibre du budget. Il faut reconnaître à Antoine Pinay l'incontestable mérite d'avoir conduit en 1958-1959 la délicate opération monétaire qui, donnant au franc une assise solide et rétablissant la confiance dans la monnaie, donna à notre économie un nouveau départ. Mais la « marge » de 17,5 % acquise grâce à la « dévaluation Pinay » a été depuis longtemps annulée.

Les dépenses de l'Etat n'ont cessé de s'alourdir chaque année: de 10,68 % en 1963, de 11,08 % en 1967, de 18,4 % entre 1968 et 1969, et le pourcentage de ces dépenses par rapport au produit national a atteint 25 % en 1968; il sera de 26,35 % en 1969. En dix ans, les dépenses des pouvoirs publics ont augmenté de 140 %. Le budget de 1969, malgré d'écrasantes majorations d'impôts, avoue un déficit de 1 200 milliards d'anciens francs. Il s'élève à 15 000 milliards d'anciens francs, alors que celui de 1958 n'atteignait que 5 295 milliards avec un déficit de 600 milliards. Le prélèvement de l'Etat sur la vie économique du pays a donc triplé en dix ans.

Le fait le plus inquiétant que font ressortir les chiffres publiés, c'est que l'impôt augmente plus vite que le revenu national, le prélèvement plus vite que les ressources. C'est donc la substance même du pays que dévore l'Etat.

Les sommes énormes ainsi dépensées par les pouvoirs publics sont-elles utilisées à des investissements productifs ayant pour but et pour effet d'accélérer l'équipement du pays, de mettre notre industrie en mesure de lutter avec la concurrence internationale au sein du Marché commun, de résoudre les problèmes pressants du logement, des communications, de la santé? Si tel était le cas, peu importerait que le Français détînt la palme du contribuable le plus imposé d'Europe. Il n'en est malheureusement rien. Pour ne citer qu'un exemple, tiré du dernier rapport de la Commission économique des Nations Unies pour l'Europe, notre pays n'a augmenté son « parc » de logements, en cinq ans, que de 5 logements pour 1 000 habitants, alors que la République fédérale allemande en avait construit 29. La France se classe huitième en Europe pour ce qui concerne le rythme de la construction: 8,4 logements pour 1 000 habitants (Suède: 12,4). A quoi bon insister sur une situation désastreuse connue de tous, de même que dans le domaine des téléphones, où la France arrive loin derrière les pays industriels d'Occident, ou dans celui des autoroutes, où l'Italie, l'Allemagne, même la Belgique et la Hollande nous surclassent de loin? Faut-il revenir sur l'insuffisance des équipements hospitaliers, la vétusté et l'encombrement des hôpitaux? Est-il nécessaire de redire après tant d'autres que les laboratoires et les amphithéâtres de nos Universités, ridiculement exigus, offrent aux étudiants et aux chercheurs des conditions de travail inadmissibles?

« Gouverner, c'est prévoir » : or, il suffisait de lire une statistique des naissances pour savoir qu'une vague démographique allait déferler sur les lycées et submerger les Facultés. Dès 1964, les organes de presse les moins « subversifs (1) » lançaient des cris d'alarme devant la pitoyable inadéquation de nos Universités face aux effectifs toujours croissants des étudiants. On a laissé pourrir la situation jusqu'à la crise, jusqu'aux émeutes de mai 1968.

Pour résumer en peu de mots les causes d'une telle situation, on peut dire que l'Etat non seulement dépense trop, mais qu'il dépense mal. Toute politique consiste en un choix. Le pouvoir a choisi: il a donné la priorité aux dépenses de prestige, improductives et ruineuses, contre les dépenses à objectif économique et social. Il a choisi la bombe « A » et la bombe « H » aux dépens du logement, la force de frappe contre les laboratoires et les écoles, les installations de Mururoa contre celles de nos Universités, les subventions gaspillées par Boumediène contre la construction de routes modernes. Même le pays le plus riche du monde ne peut pas tout faire à la fois: l'Amérique s'en est bien aperçue. Et la France n'est pas le pays le plus riche du monde.

Une très lourde responsabilité pèse sur les épaules des parlementaires qui, chaque année, entérinent sans

(1) Cf. par exemple *Le Figaro*, 19 février 1964.

contrôle des dépenses militaires et des dilapidations extérieures qui freinent dangereusement l'effort de modernisation et de progrès social. Il est inadmissible, dans un Etat bien ordonné, que le Parlement, dont la première fonction est d'autoriser les dépenses et de voter l'impôt, tolère qu'on lui présente le budget sous une forme telle, et tellement artificieuse, que personne ne puisse y déceler le montant exact de ces dépenses improductives. On sait qu'elles sont volontairement disséminées et camouflées, non seulement dans les chapitres budgétaires relatifs à la Défense nationale, mais dans ceux qui relèvent des Travaux publics, des Territoires et Départements d'Outre-Mer, etc. On en est réduit à glaner dans des rapports spécialisés des chiffres nécessairement incomplets mais qui donnent une idée du gouffre où s'engloutissent les ressources de la nation. C'est ainsi par exemple que les rapports pour 1967 des instituts d'émission pour les Départements et les Territoires d'Outre-Mer font apparaître qu'en quatre ans, de 1963 à 1967, la métropole a dépensé en Polynésie et en Guyane, pour les installations de la force de frappe et les recherches sur les fusées, au moins 3 800 millions de nouveaux francs pris dans les budgets civils.

Comment ne pas relever, d'autre part, les erreurs d'appréciation et les dépassements énormes de dépenses, dans le domaine de la force de frappe, que le Parlement laisse passer sans sourciller? La loi-programme de 1964 prévoyait 237 millions pour les sous-marins atomiques: on en est à 734 millions en 1968, soit un écart en plus de 300 %. Les dépassements de crédits observés dans le budget de 1968 par rapport à cette même loi de 1964 sont de 65 % pour le matériel aéronautique, de 52 % pour les engins vecteurs (1). Une Assemblée

(1) Rapport de M. Rivain, Assemblée nationale, no 455, 10 octobre 1967.

élue est gravement coupable quand elle se rend complice de telles dilapidations des deniers publics.

Tandis que le secteur atomique et spatial à destination militaire s'hypertrophie et se gonfle de crédits illimités, le reste de l'économie s'étiole. Le nombre des chômeurs atteint au moins 600 000, mais en outre combien de jeunes gens et de jeunes filles en quête d'un premier emploi?

Il a fallu la rude secousse de mai et juin 1968 pour qu'on s'aperçoive en haut lieu que 4 millions de salariés recevaient un salaire mensuel inférieur à 600 francs. Parmi les familles de salariés, près de la moitié (45 %) disposent d'un revenu mensuel inférieur à 1 350 francs pour quatre personnes, alors que le minimum indispensable à une telle famille est évalué à 1 450 francs par l'Union des Associations familiales. En fin de compte, ce sont les petits salariés et leurs familles qui paient le train de vie abusif de l'Etat, les folles dépenses de l'armement nucléaire et les largesses prodiguées à une clientèle aussi avide qu'ingrate. Ce sont eux qui font les frais d'une « politique de grandeur » attachée aux apparences et aux oripeaux de la puissance plutôt qu'aux réalités — dont la première est le devoir de l'Etat d'assurer la prospérité et la justice sociale.

Au total, après un bon départ marqué par le redressement financier, la Ve République n'a pas fait mieux que la IVe dans le domaine de l'économie. Elle n'a résolu aucun des problèmes, tels que le logement, dont le régime précédent n'avait pu trouver la solution. Ce qui est plus grave, elle a engagé le pays dans une voie périlleuse, en subordonnant le progrès de son économie à la réalisation, à tout prix et aux conditions les plus onéreuses, d'une force atomique dépourvue de valeur stratégique.

Ici comme ailleurs, le néo-gaullisme n'a pas tenu les promesses du gaullisme.

★

La « participation », nouveau slogan du régime depuis la crise de mai-juin, annonce-t-elle que va enfin entrer dans les faits cette Association prônée depuis plus de vingt ans? La conférence de presse du général de Gaulle le 9 septembre dernier n'a jeté qu'une obscure clarté sur cette question. Le mot clé de « participation » y a été utilisé pour traiter de sujets qui n'ont en fait que de lointains rapports les uns avec les autres, tels que la réforme du Sénat, celle de la région, et l'organisation des entreprises. Sur ce dernier point, de Gaulle s'est borné à indiquer que la participation devrait « revêtir trois formes distinctes », à savoir l'intéressement (que lui-même dénonçait en 1950 comme un « succédané » imaginé par « certains qui se croient habiles »), « le fait d'être mis au courant de la marche » de l'entreprise, « enfin la possibilité de faire connaître et de faire valoir les propositions pratiques » du personnel. Si l'on se réfère aux positions gaullistes antérieures au retour du Général au pouvoir, ce n'est pas là une forme de l'Association, mais un moyen de s'y dérober en donnant aux salariés quelques satisfactions de pure apparence. Il n'y a là rien qui modifie substantiellement, encore moins qui abolisse, la condition de salarié. Or, c'était précisément l'abolition du salariat qui constituait l'alpha et l'oméga de la doctrine sociale gaulliste.

Les textes que le gouvernement proposera sans doute à cet égard n'étant pas connus à l'heure où j'écris, je me garderai de lui faire un procès d'intentions. Je me bornerai à constater qu'en dix ans de pouvoir absolu le régime néo-gaulliste n'a pas même essayé d'appliquer l'Association dans les entreprises nationalisées où cependant l'Etat ne peut être gêné par le capital privé ni par un patronat indépendant. Il y aurait eu là un terrain de choix pour y tenter une grande expérience sociale. Force est d'observer que rien n'a été fait, ni même tenté, dans ce sens.

Le mot « participation » est beaucoup plus vague que celui d'Association, auquel les prises de position du R.P.F. avaient donné un contenu très précis. Le changement de vocabulaire est un des moyens favoris dont se sert le Général, virtuose du verbe, pour dessiner et dissimuler à la fois les cheminements secrets de sa pensée et les mutations de sa politique. On l'a bien vu à propos de l'Algérie, quand la « francisation », l'« Algérie algérienne », le « dégagement » et bien d'autres formules ingénieuses ont jalonné la courbe descendante qui l'a conduit jusqu'à l'abandon total. La « participation » ne serait-elle pas, elle aussi, un panneau de camouflage?

De même que, sous couleur de réformer le Sénat, de Gaulle s'apprête à l'anéantir, de même peut-on entrevoir que la réforme sociale annoncée a pour principal objet, non point de construire quelque chose de nouveau, mais de détruire quelque chose qui existe et qui gêne. Mais quoi? Les syndicats évidemment. Dieu sait pourtant que les syndicats, et en premier lieu ceux qui se disent marxistes, ont fourni assez de preuves, au cours de ces derniers mois, de leur « sagesse » très bourgeoise! Mais il reste que ce sont, comme les partis, de ces corps intermédiaires que de Gaulle tolère malaisément et dont il poursuit méthodiquement la démolition. La « participation » ne serait-elle pas, en dernière analyse, une machine de guerre contre les syndicats, une arme qui, habilement maniée, pourrait grignoter, saper, démanteler leurs positions dans les entreprises?

L'autocratie dans le domaine politique se reflète en technocratie dans le domaine économique et social. Tel qu'il est aujourd'hui, le régime repose essentiellement sur une catégorie, une caste pourrait-on dire, de « managers » au sens où James Burnham entendait ce mot, dont les représentants typiques sont les « jeunes loups » néo-gaullistes, tantôt parlementaires, politiciens, ministres, tantôt directeurs d'entreprises, banquiers, ingénieurs. Ils n'ont ni le sens ni le goût de la démocratie dans l'Etat. Les problèmes humains de la vie économique et sociale se réduisent pour eux à des chiffres. Avant tout, c'est le pouvoir qui les intéresse et les fascine, qu'ils sortent de l'E.N.A. ou des grandes écoles scientifiques.

Attendre d'un tel régime, et de tels hommes, une sincère réforme tendant à une véritable promotion sociale, à une réelle émancipation des salariés, c'est évidemment se bercer d'illusions. Sans doute un certain opportunisme calculateur peut-il, lorsque les circonstances semblent l'exiger, jeter un peu de lest ou répandre un rideau de fumée. Les réalités profondes du système demeureront inchangées.

★

On ne reviendra pas sur ce qui a été écrit plus haut tant au sujet de la politique intérieure du néo-gaullisme que de sa politique étrangère. Ce qui frappe l'observateur, c'est, à travers mille démarches, discours, déclarations, décisions, un trait commun à toute l'action du pouvoir; ce trait commun, c'est son caractère négatif. Jamais peut-être dans son histoire la France n'avait été soumise à une autorité aussi absolue, car Louis XIV et Napoléon ne disposaient pas des moyens massifs d'intoxication des esprits que de Gaulle utilise à merveille. Dans un pays sans radio ni télévision, sans presse, sans télégraphe, sans communications rapides, l'Etat le plus majestueux laissait par force subsister des poches d'autonomie, des noyaux de libertés. Or, ce pouvoir sans limites et sans entraves, qui a brisé toute opposition, qu'aucun Parlement n'a freiné, qu'a-t-il fait de son omnipotence? Les institutions qu'il avait lui-même créées ont été démantelées; les territoires qu'il avait juré de défendre, dispersés; les alliances qui garantissaient notre sécurité, distendues. Nous sommes plus loin en 1968 qu'en 1958 d'une Europe unie, le nationalisme néo-gaulliste suscite, par induction, celui de nos voisins; l'Allemagne, la Chine, la Russie, l'Amérique latine, le Canada ont été tour à tour l'objet d'une politique papillonnante qui, toujours sacrifiant le réel aux nuées, ne laisse finalement entre nos mains que « songe et vapeur ». Le régime fait le vide partout où il porte ses entreprises et ses ambitions. Le sommet du pouvoir se confond avec l'apogée d'une sorte de nihilisme.

Ceux qui aiment réfléchir à l'histoire des civilisations devraient bien méditer sur le phénomène singulier dont notre pays est présentement le théâtre. Voilà, je le répète, un Etat plus fort que tous ceux que nous avons connus, disposant de moyens immenses, et qui se vante de faire progresser la nation, dans tous les domaines, mieux et plus loin que jamais elle ne l'avait fait. Or, ce qui distingue cette période — ce règne — de dix années, c'est sa navrante stérilité culturelle. Pourtant un écrivain de premier rang, à la sensibilité artistique aiguë, a été, pendant tout ce temps, chargé sous la protection du souverain de donner une impulsion rénovatrice à ce grand secteur de la vie nationale. Je cherche en vain, hélas, l'œuvre littéraire, picturale, plastique; le monument, le musée, la bibliothèque, le palais national; le mouvement musical, l'innovation philosophique — en bref, la trace que le régime aurait dû laisser, la griffe qu'il aurait dû imprimer. Pas d'Invalides ni de Louvre, pas d'Arc de triomphe, ni même de tour Eiffel: chaque règne avant 1789, chaque époque ensuite, du Directoire à la IIIᵉ République, a eu son style. Il y a des styles que l'on aime et d'autres que l'on n'aime pas, et on est libre d'apprécier ou non celui des meubles Empire ou celui des entrées de métro: mais le règne gaulliste, c'est l'absence de style.

L'indice est précieux pour situer la phase actuelle de notre évolution: il signifie que nous vivons dans une période « épigonale », qui correspond à une fin et non à un commencement, au jusant et non à la montée triomphante de la vague. Et c'est peut-être bien là que réside le drame secret du néo-gaullisme: alors qu'il se pare, verbalement, de tous les attraits du renouveau et de la grandeur, il exprime une société finissante, l'Etat-nation désormais dépassé comme le fut, en dépit de son éclat ancien, l'Etat-cité de la Grèce déclinante.

★

Pendant les premiers mois de 1968, « la France s'ennuyait ». Et soudain la crise de mai étonna tout le monde, à commencer par ceux-là mêmes qui l'avaient déclenchée.

Que l'agitation d'une poignée d'étudiants se soit étendue de proche en proche à l'ensemble de l'Université, puis à tous les corps de métiers, services, professions, pour aboutir à la paralysie générale d'un pays stupéfait, c'est un phénomène considérable qu'on ferait bien de ne pas se hâter d'oublier afin de pouvoir se rendormir. Il a fallu, pour qu'il éclate, que convergent et se rejoignent en une explosion imprévue — un peu comme les divers éléments d'une bombe atomique atteignent la masse critique — des séries de faits dont chacune séparément aurait été bien impuissante à secouer à ce point l'édifice social et politique.

Tout d'abord, bien entendu, la volonté révolutionnaire de ce qu'il est convenu d'appeler les « groupuscules » d'étudiants d'extrême-gauche, faisceaux d'impulsions diverses et contradictoires où se juxtaposaient le marxisme-léninisme, l'aventurisme romantique, l'anarchisme libertaire, le tout fortement assaisonné de confusion mentale et de verbalisme. En outre, se sont agrégés bien vite à ces noyaux vingt sortes de

ratés, déclassés, clochards intellectuels, prétendus
« Katangais », *hippies,* toute une faune quelquefois
pittoresque, souvent suspecte, presque toujours cras-
seuse, qui n'a guère contribué à rehausser le prestige
des étudiants avec qui l'opinion les a confondus. Pourtant, quel que soit le jugement que l'on porte sur ces
comités, il ne faudrait pas tomber dans le travers de
méconnaître ce qu'il y avait d'authentique dans leur
révolte (et si l'on n'est pas révolutionnaire à vingt ans,
quand le sera-t-on?) ni sous-estimer l'habileté de certains de leurs jeunes chefs.

Les « groupuscules » représentaient une amorce ou
si l'on veut une allumette. Mais l'incendie n'a pu
prendre et grandir que grâce aux matières inflamma-
bles accumulées dans l'Université par des années
d'aveuglement et d'incurie: exaspération croissante des
étudiants les plus sérieux devant les conditions de travail intolérables qui leur étaient imposées; corrélativement, inquiétude et écœurement de beaucoup d'enseignants, las de lancer dans le vide des appels
angoissés auxquels ne répondaient que l'inertie d'une
bureaucratie sclérosée ou les vantardises coutumières
des hérauts du régime; insuffisance durement ressentie
des moyens mis à la disposition des professeurs et des
chercheurs, éternels parents pauvres qui voient l'Etat,
si chiche à leur égard, gaspiller en folles prodigalités
des crédits cent fois supérieurs à ceux qu'on leur refuse;
malaise allant jusqu'au désespoir chez les garçons
et les jeunes filles qui, après des années de travail et de gêne, constatent avec amertume que leurs
diplômes ne leur ouvrent même pas les portes d'un
avenir décent.

Il faut insister sur le fait que si la révolte est
partie des étudiants, bien des maîtres s'y sont associés, non point comme on leur en a fait le facile
reproche en cédant à une sorte de prurit démagogi-
que, mais parce qu'une réforme profonde de l'ensei-

gnement supérieur et de la recherche, de leurs méthodes et de leurs structures, paraissait depuis longtemps indispensable à la plupart des universitaires. Cette exigence de rénovation est saine en elle-même. Peu importe qu'on l'étiquette de « gauche », de « droite » ou d'ailleurs.

A tout cela s'ajoutait, pour la jeunesse, la contradiction déchirante où la plonge, par sa nature même, la phase actuelle de notre évolution sociologique: la « société de consommation ». Car cette société, d'une part, dans sa publicité, ses slogans, sa presse, sa radio, son cinéma, exalte et flatte les jeunes; elle s'est aperçue qu'il y a là un vaste marché; elle veut faire d'eux des consommateurs. Mais, d'autre part, quel avenir leur offre-t-elle? Au mieux, un « enrichissez-vous » renouvelé de Guizot; au pire et pour la plupart d'entre eux, la médiocrité d'une vie de plus en plus enrégimentée, conformiste, sans l'élan ni l'aiguillon de grandes tâches, la morne uniformité d'un régime économique et social qui trouve son expression dans les écrasantes termitières des banlieues. On attend de la jeunesse qu'elle se résigne sans résistance à passer du statut de cigale adulée, comblée de distractions, de musique, de disques, de liberté, à celui de la fourmi qui accomplit mécaniquement, jour après jour, le labeur monotone et parcellaire qui lui est assigné.

Ainsi la société moderne, sous sa forme actuelle de transition, commet une double agression contre la jeunesse: d'abord en la traitant comme un objet économique, comme un élément du marché, que l'on entoure d'un éclat factice pour l'entraîner au rythme toujours accéléré de la consommation massive, sans la préparer à ce que sera son existence du lendemain, sans lui ouvrir aucune perspective digne de sa générosité et de ses aspirations; ensuite en la précipitant du piédestal où on l'a hissée pour la livrer à la dure machinerie sociale. Telle est la cause profonde du malaise qui agite, partout (1), les jeunes. Ce n'est donc pas là un problème particulier à la France. Mais on doit reconnaître que le régime néo-gaulliste l'a singulièrement aggravé chez nous en raison de son caractère rigide et autoritaire, de son mépris pour les aspects humains de la pratique politique, de son entêtement à détourner vers ses chimères les ressources de la nation.

On vante à tue-tête, depuis dix ans, la « stabilité », bienfait incomparable que la France devrait au régime. C'est faire bon marché du carrousel incessant, du défilé de ministres, dont certains départements offrent le spectacle: l'Education nationale, à cet égard, détient le record, avec une bonne douzaine de ministres, chacun claironnant, à son arrivée rue de Grenelle, de décisives « réformes », pour s'en aller quelques mois plus tard, son dossier sous le bras, non sans avoir ajouté quelque peu au désordre et à l'impuissance de l'Université. C'est qu'en vérité le chef de l'Etat s'intéressait beaucoup moins à l'avenir de la culture et de la jeunesse qu'à ses plans d'hégémonie européenne, à ses projets sur le Tiers Monde ou à sa petite guerre personnelle contre Washington.

Toutes ces causes conjuguées font aisément comprendre que la révolte, partie des petits groupes extrémistes, se soit étendue si vite. Il n'est pas non plus difficile de saisir pourquoi elle a éveillé des échos favorables dans le monde du travail. Sous un régime qui allie l'aventurisme politique à l'immobilisme économique et social, il est fatal qu'un sourd mécontentement règne parmi les salariés, notamment chez les plus défavorisés. A cet égard, les jeunes travailleurs, appartenant à la même classe d'âge que les étudiants,

(1) Une étude plus approfondie, qui n'entre pas dans notre propos ici, montrerait que, *mutatis mutandis*, le phénomène s'étend à toutes les sociétés qui appartiennent à notre civilisation, qu'elles soient de forme « socialiste » ou « capitaliste ».

devaient réagir les premiers, non pas dans le cadre des grandes centrales syndicales, de la C.G.T. en particulier, mais malgré elles, en dépit du freinage exercé par les « bonzes » de la bureaucratie syndicaliste.

En face d'une situation qui devenait d'heure en heure plus grave, les pouvoirs publics ont fait étalage d'un mélange peu commun d'inertie et de brutalité, d'incompréhension et de machiavélisme. D'un jour à l'autre, la complaisance alternait avec la répression. La police assistait passivement à la construction de barricades, puis se ruait sur les manifestants pour les disperser à force de matraquages et de gaz. Le chef nominal du gouvernement allait contempler les vastes horizons de l'Afghanistan, le chef de l'Etat portait la bonne parole aux étudiants, mais en Roumanie. Il était évident que l'on voulait délibérément laisser la grève générale pourrir sur place, de manière à provoquer le réflexe conservateur de la population excédée par les difficultés quotidiennes.

Ce calcul n'était pas faux, comme la suite l'a montré. Mais le jeu était dangereux, et faillit échapper à tout contrôle: d'autant que les fausses manœuvres ne manquèrent pas. Fausses manœuvres: du général de Gaulle, quand il annonça un référendum auquel personne ne croyait comme ouvrant la voie à une solution; de Georges Pompidou lorsque, voyant déjà le chef de l'Etat sur la route de la retraite, il alla rendre visite au président Monnerville, en qui il saluait le président de la République par intérim; de l'opposition de gauche, quand François Mitterand posa sa candidature à un poste qui n'était pas encore vacant, et affola l'opinion en lançant les mots fatidiques de « gouvernement provisoire ».

Dans les derniers jours de mai, quand déjà une bonne partie des nantis du régime faisaient leurs préparatifs de fuite, réservaient des appartements à Bruxelles et envoyaient leur argent à Genève, de Gaulle redressa habilement la situation à son profit en rectifiant son erreur initiale. Le référendum n'avait pas « mordu » sur l'esprit public; il annonça des élections. Du coup, les partis se ruèrent sur le panneau qui leur était tendu, et en premier lieu le Parti communiste, trop heureux de trouver une issue au dilemme dans lequel il se débattait.

Ce parti, en effet, ne voulait pas que la situation, en s'aggravant, allât jusqu'à provoquer le départ du général de Gaulle. Il savait fort bien qu'aucun gouvernement, et notamment un gouvernement de gauche à direction socialiste, ne poursuivrait une politique internationale aussi favorable et aussi utile aux Soviets que celle du Général. Ni Mitterrand, ni Guy Mollet, ni Mendès-France ne saboteraient l'Europe, ne disloqueraient l'Alliance atlantique, ne repousseraient l'Angleterre avec la maestria démontrée par le chef de l'Etat. Il était donc de l'intérêt supérieur de l'U.R.S.S., et par conséquent des communistes en France, que de Gaulle demeurât au pouvoir. En outre, il n'est rien qui irrite et inquiète un parti communiste orthodoxe, encore tout barbouillé de stalinisme comme l'est le parti français, que ces énergumènes d'extrême gauche qui, se réclamant de Mao, de « Ché » Guevara, du « situationnisme », de l'anarchisme, brandissant le drapeau noir avec le drapeau rouge, prétendent le tourner sur sa gauche, lui faire honte de son embourgeoisement et se montrer plus révolutionnaire que lui.

Le P.C., par conséquent, ne pouvait que freiner de son mieux le mouvement de contestation surgi du milieu étudiant. Il le fit en dénonçant les « groupuscules », en cherchant à dresser les ouvriers contre les étudiants, dépeints comme des bourgeois oisifs et irresponsables, et surtout en utilisant à plein l'appareil de la C.G.T. Mais cette action retardatrice n'allait pas sans risques: on le vit bien quand le secrétaire général des syndicats communistes, Séguy, venant exposer aux ouvriers de Renault les résultats des « accords de Grenelle », fut accueilli par des bordées de sifflets et de huées. Le Parti se voyait en danger de perdre son autorité sur la « base ».

Aussi les communistes saluèrent-ils avec soulagement l'annonce des élections: mieux valait pour eux revenir moins nombreux au Parlement que de voir décroître leur influence dans les masses. Le groupe parlementaire, c'est le feuillage qui couronne l'arbre, mais les masses ouvrières en sont les racines et le tronc. S'il faut choisir, le choix n'est pas douteux. Au surplus, l'opération électorale présentait l'avantage de liquider à coup sûr l'extrême gauche maoïste et castriste.

Le renversement de la situation fut mis en scène avec un art consommé. Tandis que l'essence qui avait mystérieusement disparu se remettait non moins mystérieusement à couler à flots, les noyaux actifs du « Service d'Action Civique », des polices parallèles et des mille organisations qui pullulent autour du pouvoir lancèrent à Paris et en province une série de manifestations de prétendue unanimité nationale où affluèrent d'innombrables braves gens crédules et abusés. On y maudissait les drapeaux rouges et noirs, on y brandissait le drapeau tricolore, sans s'arrêter à réfléchir que ce drapeau avait été abaissé — et par qui — devant l'emblème vert et blanc de la subversion algérienne. On y vitupérait le communisme, sans voir que, dans cette conjoncture, le parti des Soviets était l'allié objectif du néo-gaullisme. On s'apprêtait à voter massivement pour les candidats de l'ordre contre la gabegie et l'émeute, sans vouloir considérer que ces mêmes hommes étaient précisément responsables de cette gabegie et de cette émeute, puisqu'ils avaient disposé pendant dix ans de la totalité des pouvoirs pour aboutir à ce navrant résultat.

En tacticien politique accompli, de Gaulle avait su dramatiser la situation par son départ simulé, par ses colloques semi-secrets avec les chefs militaires, par son attaque brusquée contre le communisme — ô ironie! C'était, de toute l'opposition, le seul parti qui souhaitât son maintien à la tête de l'Etat. Mais il fallait un bouc émissaire, une cible, et le communisme était tout désigné pour jouer ce rôle.

De Gaulle sait utiliser la peur en virtuose: ce fut, en 1958, la peur d'une intervention subite des parachutistes d'Alger descendant du ciel sur Paris; en 1961, encore les parachutistes; en 1962, les attentats de l'O.A.S. En 1965, comme personne n'avait de motif de crainte, l'élection présidentielle fut médiocre. Encore le Général s'était-il efforcé de faire peur: « moi ou le chaos ». Mais le « chaos », c'est impersonnel et vague. Il faut canaliser les émotions des masses vers un nom et un visage. Cette fois, le communisme a fourni l'épouvantail nécessaire. Demain, n'en doutons pas, selon la conjoncture et les besoins, on fera jouer la peur de la guerre, de la révolution, de la réaction, du fascisme, du totalitarisme de droite ou de gauche — n'importe quelle peur, tout est bon pourvu que le Français moyen saisi aux entrailles se jette dans les bras du sauveur, lequel rit sous cape de la naïveté de son peuple.

Nous avons donc assisté à une immense mystification. Les électeurs affolés par une savante mise en condition psychologique ont été conduits à prolonger, sous prétexte de rétablir l'ordre, la survie du régime qui avait suscité le désordre. Ils ont cru voter contre la prise du pouvoir par les communistes, qui ne voulaient du pouvoir à aucun prix: ce faisant, ils ont apporté leur soutien à la politique internationale que ces mêmes communistes, et leurs inspirateurs de Moscou, tiennent pour la meilleure possible. Pour échapper à un danger imaginaire, ils sont tombés dans un péril certain. Car le communisme ne se confond pas avec le parti français; c'est une entreprise mondiale, qui peut bien faire le sacrifice de quelques sièges dans une Assemblée, pourvu que soit raffermi, dans un pays clé

398

d'Europe, un pouvoir qui tient une conduite si favorable à ses desseins. M. Waldeck Rochet n'a pas autant d'adeptes à la Chambre qu'avant les élections, mais la politique gaullienne continue à saper l'Occident: n'est-ce pas l'essentiel?

En conséquence de cette suite d'événements et de manœuvres, Georges Pompidou a été liquidé; l'opposition de gauche, liquéfiée. Le premier a été victime de l'imprudence qu'il avait commise en laissant paraître, fin mai, sa conviction que le chef de l'Etat devait se retirer, et aussi, peut-être surtout, de l'importance excessive qu'il avait prise aux yeux de l'opinion: le Général est prompt à prendre ombrage de toute popularité autre que la sienne. Quant à la Fédération de la Gauche, elle a subi les effets de son alliance privilégiée avec le Parti communiste, qui non seulement éloigne d'elle beaucoup d'électeurs démocrates, mais suscite, à l'intérieur d'elle-même, d'insurmontables contradictions.

La crise a été mise à profit par le chef de l'Etat pour lancer un train de « réformes » dont une seulement, celle de l'enseignement supérieur, présente un rapport direct avec la crise elle-même. Edgar Faure, dont l'habileté et le talent ne sont plus à démontrer — n'est-il pas remarquable que la Ve République ait dû faire appel, pour passer ce cap difficile, à un « ancien de la IVe »? — a porté sur les fonts baptismaux la loi dite « d'orientation » qui, ayant été votée par tout le monde, ne peut être revendiquée par personne. Il y a un peu de tout dans cette loi: une tentative, qui est louable, de conférer aux Universités une marge d'autonomie; beaucoup de vague dans des sujets aussi importants pour l'avenir que le partage des pouvoirs entre enseignants et étudiants. On y enfonce aussi des portes ouvertes, car, si j'ai bonne mémoire, nous discutions déjà librement des problèmes politiques rue d'Ulm et en Sorbonne quand j'y préparais l'agrégation.

Il y a enfin des mesures démagogiques et dangereuses, comme l'offensive contre les langues anciennes, car il est mauvais que les hommes du XXᵉ siècle soient coupés des racines de notre civilisation. Au total, cette loi sera ce qu'en feront les décrets d'application et les circulaires du ministère. Verra-t-on l'administration reprendre d'une main ce qu'elle a concédé de l'autre? L'avenir le dira. Il serait bien surprenant qu'un système politique essentiellement autoritaire reconnût aux Universités une véritable autonomie. En outre, s'il est vrai que la crise de la jeunesse trouve son origine, comme on l'a dit plus haut, dans les structures mêmes de notre société, on peut douter qu'un remaniement de l'Université suffise à lui apporter un remède durable.

Quant aux autres « réformes », elles ne sont de toute évidence que des trompe-l'œil. Celle des régions n'a d'autre but que de porter atteinte à ce qui subsistait des libertés locales, aux pouvoirs des conseils généraux et des municipalités, en mettant en place de pseudo-assemblées qui serviront de décor et d'alibi à l'omnipotence du pouvoir central. Celle du Sénat, comme on l'a vu, est destinée à assouvir enfin une longue rancune. Loin de se « libéraliser », le régime s'apprête, par ces moyens, à se raidir dans son autoritarisme foncier.

Le Président de la République, dans sa conférence de presse du 9 septembre, a clairement fait connaître son intention de procéder à ces prétendues réformes par la voie du référendum. Il s'agit là, on doit le redire, d'une violation caractérisée de la Constitution. Celle-ci ne peut être revisée que conformément aux règles qu'elle a elle-même posées; selon elles, le Sénat ne peut être écarté du débat où se décidera son avenir. Plus important que l'avenir d'une Assemblée est celui de la République: qui peut encore imaginer qu'un régime où un chef de l'Etat déjà doté d'immenses pouvoirs n'aurait en face de lui qu'une seule Chambre, peuplée de ses partisans et d'ailleurs dissoute à son gré, sans aucun contrepoids, qui peut imaginer, dis-je, qu'un tel régime mériterait encore le nom de République?

★

Qu'est-ce, pour finir, que le gaullisme? Certains répondent: « Le gaullisme, c'est de Gaulle (1). »

Il y a du vrai et du faux dans cette définition. Elle demande à être nuancée. Le gaullisme a été d'abord un sursaut et un refus, puis une réponse à des questions politiques de plus en plus pressantes et de plus en plus complexes, puis une idéologie, une philosophie, une doctrine. Profondément marqué, comme il est naturel, par la personnalité de son inspirateur, il n'en a pas moins acquis, pendant cette phase de formation doctrinale, une certaine autonomie à son égard. Les gaullistes d'alors, sans rien retrancher de l'admiration et du dévouement qu'ils éprouvaient pour leur chef, pleins de reconnaissance au contraire envers lui pour les avoir orientés et guidés, n'en faisaient pas moins la différence entre sa personne, limitée et périssable comme nous tous, et l'ensemble d'idées, de sentiments, de prises de position qui se résumaient dans le mot « gaullisme ».

A certaines époques, quand les chances du Général de revenir aux affaires paraissaient bien minces, pour ne pas dire nulles, nous étions un certain nombre à penser que le gaullisme, même sans de Gaulle, pourrait un jour apporter à la France des solutions positives. Autrement dit, le gaullisme ne se ramenait pas

_____

(1) « En plusieurs années d'enquête soigneuse, je n'ai entendu qu'une réponse intelligente, provenant d'un des membres les plus brillants de l'entourage du Général: *Le gaullisme, c'est de Gaulle.* » (William S. Schlamm. *National Review* (New York), 25 janvier 1966.)

à la prise du pouvoir par de Gaulle. Notre but n'était pas de le ramener à la tête de l'Etat, ou d'y parvenir nous-mêmes, pour y faire n'importe quoi. Il ne s'agissait pas non plus de satisfaire sa volonté de puissance ou la nôtre. Ce que nous espérions, c'était de faire passer dans les faits un certain nombre d'idées fondamentales que nous estimions, à tort ou à raison, bonnes pour notre pays et notre peuple, et susceptibles d'apporter une contribution réelle à la cause de la liberté et de la paix dans le monde.

Le néo-gaullisme, ce n'est pas autre chose que l'échec de cette espérance.

De Gaulle — pour paraphraser Mallarmé — *Tel qu'en lui-même enfin la puissance le change,* s'identifie avec le néo-gaullisme. De même que n'existe pas d'autre pouvoir que le sien, ses idées et ses rêves, ses préférences et ses phobies, d'ailleurs capricieuses et changeantes, tiennent lieu d'idées et de doctrine. La théorie des « secteurs réservés », qui reprend sous une autre forme le slogan mussolinien *Il Duce ha sempre ragione,* a servi d'alibi à la capitulation de la pensée et à la suppression du libre examen. Il est inouï que, dix ans après sa fondation, le parti au pouvoir n'ait jamais, sur aucun sujet important, ouvert une discussion, étudié des projets, formulé sa politique. Qu'il se soit agi de l'Algérie, de la « décolonisation », des problèmes économiques et sociaux, de l'Europe, de l'O.T.A.N., d'Israël, de l'agression russe contre Prague, de l'Université, l'U.N.R.-U.D.R. n'a jamais joué le rôle qui aurait dû être le sien. Elle n'a pas été un laboratoire d'idées, mais s'est ravalée au rang d'une vulgaire brigade des acclamations. Elle n'a d'autre fonction que de soutenir de ses bravos les oracles élyséens.

Il aurait été facile de puiser dans le patrimoine que le gaullisme, de 1940 à 1958, avait su constituer. Dix années en ont effacé dix-huit. Le plus grave reproche qu'on puisse adresser, selon moi, à ceux qui se disent

« gaullistes » aujourd'hui, c'est d'avoir sacrifié le gaullisme à de Gaulle.

Alors il est bien vrai maintenant que le régime, sa politique dans tous les domaines, ce qu'il fait et ce qu'il omet de faire, tout se ramène à un seul homme. Et si cet homme est capable, comme il l'a montré, des plus étonnantes volte-face, il ne laisse pas moins apparaître dans son comportement, au long des années, des constantes psychologiques qui, s'accentuant avec l'âge, déterminent sa conduite et par là — puisque la France en est venue à dépendre non d'elle-même, de son peuple, de ses lois, mais d'une personne — le sort de notre pays.

Nous l'avons connu, en 1940, symbole de fermeté et de courage, plus à l'aise face aux tempêtes et aux coups du sort que dans l'ennuyeux train-train de la vie quotidienne. Il est resté l'homme des orages: jamais il ne redevient plus lui-même que s'il lui faut défier la fronde d'un peuple ou la révolte des légions. Alors, cuirassé par l'orgueil, dans la conscience de sa supériorité, il tranche, décide, menace, séduit, fascine. Il est fait pour ces grands moments terribles et délicieux entre lesquels se traîne la médiocrité des tâches, des obligations et des habitudes.

On en arrive à se demander si de Gaulle, se sentant apte à surmonter les crises, n'en vient pas quelquefois à les susciter, comme dans un jeu d'où il tire les joies suprêmes de la puissance. Il y a de la provocation dans son attitude à l'égard de nos partenaires dans le monde. Une déclaration, un discours, une conférence de presse: voilà la bombe qui éclate, soudain tout est surprise, mouvement, inquiétude. Combien il se délecte à contempler l'agitation qu'il a déclenchée! Après tout, depuis la mort de Roosevelt, de Staline, de Churchill, il se sait le dernier survivant des « monstres sacrés » qui ont dominé la vie des nations. Bouleverser le jeu par une initiative spectaculaire, n'est-ce pas là un des privilèges de ces surhommes dont l'espèce semble aujourd'hui éteinte?

Il n'ignore pas — et cette contradiction le ronge — qu'il parle au nom d'un pays de stature moyenne, moins riche et moins peuplé que les Etats-Unis, moins armé que la Russie, moins productif et discipliné que l'Allemagne. Mais de même qu'entre 1940 et 1944 il haussait d'autant plus le ton parmi les alliés qu'il se voyait plus faible, de même il s'efforce de compenser par les apparences ce que lui refuse le réel. D'où cette politique tranchante, en dents de scie, ces « tours de valse » et ces douches écossaises; d'où les milliards dilapidés pour bâtir non point une véritable force de dissuasion qui demeure hors de sa portée, mais quelque chose qui ait l'air d'en être une; d'où la cour assidue et coûteuse faite aux nations ou pseudo-nations du Tiers Monde, parce qu'au monarque il faut sa cour, et qu'à défaut de pouvoir s'entourer comme Napoléon de rois européens il lui faut se contenter de présidents africains. Et puis il y a le verbe, aux ressources infinies, alors que celles d'un pays sont limitées.

Parler de la grandeur de la France tout en mettant entre parenthèses les réalités incommodes qui la bornent, distribuer péremptoirement louange ou blâme aux Etats, dépeindre à une opinion mal informée et encline au chauvinisme une France aux mains libres, capable de se défendre « à tous azimuths », n'ayant besoin de personne et recherchée par tout le monde, transmuer par la parole en succès exceptionnels les progrès honnêtes mais insuffisants d'une économie, parer des couleurs éclatantes d'une innovation géniale la moindre mesure inspirée par les circonstances, voilà qui permet de prendre une revanche sur ce que l'action politique à la tête d'un pays comme le nôtre comporte nécessairement d'incomplet, d'incertain, de décevant.

Homme d'Etat, certes, le général de Gaulle est aussi, et peut-être davantage, homme de parole, homme de lettres et homme de théâtre. Il excelle dans le discours, le livre, la mise en scène. Qui l'a vu remanier, raturer, récrire vingt fois le texte d'un quelconque communiqué sait qu'il s'est trouvé en présence d'un écrivain, artisan du langage et sensible à ses nuances. Acteur et metteur en scène, il est capable de rectifier les erreurs d'une première représentation (qu'on se rappelle son interview à la Télévision, avec Michel Droit, en décembre 1965), de faire passer la rampe à des répliques qui, relues à froid, ne soulèvent guère l'enthousiasme, de dramatiser une situation pour en tirer le plus grand avantage. Sa technique, avec le temps, s'est précisée et perfectionnée. Il y a un abîme entre les premiers discours du chef des Français Libres, prononcés d'une voix rude et hachée, et les harangues du Président de la République, ciselées dans les moindres détails. Le cœur parlait à travers la maladresse des premiers, les seconds atteignent leur but par l'artifice plus que par la sincérité.

Que de Gaulle aime le pouvoir, c'est une constatation et non un grief. On reconnaîtra volontiers que son ambition n'est pas vulgaire. Ce qui inquiète et même effraie, c'est qu'ayant commencé sa carrière en recherchant le pouvoir pour faire quelque chose, en vue de ce qu'il croyait, justement ou non, bon pour la France, il l'achève en s'attachant au pouvoir pour le pouvoir. Rien n'explique sa conduite durant ces dernières années, sinon la volonté tenace de conserver ce pouvoir tout entier pour lui-même jusqu'à la fin de sa vie. Qu'il s'appuie sur la gauche ou sur la droite, qu'il tolère le communisme ou le vitupère, qu'il tourne ses regards vers l'Est ou vers l'Ouest, qu'il joue au démocrate ou brandisse les foudres de l'Etat, le seul but demeure le pouvoir. Les idées-forces du gaullisme, les positions politiques, les amitiés, les alliances, tout passe et tout est passé: il ne reste que la volonté de puissance.

Sans doute, s'étant de bonne heure identifié à la France, se justifie-t-il à ses propres yeux: tout ce qui est bon pour de Gaulle l'est *ipso facto* pour la France. Cette France, ce n'est d'ailleurs pas le peuple français, ni même l'Etat, mais une image, cette « certaine idée » que révélait la cadence proustienne de la première phrase de ses *Mémoires:* à la limite, cette France rêvée et lui-même pourraient se passer des Français.

On ne soulignera jamais assez ce qu'il y a de littéraire et d'irréel dans une pensée et une action politique qui relèvent à ce point de la rhétorique et du spectacle. Avec la poursuite du pouvoir pour le pouvoir naît l'indifférence quant à ses fins. Que la pièce soit bonne ou mauvaise, il faut surtout rester en scène (1).

Les douze années de la « traversée du désert », principalement les dernières dans la retraite de Colombey, expliquent au moins pour une part certaines tendances qu'elles n'ont pas créées, car elles étaient ancrées au fond même d'un caractère, mais qu'elles ont contribué à fortifier.

Dans ses rapports avec les hommes, j'ai longtemps tenu de Gaulle pour un psychologue doué d'une exceptionnelle pénétration, tant il semblait prédire infailliblement les réactions des autres. Puis je me suis aperçu que ses prévisions n'étaient exactes que dans le cas — malheureusement fréquent — où il avait à juger des êtres médiocres, vaniteux, avides ou craintifs. Alors, oui, il voyait clair, tout simplement parce qu'il attribuait d'avance à chacun les mobiles les plus bas: peur pour une carrière, désir d'avancement, goût de l'argent, penchant pour les décorations. Je compris qu'il ne croyait au désintéressement de personne. Il sous-estime à tel point tous les hommes qu'il s'interdit de faire confiance à aucun. Des trésors de dévouement et de loyauté lui ont été offerts, pour rien, au cours de sa vie: il ne s'est pas privé, certes, d'y puiser à

(1) J'ai souvent entendu de Gaulle réciter cet aphorisme: *Qu'on nous loue ou qu'on blâme, C'est toujours de la réclame.*

sa convenance, mais il a toujours préféré attacher à sa fortune les opportunistes qui se souciaient avant tout de la leur. Alors, appréciant à sa juste valeur la soumission qu'ils lui montrent, il est libre de les mépriser secrètement, non sans laisser transparaître parfois par quelque sarcasme la mésestime dans laquelle il les tient.

On observera que, s'il lui arrive de pardonner des mauvais procédés, il ne pardonne jamais les bienfaits. On l'a vu réintégrer dans sa faveur des hommes qui l'avaient abandonné, aux heures difficiles, pour se dorer au soleil du pouvoir d'alors. Mais ceux qui l'avaient hissé au sommet se sont attiré, par le seul fait qu'il ait pu paraître leur devoir quelque chose, une profonde disgrâce.

Avec le temps s'est renforcée sa méfiance naturelle. Et certes, on doit reconnaître, pour être équitable, qu'il a été, comme tout homme public et tout chef, plus d'une fois circonvenu et même trahi. Mais il y a quelque chose d'inquiétant par son excès dans le ressentiment que soulève chez lui le moindre symptôme d'indépendance parmi ceux qui l'entourent. Il ne tolère que des exécutants. Encore aime-t-il diviser cet entourage, laisser s'opposer longuement les tendances, refuser son arbitrage ou déconcerter par un arbitrage imprévu.

Tout cela le conduit à abuser du secret aux dépens de l'efficacité; à choisir n'importe qui pour faire n'importe quoi, puisque, de la hauteur où il est juché, tous sont également petits, et interchangeables; à se tromper sur les hommes, et même sur les nations, parce qu'il leur imagine des ressorts trop élémentaires. Déçu quand les actes ne répondent pas à ses prévisions, il s'irrite: « Que le diable les emporte! » est une de ses exclamations favorites. On le verra couvrir d'éloges inattendus ceux dont il médite déjà la perte (« Vous êtes un féal de haute qualité », écrit-il au général Salan), puis accabler d'outrages d'autres, ou les mêmes, s'ils ont osé lui résister, devenant par ce seul fait de purs et simples criminels à ses yeux.

Disons-le une fois encore: les germes de ce comportement ne datent pas d'hier, et l'on peut, rétrospectivement, en constater l'existence dès certains épisodes lointains de la guerre ou de l'immédiat après-guerre. C'est après 1958 et à l'Elysée qu'ils se sont épanouis, à mesure que se renforçait, avec son omnipotence, le culte de la personnalité. Mais le portrait du chef qu'il a dépeint avant la guerre dans son livre *Le Fil de l'épée* contient déjà bien des traits qu'il appliquait sans doute et qu'on peut légitimement appliquer à lui-même. On est frappé par la façon dont il insiste sur le caractère étudié, calculé, des gestes et des paroles du chef idéal, sur les moyens — j'allais dire les recettes — qu'il met en œuvre pour exercer son ascendant, sur la dissimulation, la ruse, la dureté qui composent son personnage. De la générosité, de l'humanité, de la clémence, pas un mot (1).

Tout se passe comme si, pour lui, le pouvoir, la domination sur les hommes, le jeu merveilleux de la puissance, l'auréole du renom, se confondaient avec le bien suprême. Il n'admire rien tant que le pouvoir à l'état pur — si impur qu'il puisse paraître à d'autres

---

(1) A propos de clémence, je rappellerai que les deux tueurs F.L.N. qui avaient échoué dans leur tentative d'assassinat contre moi en septembre 1958 ayant été condamnés à mort, j'écrivis à de Gaulle, alors président de la République, pour demander leur grâce. Il me l'accorda. Mon principal argument avait été celui-ci: « Qu'ils aient voulu me tuer, ce n'est pas douteux. Mais le fait est qu'ils n'y ont pas réussi. Ne tuons pas qui n'a pas tué. » De Gaulle me dit avoir apprécié cette considération. Quatre ans plus tard, il refusa de gracier le colonel Bastien-Thiry, alors que le procès n'avait pas démontré que celui-ci ait eu l'intention de le tuer, et qu'en tout cas il ne l'avait pas fait.

yeux. De toutes les figures de premier plan qu'il a rencontrées, je ne l'ai jamais vu impressionné que par Staline, « sa politique grandiose et dissimulée », son « âpre passion », son « charme ténébreux (1) ». Pour Churchill, il n'avait que sarcasmes: « Le whisky lui a détruit le sens moral », me disait-il de lui: il est vrai qu'il ne devait rien au Russe, et beaucoup au Britannique.

Il existe, assurément, bien des types différents d'hommes d'Etat. Mais pour faire bref, je les ramènerais volontiers à deux archétypes opposés: l'empereur Marc-Aurèle, le *Prince* de Machiavel.

Le premier s'applique à accomplir, « en Romain et en homme », la mission que le destin lui a confiée. Il s'exhorte à ne pas « se césariser », il sait que la vie humaine, la gloire, les conquêtes, ne sont que de minimes incidents au sein de l'univers, qu'Alexandre et son muletier, une fois morts l'un et l'autre, se trouvent ramenés au même point. Il n'oublie jamais l'homme, les hommes, dont l'agencement du monde, en cet instant, a remis le sort entre ses mains. Faut-il défendre l'Empire et faire la guerre? Il campe au bord du Danube face aux Barbares, conduit les armées et, le soir, sous la tente, médite. Le pouvoir immense qu'il détient, dans l'éclat de la pourpre et des aigles de Rome, il sait qu'il n'en est que le dépositaire, et c'est au bien des peuples qu'il entend le consacrer.

Le *Prince*, lui, se consacre à la puissance et à la gloire. Il les recherche par-delà le bien et le mal. Pas de ruse, de stratagème, qu'il ne mette en œuvre pour les conquérir, les conserver, les étendre. Le monde est son échiquier, les hommes des pions. Il avance masqué pour surprendre ses adversaires désarmés. Il se montre bienveillant si cette attitude sert ses desseins, sévère et violent si cela convient à ses projets. Séduire, décon-

(1) De Gaulle. *Mémoires*, t. III, p. 61.

certer, terrifier, autant de moyens auxquels ne s'attache aucun jugement moral, car ils n'ont de sens et de valeur à ses yeux qu'en fonction d'une fin unique: le pouvoir, toujours le pouvoir.

Le héros gaullien du *Fil de l'épée* nous paraît très éloigné de l'Empereur stoïcien, très proche du Borgia qui servit de modèle au philosophe florentin. Entre ces deux pôles opposés, de Gaulle a choisi. Ce choix est lourd de sens.

Dans l'univers historique tel que le voit Charles de Gaulle, l'exercice du pouvoir est à lui-même sa propre fin. Il ne se soumet à aucune règle supérieure; il ne peut ni ne doit être moral ou immoral; il est, très exactement, a-moral. « Certains personnages, écrit-il, qui ne firent en somme que pousser à la révolte et aux excès, gardent devant la postérité comme une sombre gloire. » On sent bien ici que, lumineuse s'il se peut, sombre s'il le faut, c'est la gloire seule qui compte: conception marquée d'individualisme aristocratique, dédain de l'*uebermensch* envers l'humanité. Naturellement, si pour atteindre au sommet ou pour s'y maintenir il semble nécessaire de faire naître l'espoir chez les uns, la crainte chez d'autres, s'il paraît utile de jouer le jeu de la démocratie un jour, celui de l'autorité le lendemain, s'il faut exalter tour à tour le progrès et la tradition, moquer le temps des lampes à huile et évoquer les antiques vertus, combattre la patriotisme puis susciter le nationalisme, on pressera chaque fois sur les touches correspondantes du clavier des émotions et des passions. Mais ces mouvements de l'âme que le *Prince* déclenche chez autrui, il n'en est pas contaminé lui-même. Semblable à l'ingénieur qui, face au tableau complexe d'une centrale électrique, ouvre et ferme des circuits, ici met en marche une turbine, actionne là un transformateur, il n'est attentif qu'au but recherché: la puissance qu'il s'efforce de guider.

Une telle vision des choses va jusqu'à vider le pou-

410

voir de son contenu proprement politique. On se demande souvent si de Gaulle est « de droite » ou « de gauche », s'il se souvient des enseignements de Maurras ou se laisse séduire par le sombre attrait du communisme, s'il incline vers l'Est ou vers l'Ouest. En fait, de tout cela il n'a cure. Il est, lui, a-politique: *zôon apolitikon*. Grandiose et stérile, sa volonté de puissance se déploie nue, à l'état pur, dans le vide. Parvenu à l'extrémité de sa trajectoire, le néo-gaullisme s'achève en nihilisme.

Car la poursuite du pouvoir pour le pouvoir porte en elle-même sa propre rétribution. Tout ce qui n'est pas elle est condamné à l'échec, même et surtout les buts apparents qu'on prétend lui assigner, fragiles décors que l'ambition souveraine plante ou abat au gré de ses humeurs. Dès lors qu'il ne s'agit pas, ou qu'il ne s'agit plus, de subordonner l'action du Chef à des règles pour atteindre des objectifs, mais que cette action seule, son éclat, son retentissement, sa pérennité se substituent aux objectifs et aux règles, tout devient insignifiant et tout s'efface. La vérité d'hier devient l'hérésie d'aujourd'hui, ce que la parole du Chef prônait naguère n'est plus de mise maintenant.

Notre pays, conscient de ses dimensions moyennes, de ses ressources et de ses capacités qui le situent à mi-chemin entre les vraiment grandes puissances et les petites nations, pouvait se proposer une politique réaliste, donc modeste, au niveau du possible, dans le cadre de ses alliances et de ses voisinages. A vouloir se servir de lui comme du tremplin d'une politique mondiale, à l'altitude des super-Etats, de Gaulle l'a réduit à n'avoir, en fait, plus de politique du tout. Car passer d'une velléité à une autre, se rapprocher et s'éloigner tour à tour des diverses nations, tancer l'Amérique et caresser l'Algérie, tonner à Phnom-Penh et sourire à Bucarest, tendre la main à Bonn et repousser celle de l'Angleterre, accepter le lundi et refuser le mardi d'apporter sa pierre à l'édifice européen, c'est un psycho-drame attachant, riche en rebondissements et en surprises, ce n'est pas une politique.

A l'intérieur, de même, personne ne peut dire aujourd'hui en quoi consiste exactement le régime sous lequel vit la France: monarchie sans couronne et sans dynastie, République sans équilibre des pouvoirs, démocratie où tout se concentre en un homme, Etat fort mais dont les institutions ne sont plus que poussière. Quand le chef de l'Etat menace: « Si je disparais, c'est le chaos », n'avoue-t-il pas implicitement que son œuvre aboutit à l'échec? La marque du bon législateur, c'est qu'il peut se retirer ou mourir, le cœur tranquille, parce qu'il sait qu'il a bâti solidement et que ses lois lui survivront. Mais dans une nation qu'il a divisée plus profondément qu'elle ne l'a jamais été, face à un corps civique atomisé, avec des institutions démantelées, sans cesse remises en question et chaque jour plus érodées, qui croit sérieusement que le gaullisme, sous sa forme actuelle, ait une chance de survivre à de Gaulle?

A mesure que passe le temps inexorable, le problème de la succession, même si l'on n'ose pas le formuler clairement, devient le principal sinon le seul problème du régime: à quoi l'on mesure la décadence byzantine dans laquelle nous sommes plongés. N'ayant rien laissé en place qui puisse assurer la transition (1), de Gaulle rappelle volontiers qu'il est « rééligible ». Briguera-t-il un troisième septennat? Cette hypothèse n'est pas à exclure. Mais quoi? Le moment arrive toujours où le metteur en scène enjoint brutalement à l'acteur de regagner les coulisses.

On s'apercevra alors que, derrière la façade qu'on

(1) Contrairement à l'exemple récent du Portugal, où le Dr Salazar avait pris soin de confier à un président-arbitre la mission de désigner son successeur.

appelle encore « Ve République », il n'y a, depuis longtemps, plus rien. Le pire n'étant pas toujours sûr, il est fort possible que les Français soient assez sages pour éviter le chaos. Mais quel labeur de reconstruction ne devront-ils pas s'imposer pour rebâtir la République!

Et puis, l'Histoire jugera. Elle pèsera dans ses balances ce que cet homme aura apporté de bien et de mal aux autres hommes, à ceux de son pays et à ceux du monde entier. Elle dira si les paroles tenues l'emportent sur les promesses trahies, si dans cette longue carrière les lumières comptent plus ou moins que les ombres. Elle mesurera, s'il est possible de les mesurer, les joies et les souffrances, l'allégresse de Paris libéré, la détresse d'Alger abandonné. Elle appréciera, s'il se peut, à quel point l'intervention d'une volonté individuelle a pu, dans cette seconde moitié du siècle, infléchir la course des événements en France et hors de France, pour le meilleur et pour le pire.

Peut-être le fera-t-elle, si demain des historiens, déjà assez éloignés pour ne point ressentir les passions de notre époque, riches sans doute de témoignages que nous ne possédons pas, s'attachent à dépeindre ce temps que nous vivons.

Mais nous qui le vivons, qui avons souffert, qui avons espéré et vu sombrer tant d'espoirs, qui avons cru et assisté à l'effondrement de notre foi, nous ne pouvons désormais qu'opposer au pouvoir, en dépit de son éclat et de sa force, quoi qu'il prétende ou promette, quoi qu'il fasse ou qu'il feigne de faire, le désaveu d'un refus inébranlable et tranquille.

Rome-Lausanne, 1967-1968.

POSTFACE

Comme on l'a indiqué plus haut, le général de Gaulle avait clairement annoncé, dans sa conférence de presse du 9 septembre 1968, son intention de consulter le pays par voie de référendum sur de prétendues « réformes » des pouvoirs publics. Il n'avait renoncé qu'à contrecœur au référendum sur la « participation » qu'il avait voulu organiser en juin. Certes, il avait suivi les suggestions, voire les objurgations de Georges Pompidou. Il avait consenti à dissoudre l'Assemblée et à faire les élections, avec le succès écrasant que l'on sait (1). Mais — et c'est là un trait essentiel de son caractère — ce succès même, n'étant pas dû à lui seul, l'avait laissé insatisfait. Que le Premier Ministre ait eu raison avec un tel éclat, c'était pour de Gaulle un motif non de gratitude mais de rancune. Aussi Georges Pompidou s'était-il trouvé soudain mis à l'écart et remplacé par Couve de Murville, à la stupéfaction quelque peu scandalisée de beaucoup de Français qui voyaient en lui, à juste titre, l'artisan de la victoire électorale du gaullisme.

(1) U.D.R.: 293 sièges au lieu de 197, Républicains indépendants 61 au lieu de 43.

Dédaigneux comme toujours des « corps intermédiaires », le Général voulait une autre victoire: la sienne, celle de l'homme providentiel et solitaire face à la foule inorganique entraînée par la puissance de son verbe. Le référendum, c'était la fontaine de Jouvence d'où il ressortirait réconforté pour un nouvel élan jusqu'à la fin du septennat, et sans rien devoir à personne.

Quand on sait avec quel soin et avec quelle pénétration de Gaulle avait coutume d'analyser les chiffres lors de chaque consultation, on ne peut qu'éprouver un profond étonnement en constatant qu'il ne semble pas avoir saisi ce que le triomphe électoral de juin 1968 contenait de précaire en dépit d'une brillante apparence. Sans doute, grâce au mécanisme de la loi électorale majoritaire, l'U.D.R. et ses alliés avaient-ils conquis une fraction énorme des travées au Palais-Bourbon. Mais leurs voix ne correspondaient qu'à 43,65 % des suffrages, alors que l'extrême-gauche, la gauche et le centre en totalisaient plus de 50 %. Des millions d'électeurs n'étaient pas représentés au Parlement. Mais, consultés par « oui » ou « non », ils pouvaient, ils devaient user pleinement de leurs suffrages. L'issue de ce scrutin apparaissait donc, pour le moins, fort aléatoire.

De Gaulle avait gagné les référendums précédents soit parce qu'il avait su jouer sur un clavier d'émotions élémentaires: la peur du désordre, le désir de paix, soit parce qu'une partie substantielle des voix oppositionnelles s'était ralliée à lui comme ce fut le cas des communistes à propos de l'abandon de l'Algérie. En serait-il de même dans une consultation dont personne ne saisissait profondément la nécessité, et dont l'échec éventuel n'était pas redouté comme faisant courir au pays un risque grave?

Deux autres facteurs psychologiques et politiques de poids auraient dû faire douter du succès. D'abord, en cas de retrait du vieux Guide, l'opinion sentait obscurément, et devait comprendre de plus en plus clairement, qu'existait un recours en la personne de Georges Pompidou. On pouvait donc voter « non » sans crainte. Que de Gaulle ait sous-estimé l'importance de son ancien Premier Ministre n'est pas surprenant: on sait combien les hommes, même éminents, retenaient peu sa considération, pour ne pas parler de son affection. Le Président de la République commit une erreur fatale en imaginant que son argument familier, répété *ad nauseam* depuis onze ans: « Après moi, le chaos », se montrerait aussi efficace qu'auparavant. Car un écho malin répondait: « Après vous? Pompidou. »

Autre sous-estimation désastreuse: de Gaulle s'attaquait de front à ceux qu'il avait toujours haïs et méprisés, à ces « milieux notables de la nation » qui selon lui « avaient pris parti pour la décadence » (1). Il oubliait volontiers, avec son ingratitude coutumière, que ces mêmes notables l'avaient porté à l'Elysée en 1958; il s'était débarrassé d'eux en faisant approuver par le référendum de 1962 l'élection du Président de la République au suffrage universel. Cette fois, il s'agissait de les écarter définitivement du pouvoir, d'une part en les mêlant au sein de pseudo-assemblées régionales à des délégués nommés et non élus, donc dénués d'autorité, d'autre part en brisant le Sénat, dernier bastion de la démocratie traditionnelle, ultime barrage à la domination absolue d'un seul.

Ce faisant, de Gaulle ne s'en prenait pas seulement, comme il affectait de le croire — ou peut-être le crut-il — à quelques personnalités, notables de province, élus locaux gourmés et sentencieux, sans rayonnement et sans influence sur les masses. Il y a 38 000 communes en France, chacune avec son maire et ses conseillers municipaux. Les conseils généraux des départements, surtout dans les zones rurales, sont peuplés de vrais

(1) *Mémoires d'Espoir*. Paris, 1970, p. 312.

notables, que les électeurs consultent et écoutent. Le Sénat résume en lui-même et rassemble ces structures anciennes et solides de la nation. Leur réaction de défense était prévisible. Elle fut sans doute prévue, mais dédaignée. Le mépris est un mauvais guide.

Dès le début de 1969, les déclarations de Georges Pompidou à Rome (17 janvier) et à Genève (13 février) posaient en termes très nets le problème de la succession. Que l'Elysée en ait conçu une vive irritation, c'est ce que démontre, sans même faire appel à des propos privés, l'aigre communiqué du 22 janvier par lequel de Gaulle affirmait sa volonté de « remplir son mandat jusqu'à son terme ». Il n'en restait pas moins acquis dans l'esprit public que Georges Pompidou était prêt à combler le vide s'il venait à se produire. Aussi maints électeurs, lassés ou déçus par dix ans de règne, s'apprêtaient-ils plus ou moins consciemment à voter « non » à de Gaulle et « oui » à son Dauphin — ce qu'ils firent en avril et en juin.

Toujours au mois de janvier, Alain Poher, président du Sénat, après s'être entretenu à l'Elysée avec le chef de l'Etat, prit position publiquement contre le projet de référendum. Quelques jours plus tard, à Quimper, au cœur de la Bretagne naguère encore ardemment gaulliste, mais cette fois devant une foule maussade, le Général faisait connaître publiquement ses intentions: « l'avènement de la région, cadre nouveau de l'initiative, du conseil et de l'action pour ce qui touche localement la vie pratique de la nation... grande réforme » à compléter par la « transformation » du Sénat.

C'était un monstre à deux têtes que de Gaulle entendait soumettre au « oui » ou « non » du pays. De ces deux têtes, l'une — la création de régions — pouvait assurément, au moins en principe, attirer des suffrages favorables: l'irritation des provinces face aux lenteurs et à l'arbitraire qui découlent d'une excessive centralisation n'avait fait que croître depuis dix ans sous le poids étouffant du régime autoritaire. L'autre, qualifiée par euphémisme de « transformation » ou de « rénovation » du Sénat, tendait en fait à sa suppression en tant qu'assemblée législative en y confondant pêle-mêle, « sur la base de la participation de toutes les instances intéressées » — étonnant charabia dans la bouche d'un orateur comme Charles de Gaulle! — élus et non-élus, représentants des départements et délégués d'organisations dites « socio-professionnelles », de manière à former un conseil consultatif hétéroclite et impuissant.

Avant même que fussent connues les dispositions du projet de loi référendaire, que Jean-Marcel Jeanneney était chargé de mettre au point, il découlait de la déclaration même faite à Quimper que le pays aurait à répondre à deux questions. N'était-il pas logique qu'on lui laissât la possibilité de répondre séparément à chacune d'elles? La loyauté et la clarté de la consultation ne pouvaient qu'y gagner. C'est d'ailleurs ce que démontrait un précédent de poids: le référendum de 1945. A cette époque, en effet, de Gaulle lui-même avait décidé de poser deux questions: maintien ou abolition de la Constitution de la IIIe République; nature et fonctionnement du régime provisoire, et avait sollicité deux réponses distinctes.

Mais cette formule n'était pas compatible avec l'idée de manœuvre du stratège politique qui avait conçu le référendum, piège artificieux destiné à obliger les provinciaux attachés au Sénat à voter son abolition pour obtenir la régionalisation, et à capter en même temps les suffrages de la gauche antisénatoriale. Pour que ce plan réussît, il fallait imposer la réponse unique, c'est-à-dire la confusion et la carte forcée.

C'est précisément sur ce point que se livrèrent les premières escarmouches et que se firent jour des controverses au sein même de la majorité. L'aile « giscardienne » de celle-ci se montrait fort réticente, et faisait de la séparation des deux questions son cheval de bataille. Valéry Giscard d'Estaing, Michel Poniatowsky « regrettaient » publiquement que le chef de l'Etat ait lancé le référendum sous cette forme. De Gaulle trancha: le 11 mars, à l'issue d'une journée de grève générale qui lui fournit le prétexte d'agiter l'épouvantail du désordre renaissant, il déclara: « La création des régions et la transformation du Sénat font un tout. » Au conseil des Ministres extraordinaire du 24 mars, il repoussa définitivement les deux questions distinctes. Une semaine plus tôt le Conseil d'Etat avait émis, à une forte majorité, un avis défavorable. De Gaulle fit dire par Jeanneney qu'il ne s'agissait là, après tout, que d'un « avis de fonctionnaires », et passa outre, dédaigneusement.

Tandis que les différents secteurs de l'opposition d'extrême-gauche, de gauche et du centre prenaient très vite position contre le projet, que les syndicats, le Sénat, l'Association Nationale des Maires de France se déclaraient hostiles, la majorité et le gouvernement ne parvenaient pas à cacher leurs incertitudes. L'Assemblée nationale, entrée en session le 2 avril, se borna à s'ajourner au 29, alors qu'au Palais du Luxembourg un débat passionné obligeait Joël Le Theule, représentant du gouvernement, à se retirer en claquant la porte. Raymond Marcellin, ministre de l'Intérieur, comprit dès réception des premiers rapports des Préfets que l'affaire était mal engagée. De toutes parts s'affirmait la levée de boucliers des notables. Les plus favorables demeuraient perplexes; les autres se montraient franchement hostiles. L'Union pour la défense des Libertés démocratiques et constitutionnelles, créée par le Sénateur de Nancy, Marcel Martin, recueillit aussitôt de nombreuses adhésions et entreprit une ardente campagne dans le pays. Alain Poher multipliait déclarations et réunions.

Autour du chef de l'Etat, les avertissements ne manquèrent pas. Soucieux, certains ministres allèrent jusqu'à proposer l'ajournement du référendum. De Gaulle sembla vaciller un moment, puis, se reprenant avec un alliage caractéristique de défi et de fatalisme, coupa court: *Alea jacta est*. Rien ne pouvait plus arrêter le processus engagé. Ou bien le train lancé à toute allure renverserait les obstacles, ou il se briserait.

Couve de Murville s'était efforcé, dans son allocution du 24 février, de « dépolitiser » le référendum. Il semble qu'on ait cherché pendant un premier temps à dissocier le résultat de ce scrutin et le sort du général de Gaulle. Si le texte présentait avant tout un caractère « technique », de Gaulle, suggérait-on, pourrait fort bien demeurer à l'Elysée même si le pays répondait « non ». Mais Jeanneney, le 16 mars, évoquait obscurément les « conséquences » qui ne manqueraient pas de surgir si le vote était négatif. Le 19 mars, le Président de la République fit connaître qu'il poserait aux Français « la question de confiance »: il mit clairement en jeu son mandat présidentiel le 10 avril au cours d'un entretien télévisé avec Michel Droit: « De la réponse que fera le pays, déclara-t-il, à ce que je lui demande, va dépendre évidemment soit la continuation de mon mandat, soit aussitôt mon départ. »

En prononçant ces paroles, de Gaulle demeurait fidèle à la logique de son personnage historique et du régime qu'il avait façonné. Comment ne pas observer que, à vouloir doter la France de la stabilité politique, mais en faussant le jeu des institutions par le dialogue perpétuel entre la nation et lui, il faisait monter pour ainsi dire le risque de l'instabilité du niveau gouvernemental à celui de la Présidence elle-même? Certes, en jetant à chaque fois dans la balance le poids de son prestige, le chef de l'Etat pouvait triompher successivement de plusieurs épreuves, mais qu'enfin une conjoncture défavorable vînt à se former, et le pari était perdu. Semblable à ces incorrigibles joueurs qui laissent à chaque coup leur mise et leurs gains sur le même numéro, le Général s'exposait à voir disparaître en un instant tout l'enjeu.

Précisément, la conjoncture ne l'aidait guère. Certes, le régime avait surmonté la crise de mai-juin 1968, mais dès l'automne la situation économique et financière provoquait de graves inquiétudes. De Gaulle s'opposa tenacement à la dévaluation du franc, pourtant visiblement inévitable: chacun comprenait qu'il n'avait remporté là qu'un succès à la Pyrrhus, conduisant à un répit précaire mais non à un palier solide. En février 1969, la France cessa d'occuper son siège à l'Union de l'Europe occidentale, et une grave crise franco-britannique à propos d'un entretien entre de Gaulle et l'ambassadeur Soames fit voir à quel point la politique du chef de l'Etat avait détérioré la position internationale de la France. Etait-ce bien le moment, se demandaient beaucoup de Français inquiets, même gaullistes, de bouleverser les institutions, d'effacer les derniers vestiges de contrôle démocratique, de tout remettre entre les mains d'un monarque vieillissant?

Le texte soumis au référendum enfin publié, ce fut un tollé général. On s'aperçut en effet que ce projet ne se bornait pas à juxtaposer deux réformes plus ou moins discutables. Tout d'abord, sa conception même apparaissait clairement comme anticonstitutionnelle, puisque de Gaulle, contrairement à l'article 89 de la Charte fondamentale, faisait appel au pays directement, par-dessus les Assemblées, sans que le Sénat fût mis en mesure de se prononcer sur un projet qui le mettait en cause. La régionalisation, de son côté, dont le principe recueillait l'accord de nombreux Français à Bordeaux comme à Lyon, à Lille aussi bien qu'à Marseille, se révélait un artifice soigneusement agencé pour liquider les derniers restes des libertés locales en superposant aux communes et aux départements des assemblées impuissantes et des super-préfets, véritables vice-rois, aux ordres directs du Président. On se trouvait donc en fait devant un renforcement de la centralisation autoritaire, technocratique et bureaucratique, que le projet prétendait alléger.

Particulièrement scandaleuse, l'organisation prévue pour la région parisienne confiait cette zone vitale de la nation à une assemblée où les élus territoriaux — 45 sur 193 membres — n'auraient été qu'une faible minorité. Cette assemblée composite, chargée de voter un budget soumis cependant à « approbation par décret », n'aurait joui d'aucun pouvoir réel face à un super-préfet tout puissant.

Quant à la « transformation » du Sénat, on notait non sans regret qu'elle allait directement à l'encontre de la doctrine constitutionnelle du gaullisme cent et mille fois exposée par Michel Debré, René Capitant et bien d'autres, sans parler du Général lui-même. Cette doctrine posait en principe l'équilibre des pouvoirs entre les deux Assemblées parlementaires, l'égalité de décision de l'Assemblée nationale et du Sénat. De 1946 à 1958, les porte-parole du gaullisme n'avaient cessé de reprocher à la Constitution de 1946 le rôle purement consultatif du Conseil de la République. Aussi la Constitution de 1958 avait-elle restauré le Sénat avec ses attributions législatives normales. Quel paradoxe, alors, de voir le général de Gaulle revenir au système de la IVe République, dénoncé avec tant de vigueur par lui et les siens pendant douze ans!

Enfin — et ce n'était pas le moins inquiétant —, dissimulés avec soin dans la jungle d'un texte confus et obscur, certains articles conféraient au chef de l'Etat, déjà généreusement doté de pouvoirs très vastes, de nouvelles et exorbitantes facultés, notamment celle de désigner l'homme qui assumerait son intérim en cas de besoin, et celle de modifier à son gré la Constitution, sans référendum, par un simple vote d'une Assemblée nationale peuplée de dociles zélateurs.

« On ouvre la voie au pouvoir absolu », écrivais-je en conclusion d'un opuscule (1) consacré à la critique du texte. Bien qu'on prétende, et souvent avec raison, que l'opinion publique est peu sensible, en France, aux arguments juridiques et constitutionnels, les thèmes exposés ci-dessus et d'autres du même genre, repris par maints orateurs devant des salles combles et passionnées un peu partout en France, ne laissèrent pas de faire impression. Nombreux furent les citoyens qui, alertés par les porte-parole de l'opposition, par les notables, par les maires, inquiets en voyant tant d'hommes de bon sens jeter un cri d'alarme, se résolurent assez vite à déposer dans les urnes un bulletin négatif.

Il est de fait que si un premier sondage d'opinion, le 17 avril, donnait le référendum gagné à 52 %, un deuxième sondage, sept jours plus tard, marquait le renversement de la tendance: 53 % de non. De Gaulle, d'ailleurs, ne s'y trompait point: « Le Theule, tout est foutu », confia-t-il au ministre de l'Information. Dans les rangs mêmes de l'U.D.R. on enregistrait des retraits spectaculaires. Le Dr Hébert, député-maire de Cherbourg, donne sa démission du groupe parlementaire, Marcel Prélot, sénateur U.D.R. du Doubs, un des premiers fidèles du gaullisme, ancien membre du Conseil de direction du R.P.F., va jusqu'à déclarer: « La France ne sera plus, si vous dites « oui » le 27 avril, qu'un pays en régime de fait et en gouvernement personnel. Déjà, derrière le texte actuel, d'autres modifications se préparent, qui transformeraient la France en une monocratie plébiscitaire ».

« Monocratie plébiscitaire »: l'expression est profondément exacte. Sans doute pourrait-on objecter au séna-

---

(1) *Le référendum-plébiscite: pourquoi répondre Non*, par Jacques Soustelle. Editions du Club « Les Idées, les Hommes, les Faits ».

teur Prélot que cette définition s'appliquait déjà au régime gaullien pendant les sombres années de la répression déchaînée contre les défenseurs de l'Algérie, sous le signe de l'article 16 détourné de son but constitutionnel. Mais mieux vaut tard que jamais. Venant d'un gaulliste de la vieille garde, juriste scrupuleux et intègre, le coup était rude.

Quant à Georges Pompidou, c'est le 23 avril qu'il se déclara décidé « à voter oui par fidélité vis-à-vis de (son) passé comme de l'avenir ». Le même jour, un grand meeting eut lieu au Palais des Sports. La vedette en fut André Malraux. « Aucun gaulliste d'avant-hier, d'hier ou de demain, s'écria-t-il, ne pourrait maintenir la France appuyée sur les « non » qui auraient écarté de Gaulle... On peut fonder un après-gaullisme sur la victoire du gaullisme, on ne pourrait en fonder aucun sur la défaite du gaullisme. » L'intention de ces phrases, adressées à Georges Pompidou présent sur l'estrade, ne passa pas inaperçue. L'ancien Premier Ministre applaudit discrètement. Et ce fut tout.

Le vendredi 25 avril, désormais certain que le référendum serait un échec, le général de Gaulle donna ses ordres ultimes à son conseiller aulique Bernard Tricot. Les archives partirent pour Colombey, les valises furent bouclées, tout, jusqu'au moindre article de bureau, évacué. Il s'agissait de faire le désert devant le Président intérimaire: Alain Poher ne devait rien trouver en arrivant à l'Elysée, même pas un crayon ou une feuille de papier buvard.

C'est au soir de ce vendredi que de Gaulle adressa son ultime appel à la nation. Pathétique, attristante même, pour ceux qui l'avaient connu en d'autres temps, cette dernière tentative du vieil homme acculé à la défaite par la poussée inexorable de ses propres erreurs, cherchant à retenir le pouvoir qui fuyait entre ses doigts comme l'eau d'un torrent. Il y avait, certes, le ronron des phrases trop souvent prononcées et qui n'émeuvent plus: « Votre réponse va engager le destin de la France... un pas décisif sur le chemin qui doit nous mener au progrès dans l'ordre et la concorde », formules usées et sans force de conviction. Il y avait la menace, usée elle aussi: « Si je suis désavoué par une majorité d'entre vous... ma tâche actuelle de chef de l'Etat deviendra évidemment impossible et je cesserai aussitôt d'exercer mes fonctions. Alors, comment sera maîtrisée la situation résultant de la victoire négative de toutes les diverses, disparates et discordantes oppositions, avec l'inévitable retour aux jeux des ambitions, illusions, combinaisons et trahisons dans l'ébranlement national que provoquera une telle rupture? »

A la fin, singulière et pénible amorce d'une sorte de marchandage avec une opinion rétive, de Gaulle promettait de se retirer « sans déchirement et sans bouleversement » au terme régulier de son mandat. C'était dire aux citoyens réticents: « Votez pour moi encore une fois: dans trois ans je m'en irai de mon plein gré. » Beaucoup, dont je suis, ne purent s'empêcher de ressentir cette phrase comme une manœuvre peu à la mesure du général de Gaulle de jadis. Certains auraient voulu pouvoir lui dire: « Hélas, mon Général! Nous vous avons suivi pendant tant d'années, nous avons cru à vos promesses, vous nous avez conduits aux déceptions, vous nous avez forcés aux choix les plus tragiques. Vous avez écarté vos fidèles de toujours quand ils ont voulu rester des compagnons mais non se muer en courtisans. Vous-même avez brisé la statue érigée dans nos cœurs. Tant pis! Trop tard! »

Et en effet il était trop tard. De Gaulle ne se le dissimulait pas. Le même jour, il remit à Couve de Murville une enveloppe scellée à ouvrir en cas d'échec du référendum, puis, dès le lendemain, gagna Colombey-les-Deux-Eglises, sachant qu'il n'en reviendrait point.

Au soir du 27 avril, les machines électroniques annoncèrent les résultats:

OUI: 10 515 000 voix (contre 13 150 000 en 1962) soit: 46,82 %

NON: 11 943 000 voix (7 974 000 en 1962) soit: 53,17 %.

Paris, au-dessus de la moyenne nationale, avait voté « non » à 56 %, le Rhône (Lyon) à 57,78 %, la Gironde (Bordeaux) à 57,13 %, les Bouches-du-Rhône (Marseille) à 61,34 %, le Nord (Lille) à 51,65 %. Le « Non » l'emportait dans toute la région parisienne sans exception et dans presque toutes les provinces sauf la Lorraine, l'Alsace, la Bretagne, la Corse et quelques départements du centre tels que le Cantal et la Lozère. Les succès du « Oui » outre-mer (97,25 % à Djibouti, 99,72 % aux Comores par exemple) ne suffisaient pas à compenser l'ampleur de l'échec subi en métropole.

Dans la soirée, Couve de Murville ouvrit l'enveloppe que le Général lui avait confiée. Il en retira le communiqué qui fut rendu public à 0 h 11 dans la nuit du 27 au 28 avril: « Je cesse d'exercer mes fonctions de Président de la République. Cette décision prend effet aujourd'hui à midi ».

Il y avait un peu moins de vingt-neuf ans que Charles de Gaulle avait fait irruption sur la scène de l'Histoire en lançant l'appel du 18 juin.

★

Ceux qui, plus tard, feront le récit détaillé de cette période observeront avec surprise que, le 28 avril, il ne se passa rien.

De Gaulle était parti. Sauf quelques vociférations sans importance au Quartier Latin et aux Champs-Elysées, Paris ne bougea pas. La province, pas davantage. La France s'installait d'emblée dans l'après-gaullisme, sans heurt et sans drame.

A 11 heures ce jour-là, le Conseil Constitutionnel constata officiellement la vacance du pouvoir par suite de la décision du chef de l'Etat. A 15 h 5, Alain Poher entra à l'Elysée où l'accueillit, seul, Bernard Tricot. Ayant reçu Couve de Murville, il déclara: « Le respect scrupuleux de la loi... s'impose au Président intérimaire, au Gouvernement qui demeure en fonction, aux Assemblées élues et à tous les Français. » Le pays ne montrait aucun signe d'émotion.

L'élection présidentielle du 1er et du 15 juin ne devait donner lieu qu'à une campagne animée sans doute, mais non passionnée.

Alain Poher hésita longtemps à poser sa candidature. Une bonne partie de l'opinion publique, certains leaders centristes tels que Jean Lecanuet, des personnalités hostiles à la fois au communisme et au néo-gaullisme comme Pierre Sudreau, Bourgès-Maunoury, Jacques Soustelle, le pressaient vivement de se décider. Scrupuleux et fort peu imbu de lui-même, conscient du rôle important et délicat qui lui incombait en tant que Président intérimaire, Alain Poher désirait se consacrer avant tout à cette tâche. En convoquant, le 30 avril, le Président du Conseil d'administration de l'ORTF de Leusse pour le mettre en demeure, avec une fermeté souriante, de rétablir un minimum d'objectivité dans les émissions radiophoniques et télévisées dont la partialité intolérable provoquait de vives protestations, il s'affirma comme arbitre. Devait-il, dès lors, descendre dans l'arène?

Le premier Conseil des Ministres sous sa présidence fut glacial. A l'issue de cette délibération, Michel Debré crut bon de publier un communiqué de son cru, aussi désobligeant qu'insolite. Poher releva cette incartade comme il se devait. Son image dans l'opinion publique se précisait comme celle d'un homme intègre et calme, ouvert aux grands problèmes d'avenir tels que la construction européenne, décidé à mettre un terme à l'étouffante suprématie d'un clan trop longtemps retranché dans les bastions du pouvoir grâce au prestige d'un homme exceptionnel, capable enfin de retenir ce qu'il y avait de bon dans la Vᵉ République en renonçant à ses excès.

Mais il attendit jusqu'à l'ultime limite, le 13 mai, pour faire acte de candidat.

Pendant ce temps, les positions avaient été prises de divers côtés. Dès le 29 avril, Georges Pompidou avait fait connaître sa candidature, accueillie avec réticence et hostilité par René Capitant et les « gaullistes de gauche », mais soutenue au fil des jours par le ralliement de Valéry Giscard d'Estaing, de René Pleven, de Fontanet, de Duhamel. Gaston Defferre, forçant la main de ses amis socialistes, se déclara candidat en même temps que Pompidou. Le parti communiste présentait Duclos, le PSU Michel Rocard, les « gauchistes » Krivine: la gauche allait donc désunie à la bataille. A cette série de candidats s'ajoutait un « indépendant », inévitable en pareil cas semble-t-il, l'ancien conseiller de Paris Ducatel.

De Gaulle, cependant, arpentait mélancoliquement les landes celtiques de l'Eire, affichant ainsi son intention de ne se mêler en rien de ce qui se passait en France, non sans maintenir le contact par l'intermédiaire du féal Tricot, confident et complice des épisodes les plus obscurs et tortueux de la liquidation de l'Algérie (1).

Les sondages d'opinion de l'I.F.O.P. prévoyaient le 12 mai, 43 % des voix au premier tour à Pompidou contre 34 % à Poher, et ce dernier élu au second tour

---

(1) Notamment de l'étrange « affaire Si Salah » cf. IIᵉ Partie chapitre 3.

par 56 % des suffrages. Mais entre la clôture du dépôt des candidatures et le premier tour fixé au 1er juin, tandis que Georges Pompidou parcourait de bout en bout le pays et multipliait les déclarations publiques, Alain Poher se borna à faire une campagne feutrée, timide presque, limitée à des interventions radiophoniques et télévisées. Sa « technique » n'était pas au niveau de celle de son adversaire, non plus d'ailleurs qu'à celui des habiletés de Jacques Duclos.

Le leader communiste, rond et petit-bourgeois d'apparence, servi par son accent de terroir et son comportement bonhomme, amusait et séduisait. Aussi sa cote ne cessait-elle de monter tandis que celle d'Alain Poher baissait. Pompidou, lui, demeurait stationnaire. Entre le 21 et le 29 mai, les sondages attribuèrent avec constance 41 % à Georges Pompidou; Poher passait de 30 à 25 %, Duclos de 14 à 18. Defferre, bien qu'il ait un moment attiré l'attention en annonçant que, s'il était élu, il désignerait Mendès-France comme Premier Ministre, ne réussissait pas à « percer » par ses allocutions languissantes et ternes.

Une campagne électorale présidentielle vise avant tout à imposer au public, par la presse, la radio et la télévision, une certaine « image de marque » des candidats. Georges Pompidou excellait dans cette entreprise, rassurant les uns, ouvrant à d'autres des perspectives d'avenir, recevant toutes les délégations, répondant à toutes les questions avec un brio incontestable et une chaleur humaine qu'on n'avait pas trouvée chez son illustre prédécesseur. Sa campagne, fort bien organisée, mobilisait à son profit l'immense désir de paix civile des Français tout en laissant espérer des changements raisonnables et un style moins abrupt. Celle d'Alain Poher se ressentit de l'improvisation et souffrit des qualités mêmes du candidat. Des propagandistes inexpérimentés, faisant barrage autour du Président intérimaire, écartèrent plus d'une fois, par ignorance ou sectarisme, les concours efficaces qui s'offraient, et n'utilisèrent qu'imparfaitement le travail du comité que dirigeait Sudreau. A l'issue du premier tour, Georges Pompidou obtenait 43,95 % des voix, Alain Poher 23,42 % seulement, talonné par Jacques Duclos avec 21,52 %. Defferre atteignait péniblement 5 %.

Deux questions se posaient alors: Poher devait-il se maintenir, même sans espoir? Que décideraient les communistes?

A la première question, le Président intérimaire répondit, avec raison selon moi et malgré mille objurgations, qu'il avait le devoir de demeurer dans la course. Cinq millions d'électeurs avaient manifesté, en votant pour lui, qu'ils repoussaient à la fois la continuité gaullienne et l'aventure d'extrême-gauche. Defferre, se désistant pour lui, apportait un million de suffrages. Surtout, Alain Poher estimait qu'il ne fallait pas laisser s'accréditer dans l'opinion publique la thèse d'André Malraux selon laquelle les Français n'auraient de choix qu'entre la majorité et une opposition communiste.

Que cette opposition fût, en réalité, un « tigre de papier », c'est ce que démontra le parti communiste lui-même en appelant les électeurs à s'abstenir sous prétexte que « Pompidou et Poher, c'est bonnet blanc et blanc bonnet ». En prenant cette décision, le matois Duclos et ses acolytes savaient fort bien qu'ils « gelaient » les votes oppositionnels qui auraient pu se reporter sur Poher: ils apportèrent ainsi un soutien non négligeable, quoique indirect, à la candidature d'inspiration gaulliste, évidemment avec l'espoir — non déçu jusqu'à présent — que se poursuivrait pour l'essentiel la politique extérieure du Général: rapprochement avec l'Est, froideur à l'égard de l'Amérique, embargo contre Israël.

Pour Alain Poher, je l'ai dit, c'était un combat presque sans espoir. Il le mena pourtant avec courage et

énergie. Mais au soir du 15 juin, il n'obtint que 42,41 %
des voix, avec 7 850 000 suffrages. Il avait donc gagné
près de 20 points en pourcentage et deux millions et
demi de voix. Georges Pompidou l'emportait avec
57,58 % et 10 686 000 voix. Paris lui avait apporté
58,34 % de ses suffrages exprimés. Il dépassait 60 % en
Moselle, en Alsace, dans le Finistère, le Morbihan, la
Manche, la Vendée, la Lozère, l'Aveyron. Pour la
métropole, le Cantal arrivait en tête avec 83 %, outre-
mer les Comores avec 91. Les pourcentages les plus faibles étaient atteints en Ariège (50,22), dans la Drôme
(50,64), les Alpes-Maritimes (51,65) et, curieusement,
en Gironde (50,64). Les abstentions, par rapport aux
inscrits, étaient passées de 21,80 % le 1er juin à 30,94 %
(plus 4,5 % de bulletins blancs ou nuls) le 15 juin,
preuve de l'efficacité de la campagne abstentionniste
menée par le parti de Jacques Duclos.

Cela dit, près de 8 millions de voix « centristes »,
correspondant à un éventail d'opinion allant des socialistes au centre-droit, avaient fait bloc sur Alain Poher.
C'était là une indication très nette donnée par le suffrage universel: aucun gouvernement sérieux ne pouvait se refuser à tenir compte de cette réalité.

Georges Pompidou, officiellement installé le 20 juin
dans ses fonctions de Président de la République,
affirma sa résolution de s'acquitter de son mandat
« dans le strict respect de la Constitution de la Ve République et avec la volonté de maintenir la dignité de la
France ». Deux jours plus tard était formé le nouveau
Gouvernement sous la direction de Jacques Chaban-
Delmas.

★

La suite n'appartient plus à l'histoire du gaullisme.
Non, certes, que le changement l'ait emporté, en 1970,
sur la continuité: car s'il est vrai que sur certains
points, tels que l'accès de la Grande-Bretagne à l'Eu-

rope des Six, un léger infléchissement s'est manifesté, au total « l'ouverture » s'est limitée à l'entrée de quelques personnalités dans le Gouvernement. Mais le général de Gaulle est mort dans sa retraite peu de temps après le bref éclat provoqué par un volume de Mémoires bâclé, plaidoyer *pro domo* de style médiocre et peu convaincant. Disparu celui dont l'ombre planait encore sur le personnel dirigeant de la République, qui sait quel cours va suivre celle-ci désormais? C'est en vain qu'on s'efforcerait de perpétuer un gaullisme qui, du fait même de son chef, s'était ramené à une personne et ne visait plus qu'à gouverner le plus longtemps possible, sans plan et sans doctrine.

La France continue: ceux qui, malgré tout, font confiance à son peuple, espèrent et espéreront sans se lasser qu'il trouvera en lui-même les forces et les hommes qui lui permettront d'affronter les obstacles d'aujourd'hui, peut-être les tempêtes de l'avenir. La France continue? Disons plutôt qu'elle recommence.

Paris, janvier 1971

TABLE DES MATIÈRES

L'AVENTURE AUJOURD'HUI

J'AI LU LEUR AVENTURE

L'AVENTURE MYSTÉRIEUSE
du cosmos et des
civilisations disparues

CHARROUX Robert
A. 190** Trésors du monde
Trésors des Templiers et des Incas. Trésors du culte enfouis lors des persécutions religieuses. Trésors des pirates et des corsaires, enterrés dans les îles des Antilles. L'auteur raconte leur histoire et en localise 250 encore à découvrir.

CHEVALLEY Abel
A. 200* La bête du Gévaudan
Les centaines d'adolescents dont les cadavres, durant des années, jonchèrent les hauteurs de la Margeride, furent-ils les victimes d'une bête infernale, de quelque sinistre Jack l'Eventreur ou d'une atroce conjuration?

CHURCHWARD James
A. 223** Mu, le continent perdu
Mu, l'Atlantide du Pacifique, était un vaste continent qui s'abîma dans les eaux avant les temps historiques. Le colonel Churchward prouve par des documents archéologiques irréfutables qu'il s'agissait là du berceau de l'humanité.

CHURCHWARD James
A. 241** L'univers secret de Mu
La vie humaine est apparue et s'est développée sur le continent de Mu. Les colonies de la mère-patrie de l'homme furent ainsi à l'origine de toutes les civilisations.

DEMAIX Georges J.
A. 262** Les esclaves du diable
Depuis l'assassinat rituel de Sharon Tate jusqu'aux messes noires de la région parisienne, l'auteur nous brosse le panorama de la sorcellerie et de la magie depuis l'antiquité jusqu'à nos jours.

FLAMMARION Camille
A. 247** Les maisons hantées
Le grand savant Camille Flammarion a réuni ici des phénomènes de hantise rigoureusement certains prouvant qu'il existe au-delà de la mort une certaine forme d'existence.

HUTIN Serge
A. 238* Hommes et civilisations fantastiques
Nous voici entraînés dans un voyage fantastique parmi des lieux ou des êtres de légende: l'Atlantide, l'Eldorado, la Lémurie, la cité secrète de Zimbabwé ou la race guerrière des Amazones. Chaque escale offre son lot de révélations stupéfiantes.

LARGUIER Léo
A. 220* Le faiseur d'or, Nicolas Flamel
Nicolas Flamel nous introduit dans le monde fascinant de l'alchimie où le métal vil se transmute en or et où la vie se prolonge grâce à la Pierre philosophale.

civilisations préhistoriques aujourd'hui oubliées et que l'auteur nous révèle enfin.

RAMPA T. Lobsang
A. 256** Les secrets de l'aura
Pour la première fois Lobsang Rampa donne un cours d'ésotérisme lamaïste. Ainsi, il apprend à voyager sur le plan astral et à discerner l'aura de chacun d'entre nous. Tout ceci est expliqué clairement et d'un point de vue pratique.

SADOUL Jacques
A. 258** Le trésor des alchimistes
L'auteur prouve par des documents historiques irréfutables que les alchimistes ont réellement transformé les métaux vils en or. Puis il révèle, pour la première fois en langage clair, l'identité chimique de la Matière Première, du Feu Secret et du Mercure Philosophique.

SAURAT Denis
A. 187* L'Atlantide et le règne des géants
Le cataclysme qui engloutit l'Atlantide porta un coup fatal à la civilisation des géants dont les traces impérissables subsistent dans la Bible, chez Platon, et dans les monumentales statues des Andes et de l'île de Pâques, antérieures au Déluge.

SAURAT Denis
A. 206* La religion des géants et la civilisation des insectes
Avant le Déluge, avant l'Atlantide, avant les géants du tertiaire, les premières civilisations d'insectes, à travers d'étranges filiations, ont modelé les civilisations humaines, même les plus modernes.

SEABROOK William
A. 264** L'île magique
Haïti et le culte vaudou ont suscité bien des légendes, mais l'auteur a réussi à vivre parmi les indigènes et à assister aux cérémonies secrètes. C'est ainsi qu'il put constater l'effroyable efficacité de la magie vaudou et qu'il eut même l'occasion de rencontrer un zombi.

SEDE Gérard de
A. 185** Les Templiers sont parmi nous
C'est une tradition vieille de 40 siècles qui a donné aux Templiers leur prodigieuse puissance. Mais leur trésor et leur connaissance des secrets des cathédrales provoquèrent la convoitise des rois, et ce fut la fin de l'Ordre du Temple.

SEDE Gérard de
A. 196* Le trésor maudit de Rennes-le-Château
Quel fut le secret de Béranger Saunière, curé du petit village de Rennes-le-Château, qui, entre 1891 et 1917, dépensa plus de un milliard et demi de francs? Mais surtout comment expliquer que tous ceux qui frôlent la vérité — aujourd'hui comme hier — le fassent au péril de leur vie?

SENDY Jean
A. 245** Les cahiers de cours de Moïse
A travers l'influence « astrologique » du zodiaque, la prophétie de saint Malachie et le texte biblique, Jean Sendy nous montre les traces évidentes de la colonisation de la Terre par des cosmonautes dans un lointain passé.

TARADE Guy
A. 214** Soucoupes volantes et civilisations d'outre-espace
Des descriptions très précises de soucoupes volantes ont été faites au XIXe siècle, au Moyen Age et dans l'Antiquité. La Bible en fait expressément mention. Une seule conclusion possible: les « soucoupes » sont les astronefs d'une civilisation d'outre-espace qui surveille la Terre depuis l'aube des temps.

VILLENEUVE Roland
A. 235* Loups-garous et vampires
L'auteur traque ces êtres monstrueux depuis l'antiquité jusqu'à nos jours et illustre d'exemples stupéfiants leurs étranges manifestations, leurs mœurs, et leurs amours interdites. Mieux, il les débusque jusqu'au fond des repaires secrets qui les abritent encore.

J'AI LU ROMANS-TEXTE INTÉGRAL

EDITIONS J'AI LU

31, rue de Tournon, Paris VIe

Exclusivité de vente en librairie:
FLAMMARION

Imprimerie Union-Rencontre 68 Mulhouse - 5000/303
Dépôt légal: 1er trimestre 1971
PRINTED IN FRANCE